改訂新版
審美的歯科矯正法
―舌側矯正臨床基本テクニック―

Esthetic Orthodontics
―Basic Technique of Lingual Orthodontics―

小谷田 仁 著

クインテッセンス出版株式会社 2003
Tokyo, Berlin, Chicago, London, Paris, Barcelona, São Paulo, New Delhi, Moscow, Prague, Warsaw, and Istanbul

著者略歴

小谷田仁（こやたひとし）

1949年10月6日生まれ．
1975年　日本歯科大学卒業．
1977年　米国HOWARD大学・矯正科大学院入学
1979年　同大学院卒業，常勤講師として同校大学病院歯科矯正科に勤務．
1981年　こやた矯正歯科クリニック開業（東京都，赤羽）．
1992年　医療法人社団審美会設立，理事長就任．
1993年　青山審美会歯科矯正クリニック開業（東京都，青山）．
現在に至る．
歯学博士
日本歯科大学非常勤講師
米国歯科医師会認定矯正歯科専門医
初代日本舌側矯正学術会会長
日本成人矯正歯科学会常務理事

著書に「カラーアトラス　審美歯科　臨床基本テクニック」（共著，クインテッセンス出版（株）刊）がある．

序　文

1996年，いわゆる舌側矯正の実践的な臨床専門書として審美的歯科矯正―舌側矯正臨床基本テクニックを出版して以来，舌側矯正は確実に進歩し，現代矯正歯科の術式の1つとして確立された様にみえます．

この進歩を受けて，改訂版を出版することになりました．

改訂版では舌側矯正を包括的歯科医療，審美歯科の潮流の中の1つとしてとらえ，その観点から本書をスタートする事にしました．

内容を大幅に改訂した章は8章のバイオメカニックスと11章のコアーシステムです．舌側矯正の独特な歯牙移動様式の原因は主に装置が舌側に位置している事にあります．そして，装置の位置が舌側方向に移動するのに比例して歯牙移動のコントロールはそれだけ困難になります．

従って，唇側矯正の方式を舌側矯正にそのまま応用するとバイオメカニックス上不都合な状態が生じる可能性がある事を認識する必要があります．

例えば，ストレートワイヤー法を舌側矯正に応用すると，特に上顎前歯の装置の位置が更に舌側に移動するため，この部分のトルクコントロールが極めて困難になります．

舌側装置は矯正歯科のいわば裏世界に属し，表世界（唇側装置）とはバイオメカニックスにおいて全く異なるルールによって支配されていると認識して診療にあたる必要があると考えます．

1985年，日本矯正歯科学会学術大会において小谷田が舌側矯正の症例に理想的機能咬合を具現化したセットアップモデルを製作し，これを基準としてアイデアルアーチ設定をすることによってブラケットの位置を決定する方式を完了症例を提示して発表しました．この舌側矯正コアーシステムはその後，多くの改良がなされ現在に至っています．

改訂版では，実際に臨床に応用されている主な方式を提示し，読者の参考になるように簡単な術式の長所と短所を示しました．正確で操作性が良く，ブラケットの再装着が正確で容易に出来ることが選択の基準になります．

舌側矯正の特殊性を考慮するとコアーシステムは，最も重要な治療ステップであることを認識すべきでしょう．

15章では舌側矯正では禁忌症といわれてきた開咬症例の治療方針について機能的咬合平面のコントロールの観点から，3種類に分類して治験例を提示して臨床的考察を試みました．

本書が舌側矯正を試行される臨床医にとって少しでも参考になれば幸いです．

私のような者が，この本を書くことが出来たのは多くの人々の助力のお陰です．私が舌側矯正をスタートするにあたり，惜しみない助言と指導を与えて下さった藤田欣也先生に感謝いたします．藤田先生は世界に先駆けてフジタメソッドを開発した，このテクニックの真の開発者です．

矯正を包括的にとらえる成人矯正の重要性を教えて下さった佐藤元彦先生，私に矯正の基礎を教えて下さった松本　圭司先生，米国ワシントンD.C.に歯科矯正科大学院生として留学していた私を指導して下さったDr. H. Suehiro，理想的機能咬合とは何かを教えて下さった寿谷一先生に感謝致します．

私が初代会長であった日本舌側矯正学術会（JLOA）の主催する講習会の講師であるDr. Fillionはこの術式の普及に貢献されました．

舌側矯正の要とも言うべきコアーシステムについてはDr. Kim, Taewonからこの術式の中で現在最も優れていると思われるC.R.C. Systemを学びました．また，この術式の正しい臨床的な考え方を白須賀　直樹先生から教えていただきました．

丹根　一夫先生とDr. T.F. Mulliganからバイオメカニックスについての基礎的な考え方を，Dr. Kim, Young Hから咬合平面の合理的な考え方を，また吉澤裕二先生から舌側矯正のバイオメカニックスの理論的な考え方を教えて頂きました．

最後になりましたが，私にこの本を書く機会を与えて下さったクインテッセンス社　社長　佐々木一高氏に感謝の念を捧げたいと思います．

平成15年4月　池田山の自宅にて

小谷田　仁

Preface

The purpose of this text book is to clarify biomechanical characteristics of lingual orthodontics. Orthodontic treatment of patients with lingual appliances necessitates modification of the of the conventional mechanotherapy used with labial appliances because of the very unique type of tooth movement in lingual orthodontics, which is obviously caused by the different bracket position.

The unique bracket position, morphology of the lingual tooth surface, anatomical difference of the cortical bone and reduced arch circumference and interbracket distance result in very different characteristics of tooth movement.

In my estimate, approximately double orthodonic force should be applied in lingual orthodontics to produce the same magnitude of torque on incisors as in labial orthodontics.

It must be understood that lingual orthodntics belong to an entirely different world of orthodontics.

For example it is naturally tempting to apply the straight wire concept to ingual orthodontics.

To realize this with a lingual straight wire appliance, however, anterior brackets would be located too far lingually. The moment of force created with lingual brackets is opposite in direction to that with labial brackets.

In addition the further lingually the brackets are positioned, the greater the moment of force will be increasing anterior crown lingual torque significantly.

Again, lingual orthodontics belong to an entirely different world.

I hope this book will have a uniting influence on the clinicians using Lingual Orthodontics.

Koyata, Hitoshi, D.D.S., M.S.

この本を

深い愛で育ててくれた
父一郎　母ヨシ

私の心の支えである
妻早苗と子どもたち夕里名，卓

に贈る

Contents

序文／3

Chapter 1 審美的歯科矯正法の概念 — 8

Chapter 2 正常咬合と舌側矯正のアーチ形態 — 16

Chapter 3 舌側装置の長所と短所 — 18

Chapter 4 舌側装置における症例の選択 — 19

Chapter 5 舌側装置ブラケットの種類と特徴 — 20

Chapter 6 タイポドント実習 — 24
　1）症例1：上顎前突症例（アングルⅡ級1類）／24
　2）タイポドントのモデル症例／30

Chapter 7 治療手順と使用ワイヤーの種類 — 32

Chapter 8 舌側矯正のバイオメカニックス — 44

Chapter 9 舌側矯正に関する臨床テクニック — 62

Chapter 10 矯正診断に必要な臨床的診査 — 66

Chapter 11 コアーシステム — 80

Chapter 12 促進矯正法（コルチコトミー） — 94

Chapter 13 舌側矯正における発音障害 — 104

Chapter 14	舌側矯正における歯周疾患と口腔衛生指導	106
Chapter 15	咬合平面と舌側矯正	110
Chapter 16	アングルⅠ級症例	134

症例1：上下空隙歯列／134

症例2：上下前歯前突症例／138

Chapter 17	アングルⅡ級症例	144

1）1類症例

症例3：上顎前突症例／144

症例4：前歯前突，叢生／150

2）2類症例

症例5：上顎前歯前突症例／156

3）開咬を伴うアングルⅢ級症例

症例6：開咬，上顎前歯前突／161

Chapter 18	アングルⅢ級症例（前歯部反対咬合）	166

症例7：前歯部反対咬合／166

症例8：前歯部反対咬合／171

Chapter 19	外科症例	176

症例9：開咬，前歯部反対咬合／176

参考文献／182

Chapter 1

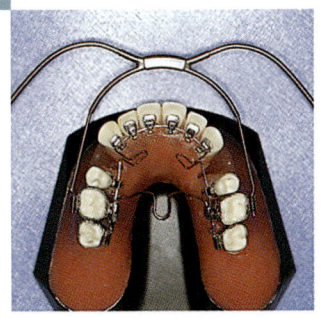

審美的歯科矯正法の概念

1）審美的歯科矯正法と審美歯科

(a) 審美歯科の定義

近年の、いわゆるグローバル化に伴う国際的なコミュニケーションの急速な増大は日本人の美意識に確かな変化をもたらし、健康的で美しいスマイル、美しい口元と白い歯は自己アピールの重要な要素として認識されて来ている.

岩田によると美（Beauty）と倫理（Ethics）が審美歯科の柱とされる．ギリシャ哲学では美を客観的な美と主観的な美の2つに分けている.

この両者を調和させて患者の望む美を実現するかが重要になる.

客観的な美は大きさ、形態、配列が調和した状態と定義されてきた．大きさと形態は歯および歯肉に関連する（補綴、歯周治療）.

配列は主に矯正治療に依存する.

また、審美歯科のもう一つの柱である倫理観（Ethics）についてはアメリカ歯科医師会（ADA）が定義している.

ADAによる倫理観	
（1）　患者の受ける恩恵を第一にすること	－BENEFICIENCE
（2）　患者に自主的選択権を与えること	－AUTONOMY
（3）　医療の結果が適切であること	－DO RIGHT
（4）　適正な治療費を要求すること	－FAIR FEE

(b) 審美歯科の臨床基準

(1) 口元の審美

ⓐ上口唇線（リップライン）

上口唇線（リップライン）は、ロー・ミドルそしてハイの3タイプに分類される

タイプⅠ：ロー・リップライン

歯間乳頭を全く露出しない.

矯正治療で上顎前歯を過度に圧下した場合にもみられる.

タイプⅡ：ミドルリップライン

歯間乳頭部を僅かに露出する.

最も一般的で美しい.

タイプⅢ：ハイ・リップライン

上顎前突あるいは、上口唇周辺の筋肉活動などが原因で歯科治療に問題を出しやすいタイプ.

審美的歯科矯正法と審美歯科

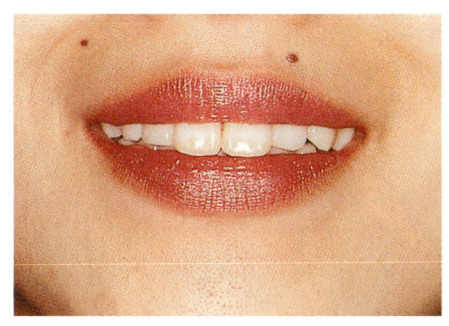
図1-1　ロー・リップライン．

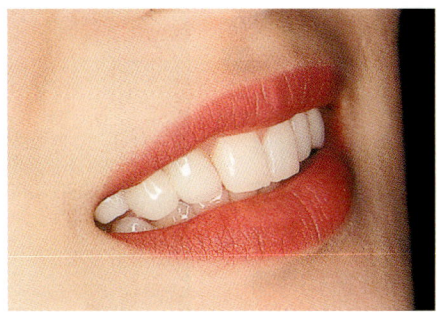
図1-2　ミドルリップライン

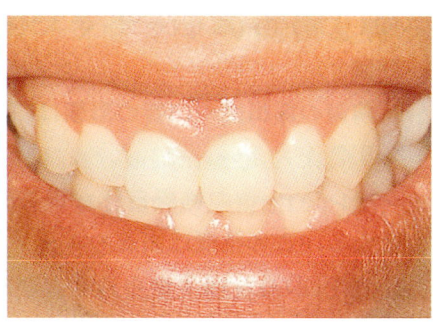
図1-3　ハイ・リップライン

（写真3点は，岩田健男，伊東公一，小谷田仁：カラーアトラス　審美歯科，臨床基本テクニック　PART I，P19．より引用）

ⓑスマイルライン（笑線）

微笑時の上顎前歯の切縁を結ぶ線をスマイルライン（笑線）と呼ぶ．上顎前歯の切縁と隣接面コンタクトポイントの高さが微笑時の下口唇線と平行になるのが調和のとれた状態である．

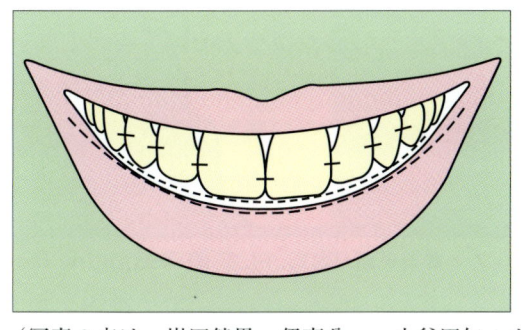

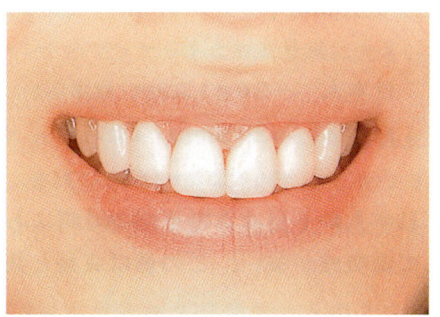

図1-4　（写真2点は，岩田健男，伊東公一，小谷田仁：カラーアトラス　審美歯科，臨床基本テクニック．PART I，P17より引用．）

(c) 前歯の位置と口唇の関係

(1) 上顎前歯の露出量

上顎中切歯の露出度は静止状態での上口唇赤唇部の最下点（STMs）と上顎切歯切縁との距離（図1-5）で評価する．この距離は上顎前歯の垂直的な位置関係（露出量）を決定する重要な示標となる．Leganらは理想値を2mmとし，前歯の3分の2以上が露出しないのが好ましいとしている．

また，"E"音（たとえばイー……）を発生したときに上顎前歯の切縁が上下口唇のほぼ中央の高さに位置するよう露出量を決めれば，垂直的な位置を決めやすいと報告されている．

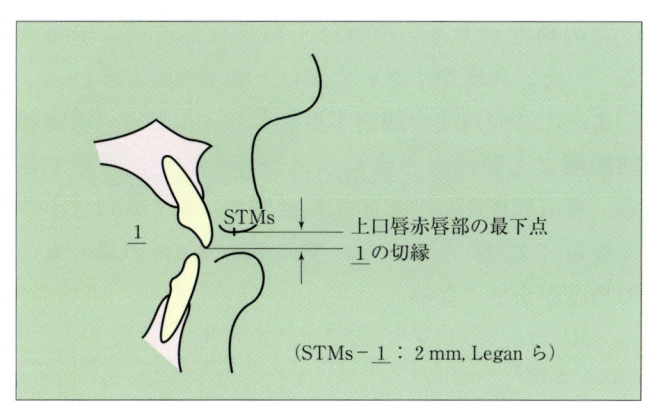

図1-5　上顎前歯の露出量．

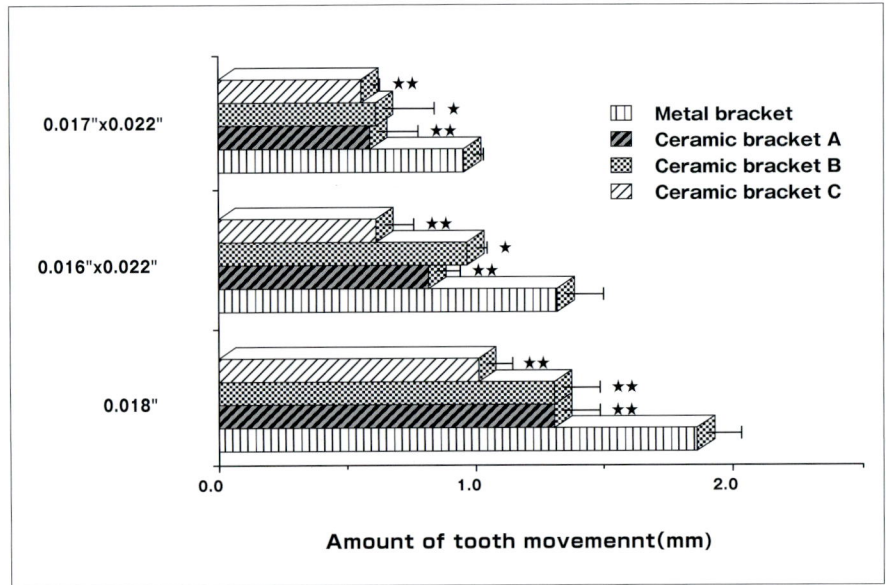

図1-11 金属ブラケットとセラミックブラケットの摩擦の大きさ．（Tanne,K.,et al.: Frictional forces and surface topography of a new ceramic bracket. Am. J. Orthod. Dentofac. Orthop., 106：273〜278., 1994　より引用）

(2) 審美的可撤式矯正装置
（Invisalign System）

　Invisalign Systemは，コンピューター・テクノロジーによって治療ステップに合わせた一連のclear plastic overlaysを制作しこれを順次患者が使用することによって，固定式矯正装置を用いずに矯正治療を行うシステムである．

　歯に固定式装置を付けずに，クリアー・プラスティックを用いるので，間違いなく，審美的矯正装置といえる．

　但し，この装置（Aligner）は，食事・歯ブラシ・の時間を除く一日20〜22時間使用しなければならない．

　これは患者にとって，かなりの負担といわざるおえない．

　また，空隙閉鎖と叢生治療の治療可能な範囲におのずから限界がある．

（装置の作成）

　矯正医は治療方針を記載したフォーム，印象（又は模型）とバイトワックスを技工所（Align Technology）へ送る．

　模型は3次元コンピューター・イメージ処理され，仮想治療ステップをイメージとして作成して，この情報を基にして治療ステップ毎の装置を作成する．この装置の数は症例によって異なる．

　装置毎の歯牙移動量は，0.25〜0.33mm．装置の厚さは0.30インチである．

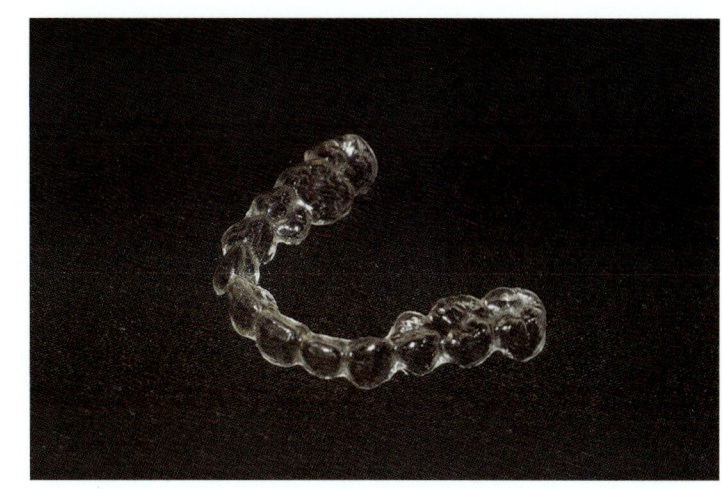

図1-12 Invisalign SystemのAligner.（ROBERT. L.B.etal.：The Invisalign System in Adult Orthodontics：Mild Crowding and Space Closure Cases J.Clin. Orthd. 34：203〜212., 1994）より引用

4）成人矯正の問題点と治療システム

　成人矯正の問題点については，生理学的要因と社会，あるいは心理的な要因がある．基本的には生体の活性が低下することによって矯正治療に対する病理的な変化が起こりやすいという問題点がある．したがって，成人矯正の場合には合理的で，偶発症を発生させない治療システムを確立する必要がある（表1-1）．
　現在，あるいは将来にわたっての矯正の目的，あるいは課題のなかから3つを選択すると次のものがある．
　①理想的機能咬合を達成するための，均一化された治療システムの確立．
　②患者にとって，審美的で快適な矯正装置の開発．
　③治療期間の短縮．
　現在のところでこれらの課題に対する回答として，①の理想的機能咬合に対してはコアー・システム，②の審美的矯正装置に対しては発音障害が認められるにしても，舌側矯正に勝るものはない．③の治療期間の短縮については，コルチコトミー（Corticotomy）などの外科的療法や薬物の併用が考えられる．これらの基本的術式を取り入れた，成人矯正の治療システムを図1-13に示す．

5）舌側矯正と成人矯正

　歯科矯正学の目的は機能的正常咬合と顎顔面の審美性の確立である．最近の審美歯科の治療概念は，"歯科治療は本来，総合的観念からとらえなければ，その目的は達成できない"という発想を基礎としているように思われる．
　審美性は，矯正治療を受診しようとする患者の動機の重要な位置を占めている．とくに成人症例においては，審美性に対する要求は高いものがある．成人症例は一般的に社会的制約が大きく，心理的な要因が関与する確率が高い．
　成人症例に対しても，小児と同様，審美的でない矯正装置の数年間という長期にわたる装着を患者に強いることは，矯正治療の持つ最大の自己矛盾といえないだろうか．臨床医の使命の一つは，患者の希望を実現するために最大限の努力をすることである．
　舌側矯正は従来の唇側矯正の審美的障害を理由に，治療を拒否せざるをえなかった患者に対する矯正臨床医の確実な貢献といえる．舌側装置の利点としては審美性のみが強調されがちであるが，治療メカニックスの面からみても大きな利点があることに注目すべきである．
　例えば，舌側装置（Kurz）のいわゆるバイトプレーン効果は，過蓋咬合の咬合挙上にとくに有効である．

メカニックスとして歯列内，外側の一方または両面から自由に三次元的歯牙移動を実現することのできる術式を修得することは，矯正治療の質と可能性を高め，新しい矯正治療メカニックスの発想を生み出していくことになる．たとえば，前歯部過蓋咬合（Closed bite）や，被蓋の深いクロスバイト（Cross bite）では上下顎装置の同時装着が困難であるが，歯列内外の両装置を併用することによって，容易に同時装着が可能となる．

舌側装置は審美性のみならず，矯正メカニックスにおいても，必要かつ欠くべからざる術式として，現在すでに矯正歯科のなかで一つの確固たる位置を占めているといえる．

表1-1 成人矯正の問題点．

生物学的要因
① 生体組織の適応能力の低下によって，矯正力による病的な変化を起こしやすい． ② 歯根吸収，歯肉退縮および後戻り（relapse）などが起こりやすい． ③ 矯正治療期間が小児に比較して一般的に長くなる． ④ 骨格的形態異常の改善は困難である． ⑤ 歯牙支持組織の病的変化，咬耗，歯牙欠損および修復物の増加による咬合位，筋活動の変化が起こりやすい． ⑥ 成人病などの全身的疾患を有する症例がある．
社会的・心理的要因
① 審美性に対する要求が強い． ② 職業などによる社会的制約によって，治療期間や術式が制限を受けることがある． ③ 治療方針などに対する理解力は高いが，心理的問題を伴う症例がある．

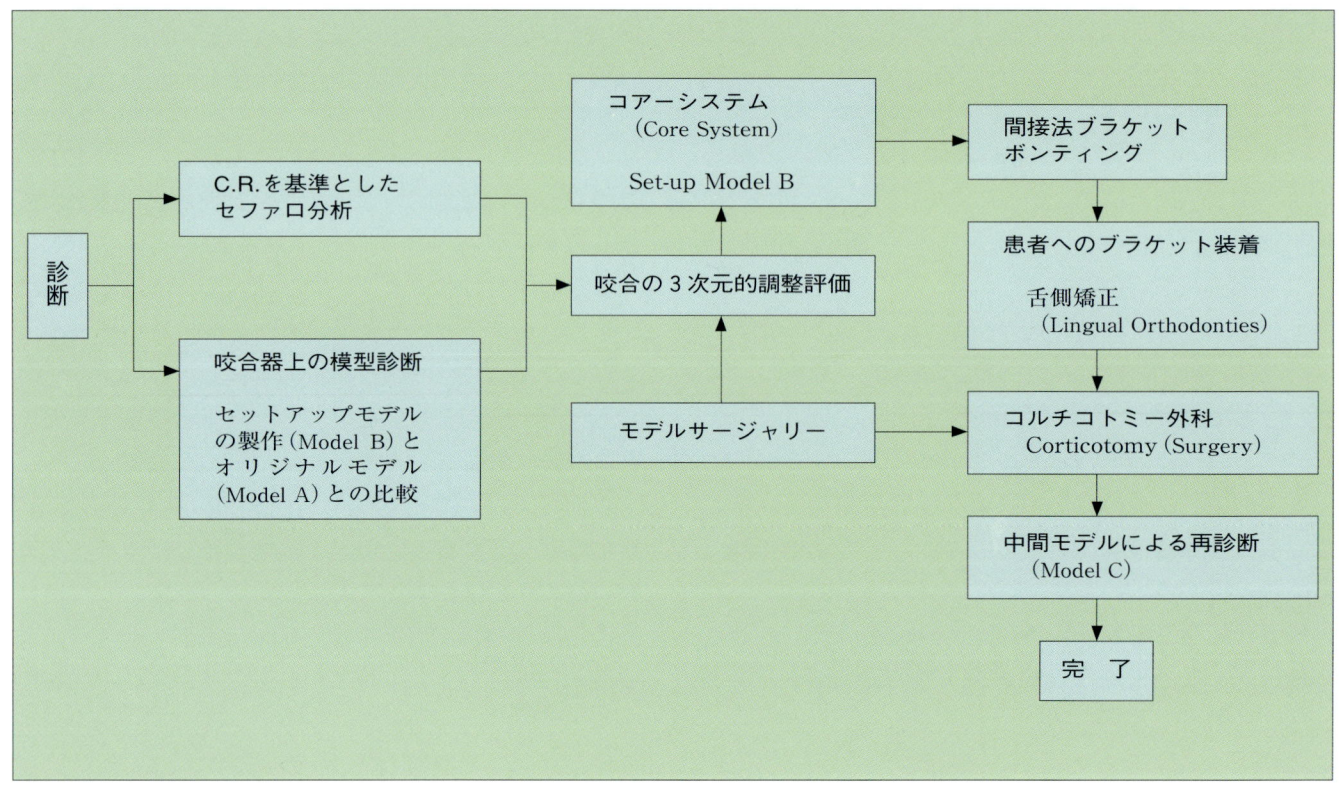

図1-13 成人矯正のフローチャート．

Chapter 2

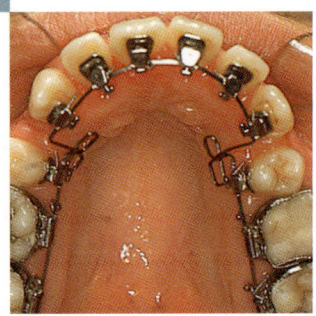

正常咬合と舌側矯正のアーチ形態

1) 歯列の審美

審美的で正常な咬合の条件は多岐にわたるが，一般に次の項目が挙げられる．

(1) 咬頭，小窩，辺縁隆線の正常な咬合関係
　①上下顎大臼歯の咬合関係は正常（大臼歯アングルⅠ級関係）．
　②上下顎犬歯の咬合関係は正常（犬歯アングルⅠ級関係）．
　③前歯および小臼歯の正常な咬合関係．

(2) 正常な歯冠の近遠心的な傾斜（アンギュレーション）

(3) 正常な歯冠の唇頬・舌的な傾斜（トルク），正常なオーバージェットとオーバーバイト

(4) 緊密な歯間接触を保ち，歯牙の捻転がないこと

(5) 機能的なスピー彎曲

(6) 上下顎歯列の正中の一致

(7) 理想的な前歯の形態と大きさ

(8) 口唇と前歯の正常な関係

2) 咬頭，小窩，辺縁隆線の正常な咬合関係(図2-1)

(1) 大臼歯アングルⅠ級関係
　①上顎第一大臼歯の近心頬側咬頭は，下顎第一大臼歯の頬側溝と咬合する（図2-1A）．
　②上顎第一大臼歯の遠心辺縁隆線の遠心面は，下顎の第二大臼歯の近心辺縁隆線の近心面と接して咬合する（図2-1B）．
　③上顎第一大臼歯の近心舌側咬頭は，下顎第一大臼歯の中央窩と咬合する（図2-1C）．

(2) 犬歯アングルⅠ級関係(図2-1D)
　下顎犬歯尖頭は上顎犬歯近心舌側辺縁隆線に咬合する．

(3) 小臼歯の正常な咬合関係
　①上顎小臼歯の近心小窩と下顎小臼歯の頬側咬頭が咬合する（図2-1E）．
　②上顎小臼歯の舌側咬頭と下顎小臼歯の遠心小窩が咬合する（図2-1F）．

(4) 前歯の正常な咬合関係 (図2-1G)
　咬頭嵌合位で下顎前歯切縁が上顎前歯舌面の凹面に均等に咬合する．このためには上下顎とも前歯部は叢生のない良好な歯列弓形態を持たなければならない．

3）舌側矯正におけるアーチフォーム

舌側矯正におけるアーチ形態（Arch Form）および上下顎アーチの調和（Arch Cordination）を示した（図2-2）．

4）舌側矯正におけるアーチフォームの確立とコーディネーション（調和）

(1) アーチフォーム確立の難しい症例
①前歯の形態異常歯や先天欠如．
②抜歯部位が通常でない症例．
③臼歯部の片側および両側の交叉咬合や鋏状咬合．
④外科症例．

(2) アーチフォーム確立の術式
①セットアップ製作によって，アーチフォームを推定し（図2-3），犬歯と小臼歯間のインセット（inset）の量を確定する．治療の早い時期に，インセットの量を確立することが重要である．
②外科を必要とする，いわゆる顎異形症を伴う不正咬合の場合，通常は顎骨の形態異常を歯槽性に補償しようとした歯列形態をとる．したがってアーチフォームの基本となるセットアップモデルの製作には，ペーパーサージェリーを含めた外科的診断を取り入れた総合的診断が必要となる．

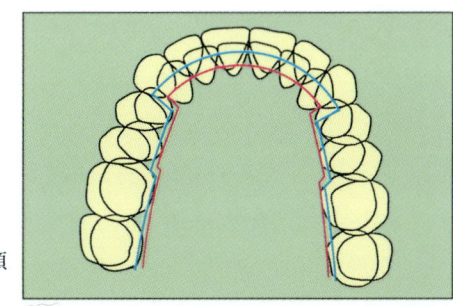

▶図2-2 舌側矯正の上下顎アーチコーディネーション．

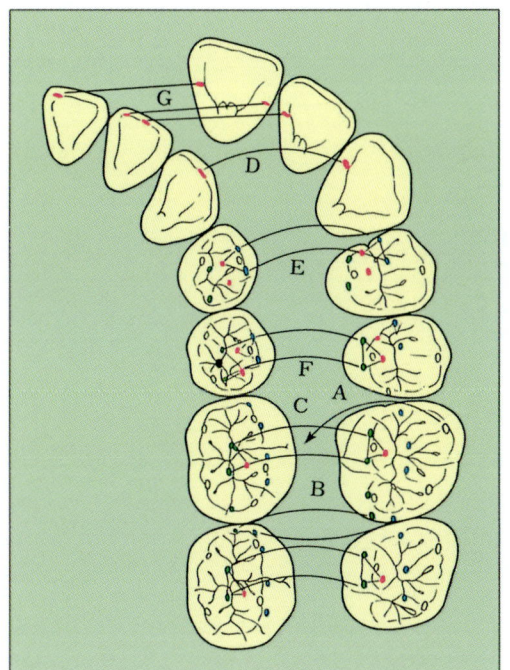

図2-1 咬頭，小窩，辺縁隆線の正常な咬合関係（寿谷原図）．

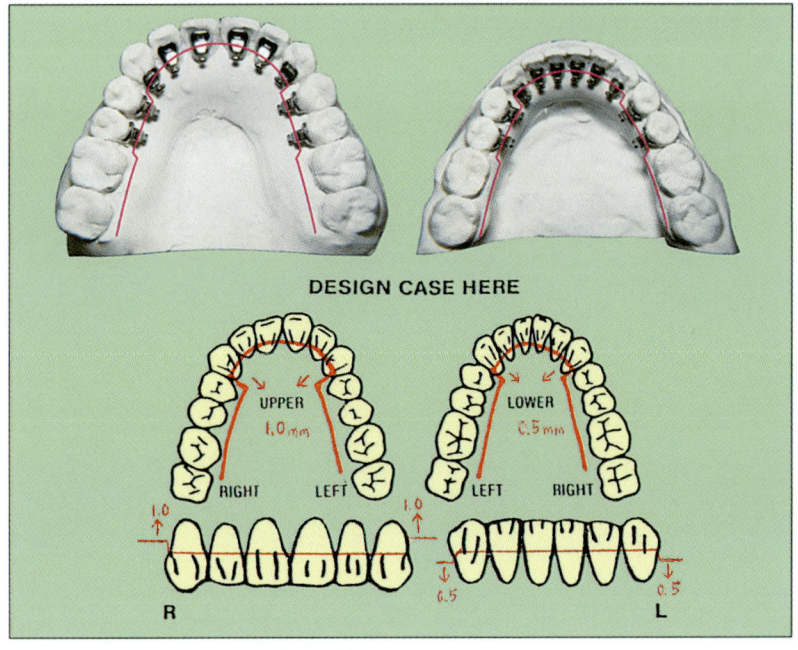

図2-3 セットアップモデルを基準としたアーチフォームのチャート．アーチフォーム，犬歯と小臼歯のオフセット量の確立，および前歯と臼歯との垂直的距離の確定を記入しておく．

Chapter 3

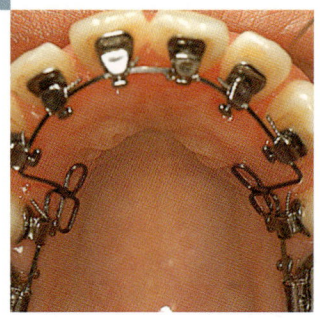

舌側装置の長所と短所

1）長所

①審美性がいわゆるマルチ・ブラケット矯正装置のなかで最も優れている．
②患者の心理的ストレスを軽減し，よりよい協力が得られやすい．
③社会的制約を持つ成人患者に対し，矯正治療の機会を与えることができる．
④ブラケットの唇側への装着困難な症例において唇側装置の代用または補助装置として用いることができる．
⑤バイトプレーンがブラケットに組み込まれている装置では，いわゆるバイトプレーン効果を用いることによって，機能的咬合平面の再構成および前歯部圧下（臼歯部挺出）によるバイトオープニングが効果的にできる．
⑥唇側装置と共用することによって理想的歯牙移動が実現できる．
⑦矯正治療中，口唇の唇舌的位置を正確に見ながら治療することができる．
⑧従来の保定装置に患者の拒否反応のある場合，保定装置として継続使用しやすい．
⑨矯正の後戻りなどによる再治療の際，患者に受け入れやすい．
⑩補助的矯正（いわゆるM.T.M.）の術式として患者に受け入れやすい．
⑪矯正装置によって発生する外観にふれる歯牙唇側面の脱灰（Decalcification）がない．したがって，歯質の脆弱な症例にはとくに適する．
⑫スポーツなどによる外傷の危険性が少なく，唇側装置が邪魔な楽器に適する．

2）短所

①装置装着初期において，患者に発音障害や不快感が生じる．
②プラークコントロールが難しく，歯肉炎が発生しやすい．
③上顎のブラケットの咬合面と接触している下顎歯牙に咬耗が生じることがある．
④従来の唇側からのテクニックを用いた場合と比較してチェアータイムが長くなる傾向がある（2倍，ARTUN／30〜50％増加，Gorman）．
⑤いわゆるコアーシステム（Core-system）が必要で，この点で技工所に依存せざるを得ない範囲が大きい．

臨床医（術者）にとっての長所
長所は主に2つある．オフィス経営の面では舌側矯正を取り入れることによって，競合する同業者のなかで患者獲得が有利になり，高度で新しい術式を行うことは患者間のオフィスに対する評価を上げることになろう．治療メカニックスの面では，歯列内・外側の両側から三次元的歯牙移動を実現することのできる術式を修得することは，矯正治療の質と可能性を高め，さらに新しい矯正メカニックスの発想を生み出していくことになる．しかし，最大の長所は患者から感謝され，その幸福感を共有できることであろう．

Chapter 4

舌側装置における症例の選択

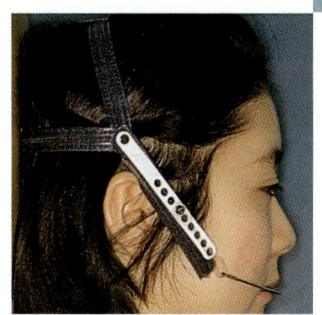

基本的には従来の唇側装置で治療可能な症例は舌側装置の適応症といえる．

Gormanらは，症例の選択を理想的症例，比較的難しい症例，および難症例に分類している．これを基準にした分類を示す．

1) 理想的な症例

①アングルⅠ級，軽度の叢生（Minor Crowding）の症例．
②アングルⅡ級，Ⅰ類またはⅡ類．上顎小臼歯抜歯，下顎非抜歯症例．
③前歯部に限定された空隙（Space）があり，バイトの深くない症例．
④いわゆるローアングル（Low Angle）で過蓋咬合（Deep Bite）の症例．

2) 比較的難しい症例

①小臼歯4本抜歯の症例．
②小臼歯の咬合崩壊（欠損や傾斜）の激しい症例．
③ハイアングル（High Angle, Dolico-facial-長顔型）で開咬傾向の強い症例．
④歯周疾患（Periodontal Problem）の進行している症例．
⑤歯牙の舌側形態に異常の認められる症例．

3) 難症例

①臨床的歯冠高径（Clinical Crown Height）が非常に短い症例（舌側面にブラケットを適切に装着するだけの歯質がない症例）．
②前歯を含め広範囲のブリッジなどの歯冠修復のある症例．
③外科症例．
④いわゆる顎関節症（T.M.D.）の症状が進行している症例．
⑤患者の治療に対する協力や意欲に欠ける症例．

舌側矯正テクニックの発達と臨床経験の積み重ねによって，いわゆる禁忌症は現在，無歯顎症例を除いてほとんどなくなってきているといってよいだろう．歯冠形態に問題のある症例に対しては歯冠修復などの対応策があり，補綴物に関してはセラミックや金属にブラケットを接着することは可能になってきている．
外科症例でも，強固な固定（スクリューやプレート）によって，少数の唇側ボタンを用いるだけで上下顎アーチの固定が可能になっている．また，固定源の確保も矯正用インプラントの使用で容易になった．
顎関節症については，バイトプレーン効果を有効に用いることができれば，機能的咬合平面の再構成などが効果的になされ，よい結果が期待できる．

Chapter 5

舌側装置ブラケットの種類と特徴

　舌側装置は大きさ（Size），スロットの位置（Slot Position），ブラケットの形態（Shape or Morphology），ライゲーション（Ligation）およびブラケット・ベース（Bracket Base）によって，おのおの長所と短所がある（図5-1）．

1）ブラケットの大きさ

　舌側装置ではブラケット間距離（Inter-Bracket Distance）が非常に小さくなる．この点からみれば，ブラケットの副径は小さいほうが理想的である（ブラケット間距離は1：1.47に減少する．30症例，Moran）．
　①比較的ブラケットの大きいタイプ：Kurz（ORMCO），Kelly（UNITEK）．
　②比較的ブラケットの小さいタイプ：Creekmore（UNITEK），Fujita，Forestadent，American Orthodontics．

(1) ブラケット間距離が短いことによる影響

　①唇側装置と同じ力の大きさとアーチワイヤーの柔軟性を維持するためには，より弱いワイヤーを選ぶ．これはモーメントアームが短くなるためにワイヤー弾性部の荷重－たわみ率が大きくなるためである（ブラケット間距離1：1.47に対して，ファーストおよびセカンドベンドでは3.03倍に増加．サードオーダーベンドでは1.39倍である．ワイヤーの選択はBurstone，Moranのチャート参照）（図5-2～4）．とくにレベリング（Leveling）の初期とディテーリング（Detaling）の段階でワイヤーの選択は重要である．
　②拡大，牽引および空隙閉鎖のためのループの挿入が，舌側の解剖学的形態およびワーキングエリアが小さいために困難である．
　③歯の抵抗中心と力の作用点の関係と，上記の①，②の理由から，舌側矯正では前歯の叢生が治療しにくい．
　④臼歯に比較して前歯はブラケット間の距離がかなり小さいため，前歯部に固定を求めて臼歯部で大幅な移動を達成することも可能である．

(2) 注意事項

　ワイヤーの柔軟性が一定以上増加すると，複雑なフォースシステムが歯の移動中，好ましくない副作用が生じることがある．

2）スロットの位置（Slot Position）（図5-5）

(1) 水平方向スロット（Horizonal Slot）

　スロットが水平方向に開口し，ワイヤーは水平方向からスロットへ挿入される．
・長所
　①エッジワイズ法を用いている術者にはなじみやすい．
　②リボンアーチを用いるより，トルクコントロールなどがしやすい．
　③各種のレクタンギュラーワイヤーの使用が容易．
　④水平方向の歯牙移動コントロールが比較的しやす

スロットの位置(Slot Position)

図5-1 各種舌側装置．右上からAmerican, Kurz, Kelly.
左上からFujita, Creekmore, Forestadent.
図5-2 ファーストオーダーベンドにおける唇側と舌側の
ワイヤー剛性比較．
図5-3 セカンドオーダーベンドにおける唇側と舌側のワ
イヤー剛性比較．
図5-4 サードオーダーベンドにおける唇側と舌側のワイ
ヤー剛性比較．

図5-2
図5-3	図5-4

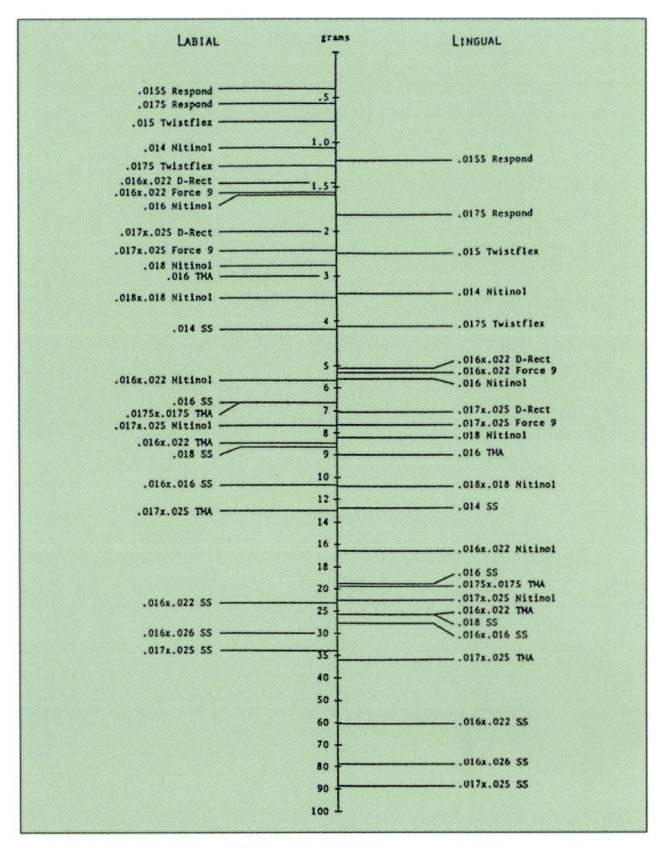

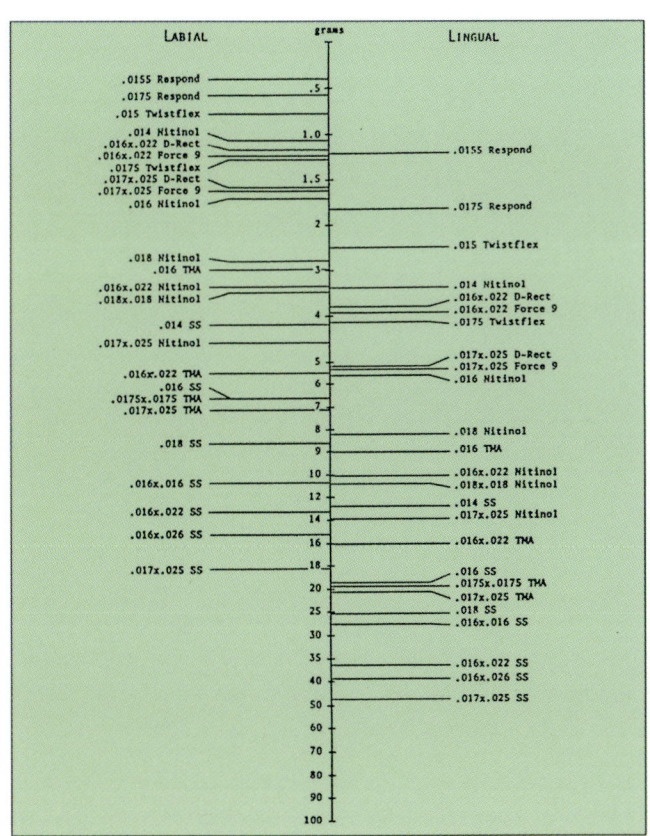

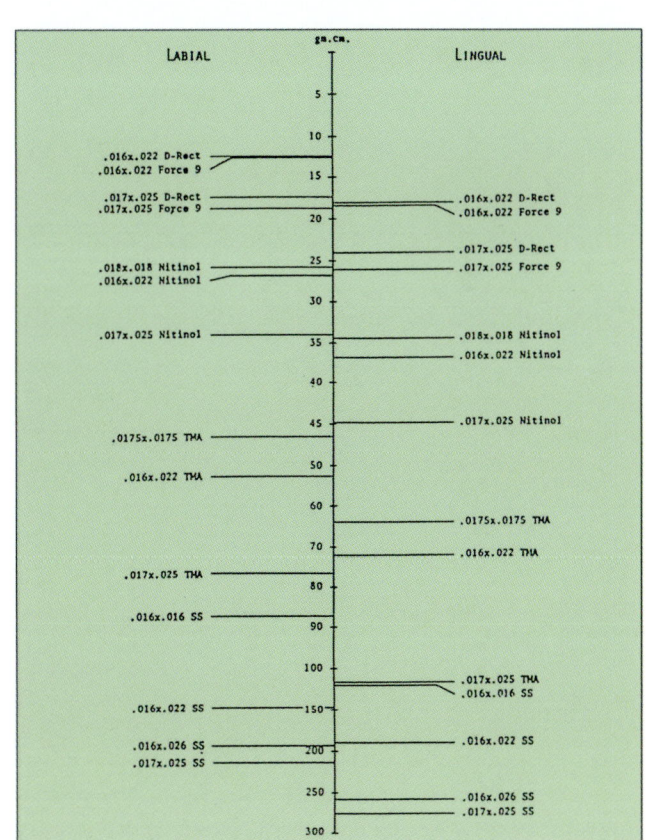

21

Chapter 5 舌側装置ブラケットの種類と特徴

図5-5 ①水平方向ワイヤー挿入.
　スロットタイプ. American, Kurz（ORMCO）, Kelly（UNITEK）などがある.
②垂直方向ワイヤー挿入.
　スロットタイプ. Fujita, Creekmore, Forestadentなどがある.

表5-1　トルク（Torque）.

		UNITEK (Creekmore)	ORMCO (Kurz)	GAC	American	Forestadent
上顎	中切歯	64	68	50	44	68
	側切歯	55	58	40	39	58
	犬歯	55	55	50	35	55
	第一小臼歯	7	17(12)	10	0	17
	第二小臼歯	7	17(12)	10	0	17
	第一大臼歯	7	8	15	0	8
	第二大臼歯	7	8	15	0	8
下顎	中切歯	42	46	40	35	46
	側切歯	42	46	40	35	46
	犬歯	42	40	50	35	40
	第一小臼歯	7	9(12)	5	0	9
	第二小臼歯	7	4(12)	0	0	4
	第一大臼歯	7	-8	-5	0	-8
	第二大臼歯	7	-8	-5	0	-8

表5-2　アンギュレーション（Angulation）.

		UNITEK (Creekmore)	ORMCO (Kurz)	American	Forestadent
上顎	中切歯	5	5	0	5
	側切歯	9	9	0	9
	犬歯	13	12	9	12
	第一小臼歯	0	0	0	0
	第二小臼歯	0	0	0	0
	第一大臼歯	0	0	0	0
	第二大臼歯	0	0	0	0
下顎	中切歯	0	0	0	0
	側切歯	0	0	0	0
	犬歯	7	9	3	9
	第一小臼歯	0	0	0	-3
	第二小臼歯	0	0	0	-3
	第一大臼歯	0	0	0	0
	第二大臼歯	0	0	0	0

※GAC（Fujitaに準ず）の場合はブラケットを歯冠長軸（Long Axis）に対して垂直に装着.

い
⑤ブラケットにバイトプレーンなどを組み入れやすい.

・短所
①スロットを直視することができないこと, また口腔内の解剖学的制約のために, ワイヤーのブラケット・スロットへの挿入が2ステップになり, 比較的難しく, チェアータイムの増加につながる.
②矯正力が舌側方向へ加えられると, スロットからワイヤーが抜け出されやすく. スロットの底部にワイヤーを保持するのが難しい. このため, ダブルオーバータイなどの特殊なライゲーションが必要になる.

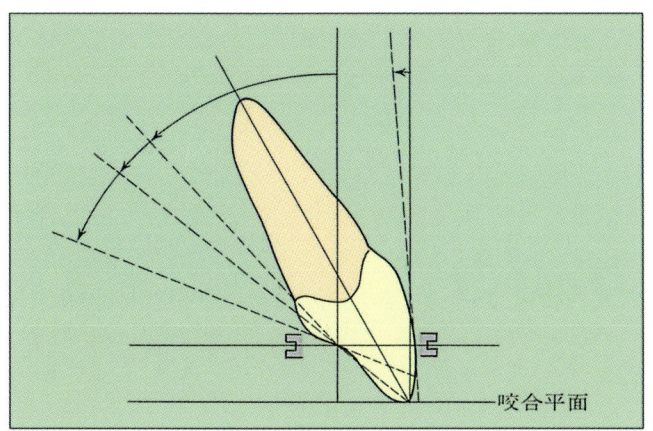

図5-6

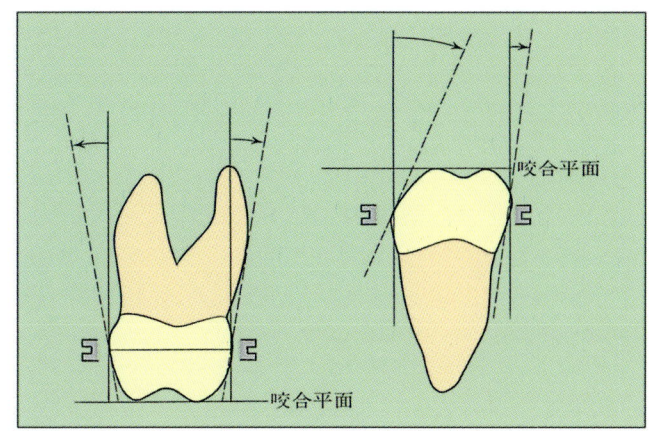

図5-7

(2) 垂直方向スロット（Vertical Slot）

スロットが垂直方向に開口し，ワイヤーは垂直（口蓋）方向から挿入する．

・長所
　①スロットを直視することが可能で，ワイヤーの挿入が容易である．
　②ワイヤーの牽引（舌側方向）によって，スロットからワイヤーが脱離することがない．
・短所
　①エクストルージョンの場合ワイヤーがスロットから抜け出やすい．

3）トルクとアンギュレーション

舌側矯正の各種ブラケットには一定のトルク（Torque，唇頬舌的傾斜）とアンギュレーション（Angulation，近遠心的傾斜）が組み込まれている．ただし，Forestadent社製ブラケットでは既成アーチワイヤーにトルクが組み込まれている（表5-1，2）．

G.A.C.社製（Fujitaブラケットを基準に改造したもの）においてはブラケットを歯冠長軸（Long Axis）に対して垂直に装着することによってアンギュレーションを確立する．

トルクの値についてはとくに多様性が認められるが，この原因は前歯部舌側面の基準ラインの決め方の違いによる（図5-6，7）．

4）スロットサイズの選択

Kurzアプライアンスには，.018"と.022"のスロットブラケットがある．著者は，.018"スロットサイズを用いているが，その理由としては，①舌側装置では唇側に比較して，より剛性の低いワイヤーを選択する必要がある，②ワイヤー屈曲と口腔内修正が困難な舌側矯正では剛性のとくに高いワイヤーの使用は適当でない，などが挙げられる．

スライディングメカニックスをより効果的に行うために，前歯部に.018"スロットブラケット，臼歯部に.022"スロットブラケットを用いることもある．

Chapter 6

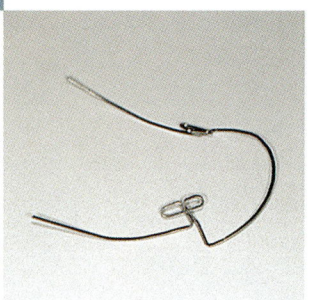

タイポドント実習

1）症例1：上顎前突症例 　　　　　（アングルⅡ級1類）

治療計画：上顎第1小臼歯（4|4）抜歯．
　　　　　下顎第2小臼歯（5|5）抜歯．
使用装置：Kurzタイプ（ORMCO社）．.018″スロット．
治療手順：①初期レベリング（アライメント）．
　　　　　　［.012″NI-TI→.016″NI-TI］
　　　　　②レベリング（臼歯整直，前歯拡大）．
　　　　　　［.016″TMA→.016″S.S→.017″×.017″ Copper NI-TI］
　　　　　③初期トルクの確立．
　　　　　　［.0175″×.0175″TMA，.017″×.025″ Copper NI-TI］
　　　　　④前歯部舌側移動（エン・マス空隙閉鎖）．
　　　　　　ⓐ上顎中等度（Moderate）固定メカニクス（スライディングメカニクス）
　　　　　　　［.016″×.022″S.S.,.017″×.025″TMA］
　　　　　　ⓑ上顎最大（Maximum）固定メカニクス（スペースクロージングループメカニクス）
　　　　　　　［.016″×.022″S.S.
　　　　　　　 .017″×.025″TMA
　　　　　　　 ＋
　　　　　　　 ヘッドギアー］
　　　　　⑤フィニッシング（ディテーリング）
　　　　　　［.016″TMA
　　　　　　 .014″S.S.］

症例1：上顎前突症例（アングルⅡ級1類）

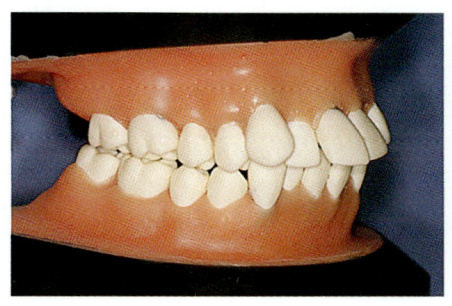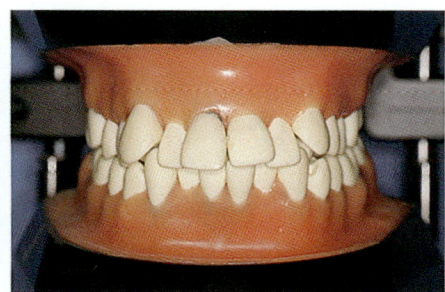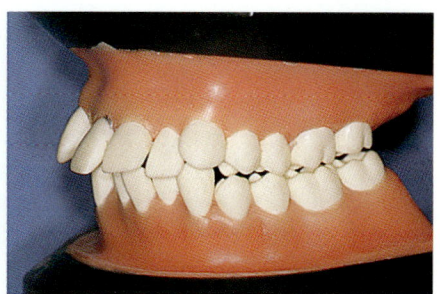

図6-1 | 図6-2 | 図6-3
図6-4 | 図6-5

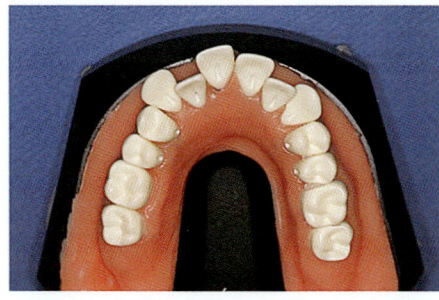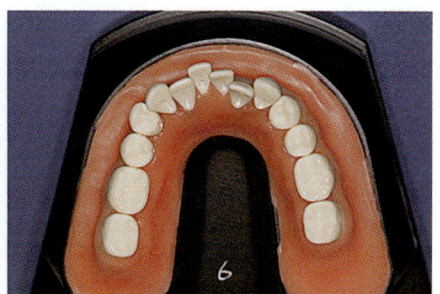

図6-6 | 図6-7

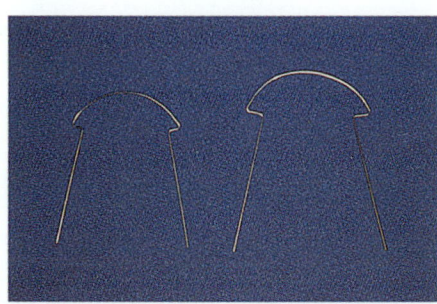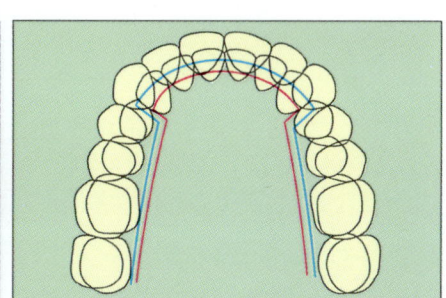

図6-6,7　①初期レベリング（アライメント．.012"〜.016"NI-TI．）

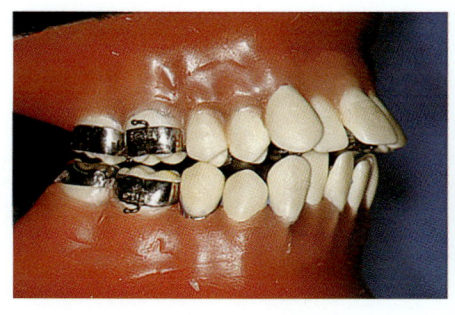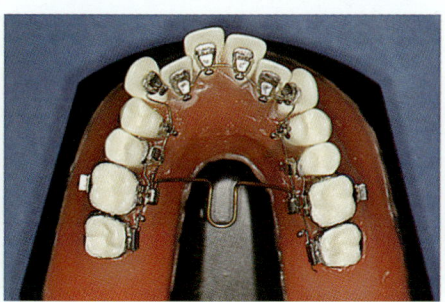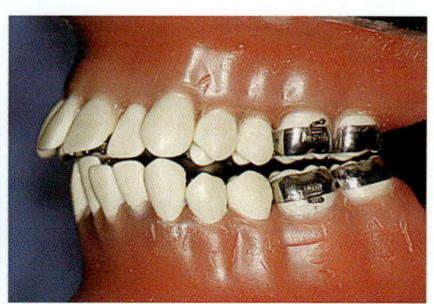

図6-8 | 図6-9 | 図6-10
図6-11

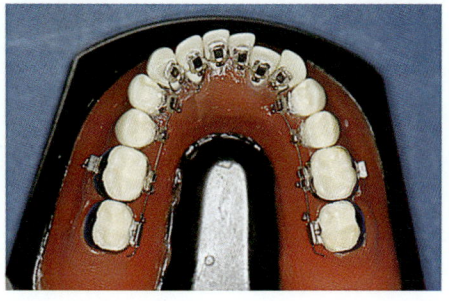

図6-8〜11　初期レベリング（アライメント．.012"〜.016"NI-TI）．

Chapter 6 タイポドント実習

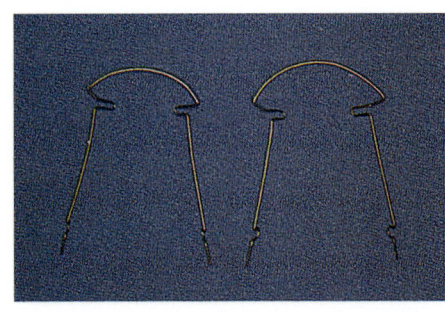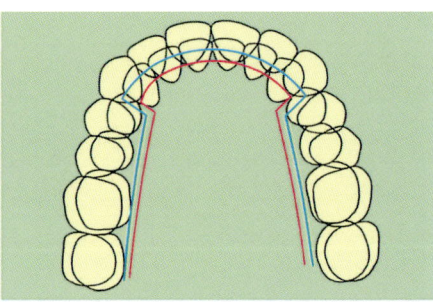

図6-12	図6-13
図6-14	図6-15	図6-16
図6-17

図6-12〜17 ②レベリング（臼歯整直）．
.016″TMA．拡大用オメガループつき．
.016″S.S.

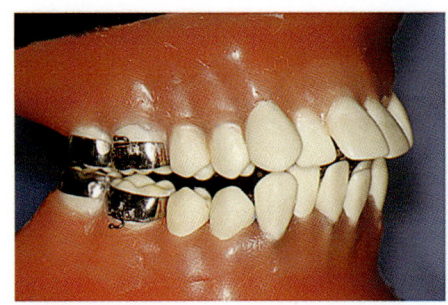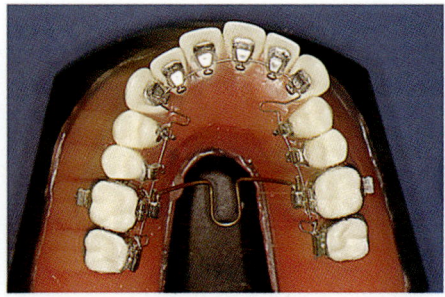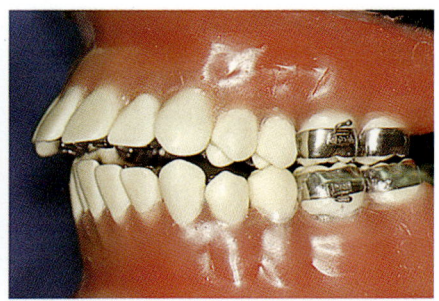

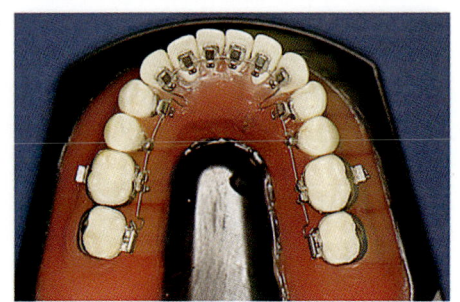

26 タイポドント実習

症例 1：上顎前突症例（アングル II 級 1 類）

図 6-18	図 6-19
図 6-20	図 6-21	図 6-22
	図 6-23	

図 6-18〜23　③初期トルクの確立．.0175"×.0175"TMA．.017×.025" Copper NI-TI

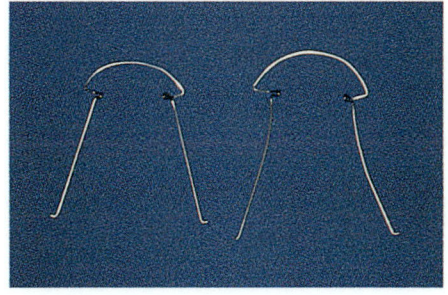
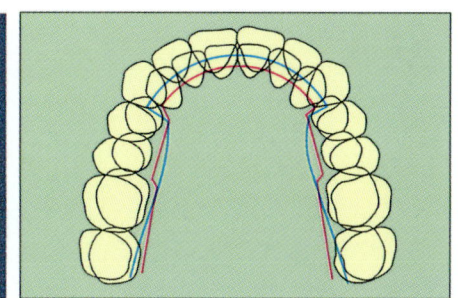
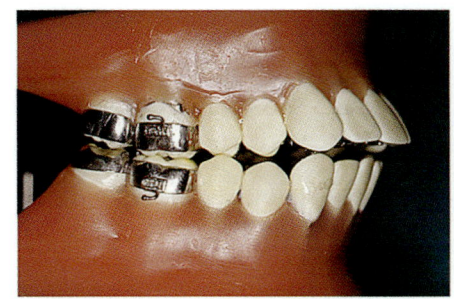
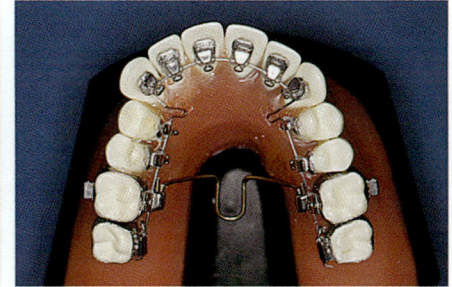
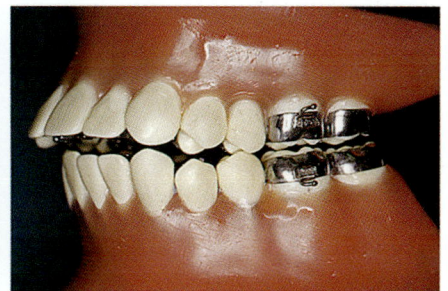
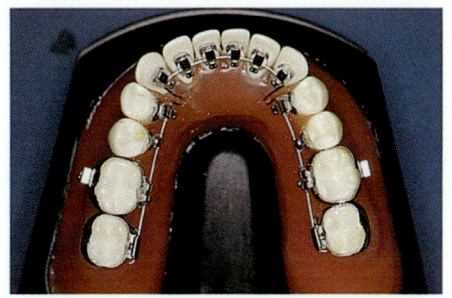
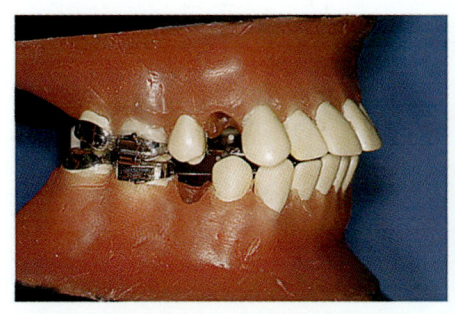
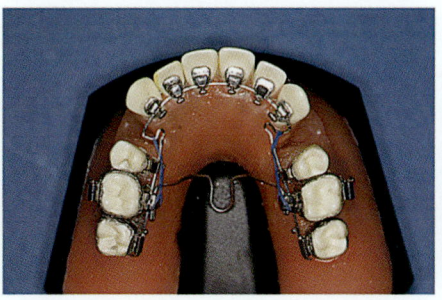
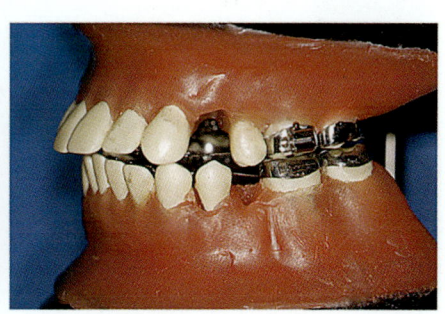
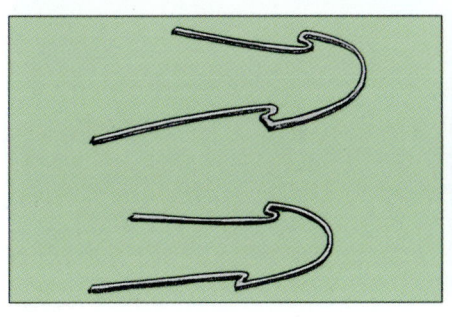
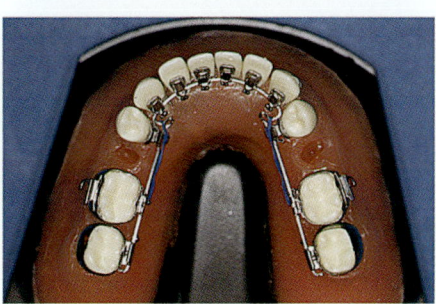

図 6-24	図 6-25	図 6-26
図 6-27	図 6-28	

図 6-24〜28　④前歯部舌側移動（エン・マス空隙閉鎖）．ⓐ上顎中等度（Moderate）固定メカニックス（スライディングメカニックス）．

27

Chapter 6 タイポドント実習

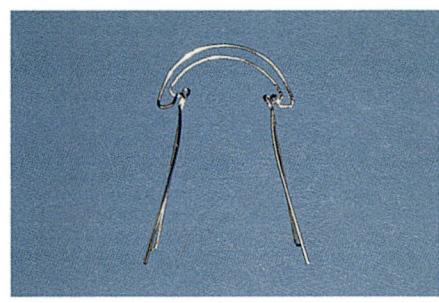
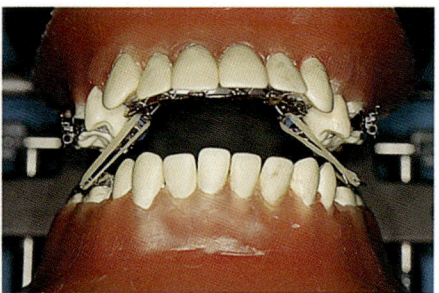

図6-29 上下アーチのコーディネーション.

図6-30 Ⅱ級エラステック使用.

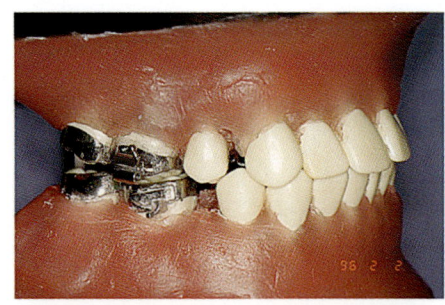
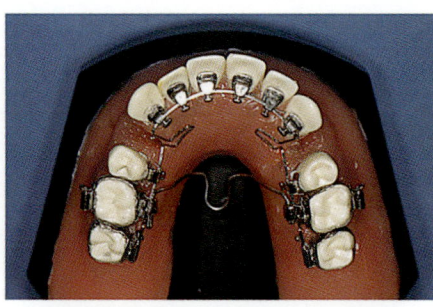
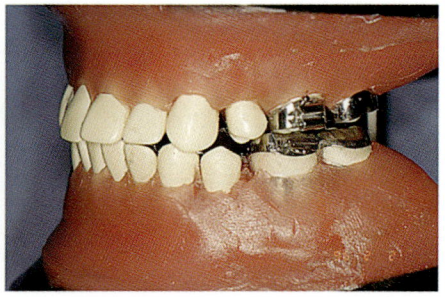

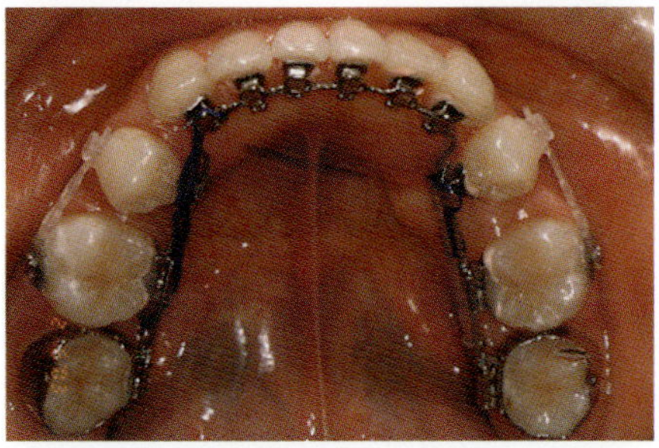

図6-31 | 図6-32 | 図6-33
図6-34 | 図6-35 |

図6-31〜33 前歯舌側移動（エン・マス空隙閉鎖），上顎最大（Maximum）固定メカニックス（スペースクロージングメカニックス）．
図6-34, 35 下顎前歯、第1小臼歯（4|4）舌側移動（5|5 抜歯）．

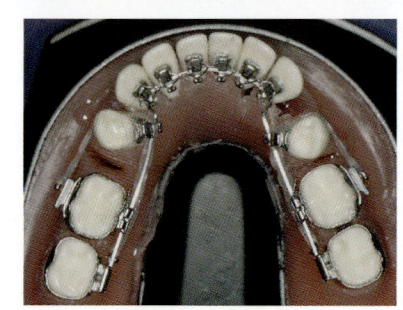

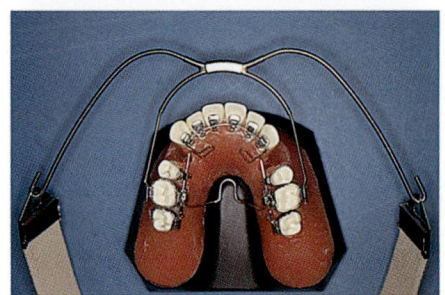
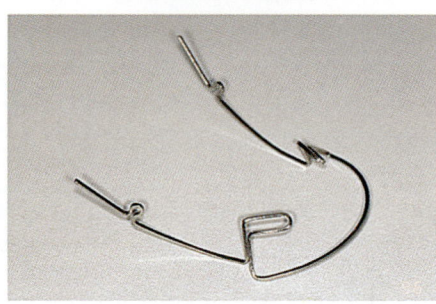

図6-36 ヘッドギアー使用.

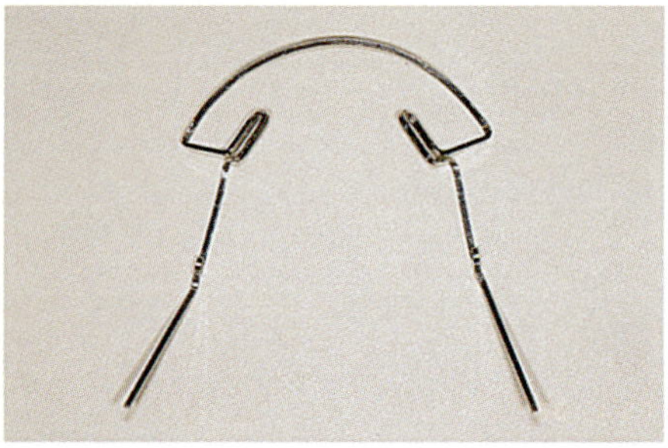

図6-37, 38 上顎アーチ形態.

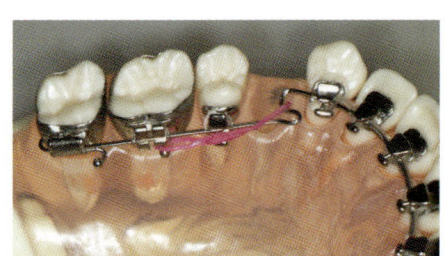
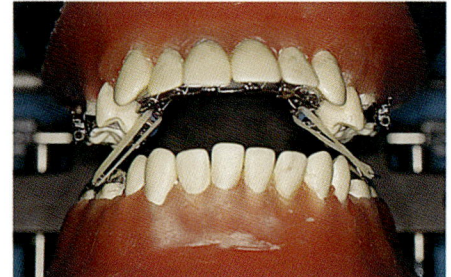

図6-39, 40 下顎アーチ形態.

図6-41 Ⅱ級エラステック使用.

症例 1：上顎前突症例（アングル II 級 1 類）

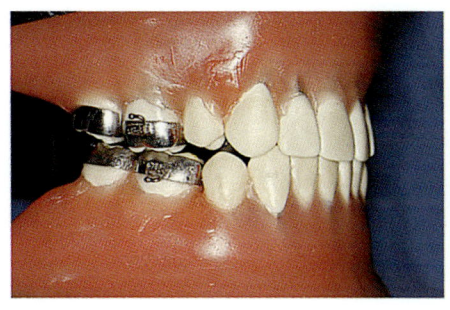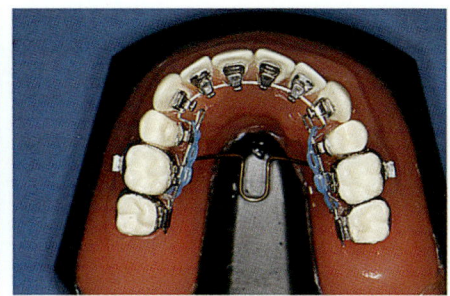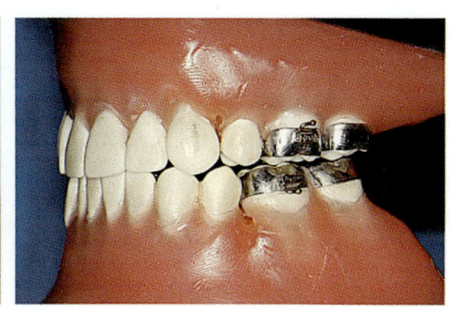

図 6-42 | 図 6-43 | 図 6-44
　　　　| 図 6-45 |

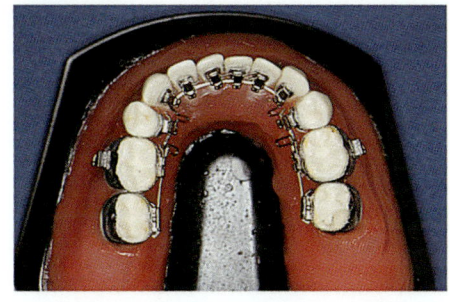

図 6-42〜45　空隙閉鎖完了．

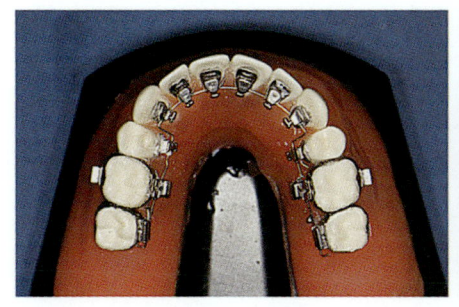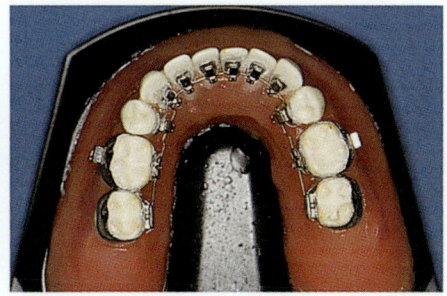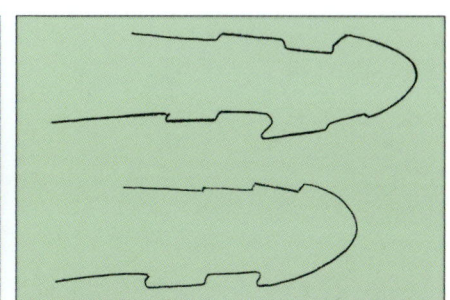

図 6-46 | 図 6-47 | 図 6-48
　　　　| 図 6-49 | 図 6-50
　　　　| 図 6-51 | 図 6-52

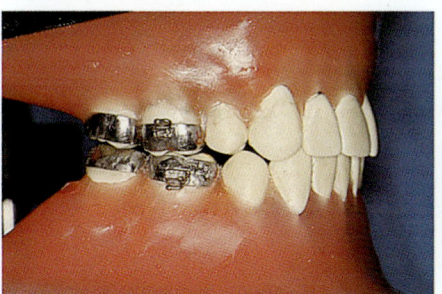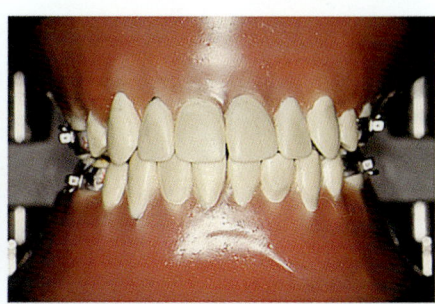

図 6-46〜52　⑤ディテーリング．.014"〜.016"S.S.　.016"TMA．

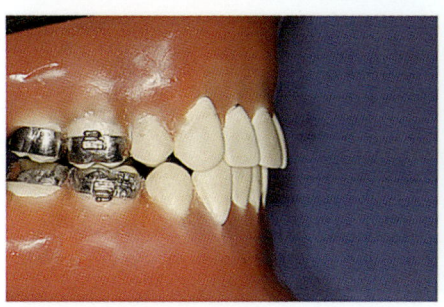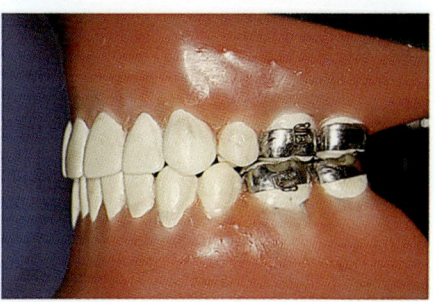

29

Chapter 6　タイポドント実習

2）タイポドントのモデル症例

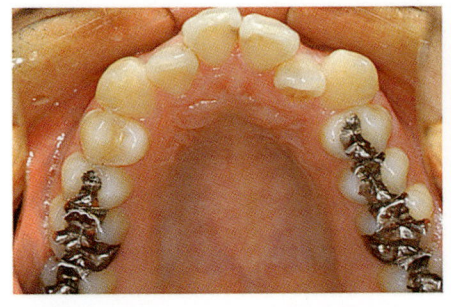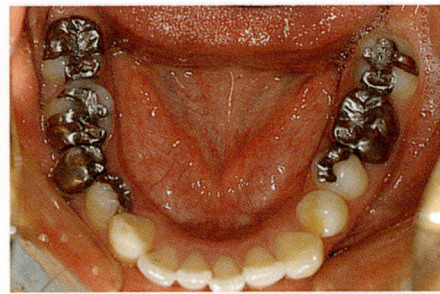

図6-53｜図6-54

図6-53　咬合面観（上顎）．アングルⅡ級，1類
図6-54　咬合面観（下顎）．

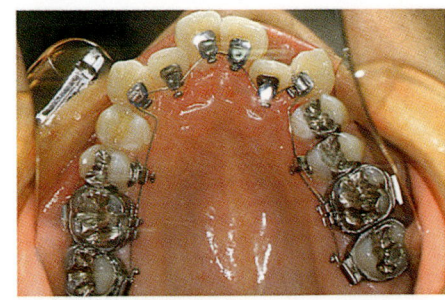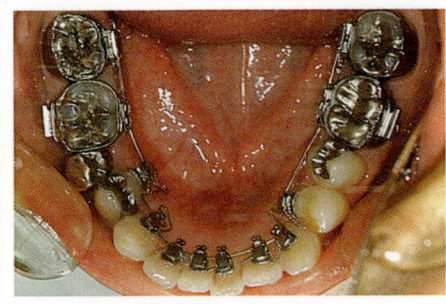

図6-55｜図6-56

図6-55　レベリング（上顎）（.012"〜.016"NI-TI．.016"TMA〜.016"S.S.）．
図6-56　咬合面観（下顎）．

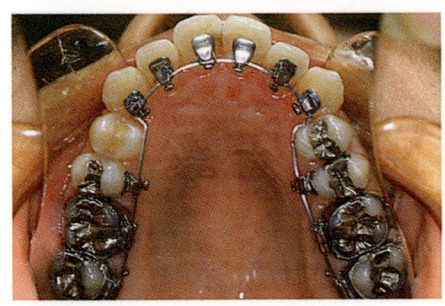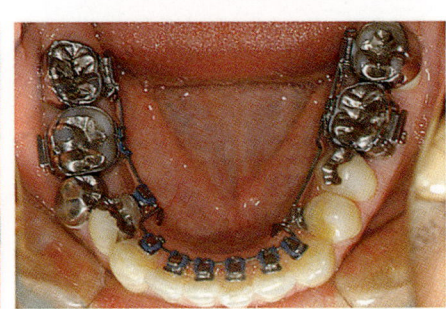

図6-57｜図6-58

図6-57　初期トルクの確立（上顎）（.0175"×.0175"〜.017"×.025"TMA）．
図6-58　初期トルクの確立（下顎）（.0175"×.0175"TMA）．

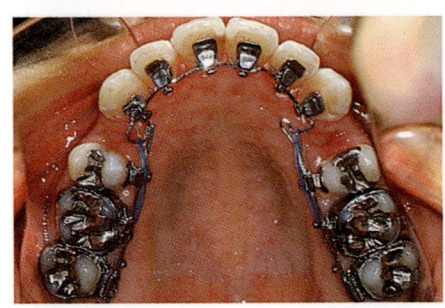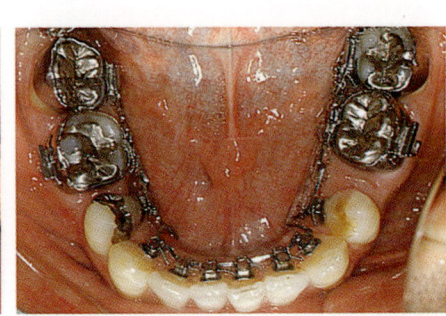

図6-59｜図6-60

図6-59　前歯部舌側移動．スライディングメカニックス（エン・マス）．.016"×.022"〜.017"×.025"S.S.
図6-60　スペースクロージングループによる下顎スペース閉鎖．

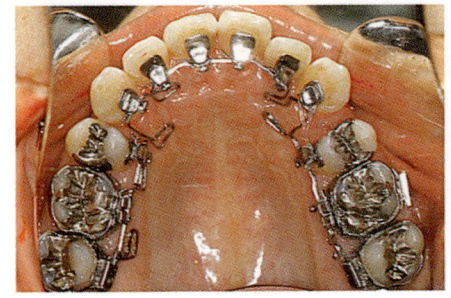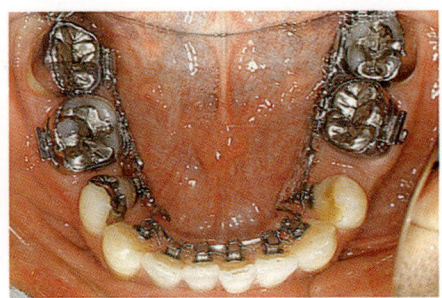

図6-61｜図6-62

図6-61　上顎咬合面観．L字ループを用いたアーチワイヤーによる前歯部トルクコントロールおよび舌側移動．使用ワイヤーは.016"×.022"S.S.
図6-62　下顎咬合面観．

症例1：上顎前突症例（アングルⅡ級1類）

図6-63 | 図6-64

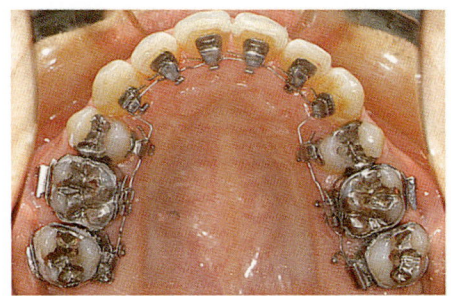 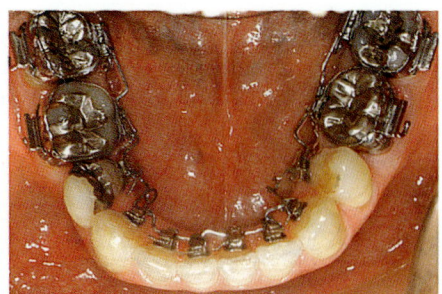

図6-63 ディテーリング．.014"〜.016"S.S.
図6-64 ディテーリング．.016"TMA

Chapter 7

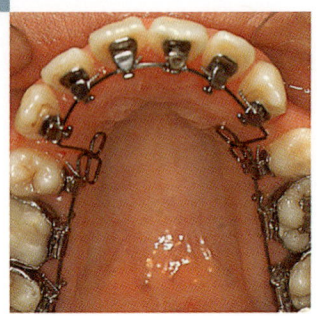

治療手順と使用ワイヤーの種類

治療手順にしたがって次の項目について述べる.
1) レベリング.
2) 犬歯部分的遠心移動.
3) 空隙閉鎖（前歯部舌側移動）.
4) 舌側矯正で用いられるアーチワイヤーの形態.
5) ディテーリング（Detailing）.
6) 保定.

1) レベリング

(1) 舌側矯正による前歯叢生治療が困難である理由

① ブラケットの位置が舌側にあるため，力のモーメントの関係から，前歯部が唇側傾斜（拡大）されにくい.
② ブラケット間距離が短いために，矯正力のモーメントアームが短くなり，ワイヤー弾性部の荷重・たわみ率が大きくなる．しかし，ワイヤーの長さを増加させるためのループなどのワイヤーへの挿入が，舌側の解剖学的形態やワーキングエリアが小さいために困難である.

(2) 舌側矯正による前歯部叢生治療の方式

① 剛性が低く，有効たわみ距離の大きいワイヤー（NI-TI系など）を用いる.
注意点：アーチ形態に歪みが生じやすい.
② ステンレスワイヤーに拡大ループなどを組み込んだ様式を用いる.
注意点：ループが歯内に食い込んだり，外側に突出しないようにする.
③ 捻転歯に対してはエラスティックによるローテーションタイを用いる.
④ 低位唇側転位した犬歯などを咬合面方向に誘導する場合，変形しやすいワイヤーを用いると，垂直的なボーイング・エフェクトが発生しやすい．これに対する術式を次に示す.
・術式
ⅰ：主線に剛性が高く，変形しにくいワイヤーを用いて，コイルスプリングを使用するかまたは，抜歯によって犬歯の十分なスペースを確保する.
ⅱ：主線（.016"×.022"S.S.以上）方向にエラスティックを用いて，ゆっくり誘導する.
⑤ 傾斜の強い犬歯に対しては，セクショナルワイヤーを用いる.

2) 犬歯の部分的遠心移動 (図7-1〜12)

前歯部の叢生（Crowding）の量が比較的大きいとき，前歯部のアライメントが必要なスペース分だけ犬歯の遠心移動を図る.
この段階での注意事項には次のものがある.
① 犬歯のリトラクションをするときには，犬歯と臼歯が十分にレベリングされた状態になっていることが必要である.
② 単独の犬歯移動では傾斜移動（垂直的ボーイングエフェクト）とローテーションおよび舌側への傾斜（水平的ボーイングエフェクト）を防止するためにエラスティックまたはコイルに対して変形を起こ

犬歯の部分的遠心移動

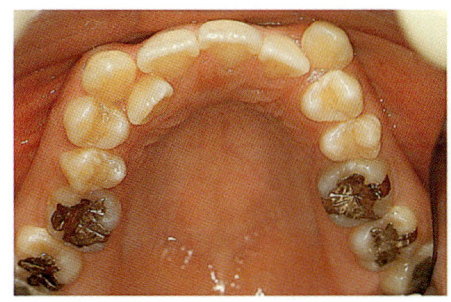
図7-1　左側犬歯低位唇側転位を持つ症例．

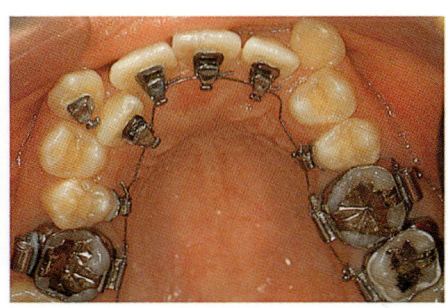
図7-2　4|4 抜歯予定．レベリング．

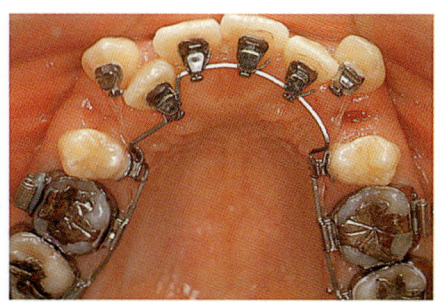
図7-3　剛性の高い主線（.016"× .022" S.S.）を装着する．

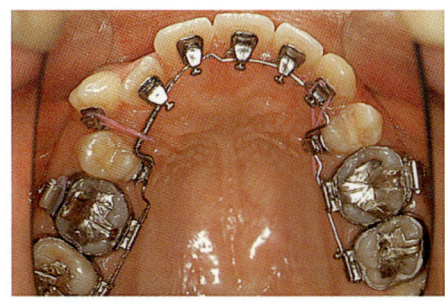
図7-4　主線方向に犬歯をエラスティックを用いてゆっくり移動する．

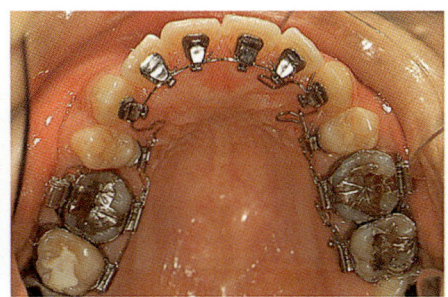
図7-5　再レベリング．

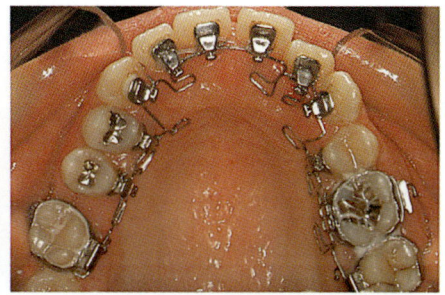
図7-6　舌側装置のブラケット間距離が短い点を補うためにループなどをワイヤーに入れることがよくある．

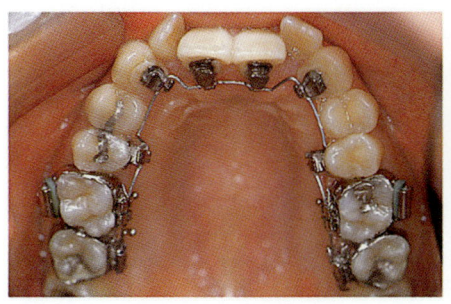
図7-7　レベリング．Ⅱ級2類のケース．

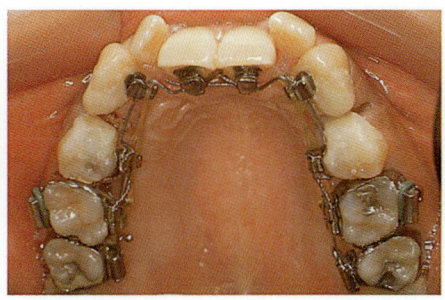
図7-8　エラスティックを用いた犬歯の部分的遠心移動．

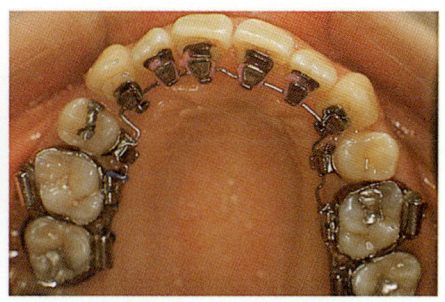
図7-9　移動後の再レベリング．

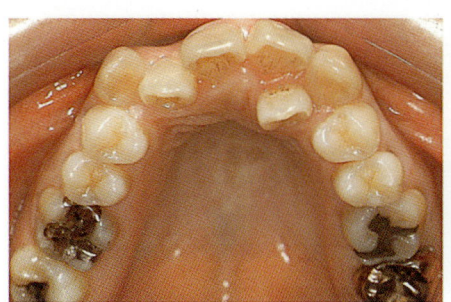
図7-10　前歯部叢生症例．

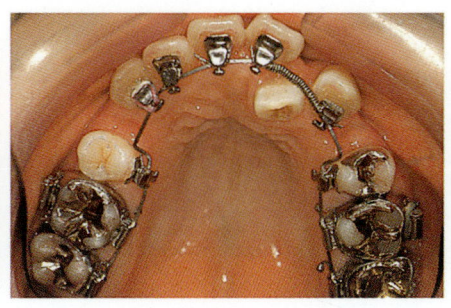
図7-11　コイルスプリング（オープン）を用いた犬歯部分的遠心移動．.016"×.022" S.S.

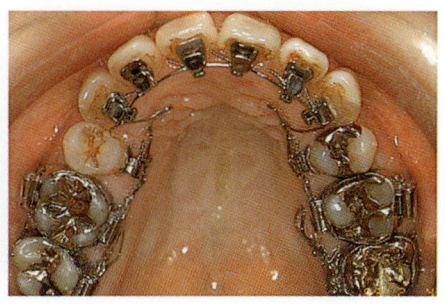
図7-12　前歯部（3|3）の舌側移動．.016"×.022"S.S.

33

図7-1　クロージングループとスライディングメカニックスの比較.

A．クロージングループ	B．スライディングメカニックス
①一度の活性化による空隙の量に限界がある．	①活性化による空隙閉鎖の量は十分得られやすい．
②活性化直後に強すぎる矯正力が作用しやすい．	②活性化直後から空隙閉鎖まで，一定の持続的な矯正力をかけることができる．
③ループを活性化する量を正確にコントロールしやすい．	③適正な矯正力の定量化が難しいため，エラスティックなどの活性化の量が大きすぎることがある．
④歯牙の傾斜後の歯根が整直（立ち直り）するための時間がある．	④持続的に歯牙が傾斜する力を受けるために，歯牙整直（立ち直り）に必要な時間が与えられにくい．
⑤臼歯部（固定源）へテップバックベンドなどを入れることによって固定源を確保しやすく，したがって最大限の固定の必要な症例に適する．	⑤ワイヤーがスムーズにスロット内をスライドできるように，スロットとワイヤーの摩擦を最小限にしなければならない．したがって固定源を確保するためにワイヤーに強いスピー彎曲，臼歯へのアンチテップベンドを入れることに制限がある．
⑥ループを用いた前歯の積極的な圧下が効果的にできる．	⑥形態的に前歯の圧下やトルクコントロールは難しい．
⑦空隙閉鎖は片側性のものでも比較的容易にできる．	⑦とくに片側性の空隙閉鎖などは困難である．
⑧エラスティックによる弓なり現象（ボーイング・エフェクト）は見られない．	⑧エラスティックが原因の弓なり現象（ボーイング・エフェクト）が見られる．
⑨ワイヤー屈曲に時間がかかる．	⑨ワイヤー屈曲時間は短い．
⑩ループが歯肉に圧入したり，突出して舌感をそこなうことがある．	⑩形態的に単純であり，舌感をそこなうことがない．

さない十分な剛性を有するワイヤーを用いる．
　すなわちできるだけ.016"×.016"S.S.または.016"×.022"S.S.のワイヤーを用いる．
③犬歯のリトラクションによって十分なスペースを前歯部に作ってから.016"TMA,.014"〜.016"NI-TIまたは.016"S.S.にループを入れたワイヤーを用いて前歯の叢生をアライメントする．
つまりスペースを確保してから叢生を治す．

3）空隙閉鎖（Space Closing）

(1) 空隙閉鎖の2種類のテクニック

　A．クロージングループつきアーチワイヤー
　B．スライディングメカニックス
この2つのテクニックを並列比較する（表7-1）．

(2) 舌側矯正における空隙閉鎖の一般的注意点

①前歯部のスロットからワイヤーが抜け出るのを防ぐため，ダブル・オーバータイを用いてしっかりワイヤーとブラケットを固定する．
②前歯部の舌側移動は，トルクの確立を十分に確認してから行うようにする．
③顎間ゴムは，できるだけ短い距離で弱い力を用いる．
④前歯の舌側移動においてトルクの維持は大変重要である．一度失ったトルクを回復するのは大変難しい．空隙閉鎖の速度が一月あたり1.0mmを越えるとトルクコントロールは難しくなる．
⑤上顎臼歯の近心移動において，舌側矯正では頬側の挺出が起こりやすく，咬合干渉の原因となる．
⑥下顎臼歯の近心移動においては，舌側傾斜が起こりやすい．
⑦抜歯部位に隣接した歯牙では，ローテーションコントロールが難しくなる．
⑧傾斜（テップ）コントロールが不十分だと，側方歯部の開咬や下顎大臼歯の近心傾斜が起こる．

（3）クロージングループつきワイヤーを用いる場合の注意点

① ループの活性化は最小限（1.0mm以下）にする．これによって，最初に起こる傾斜移動の量を制限し，活性化直後の力が強くなりすぎるのを防ぐことができる．

② ループ活性化による矯正力を正確にコントロールするためには，シンチバック（Cinch Back）より，大臼歯の近心にオメガループを用いた，いわゆるタイバック（Tie Back）方式を用いた方がよい．

③ タイバックによるループの活性化の場合，一つのワイヤーでできるだけ活性化の回数を保持するためには，大臼歯ブラケットとオメガループの距離をできるだけ大きく確保することが必要である．オメガループが大臼歯のブラケットに接触した場合は，アーチワイヤーの再調節または曲げ直しが必要となる．

④ ワイヤーは活性化による歪みの発生しにくい，十分な剛性（Stiffness）の高いワイヤーを用いる．

⑤ ループの活性化は少量ずつ，十分な間隔をおいて行う．これによって，傾斜した歯牙の整直（立ち直り）の時間を十分に与えるようにする．

（4）スライディングメカニックスを用いる場合の注意点

① レベリングを十分に行う．これによって，臼歯部のトルクを平準化して，アーチワイヤーが臼歯部の平坦なブラケット・スロットに沿って，より効果的に滑走できるようにする．

② エラスティックは，できるだけ短い距離で，適切な矯正力を用いる．これによって，歯牙の不必要な傾斜とワイヤーの変形を最小限にする．

③ ワイヤーは矯正力によって変形の生じにくい剛性の十分高いものを用いる．

④ 3次元的な，いわゆる弓なり現象（ボーイング・エフェクト）を防ぐための形態をワイヤーに与える．この形態には，カーブ・スピーおよび小臼歯部副径の狭小などが含まれる．

⑤ ワイヤーのスロット内の滑走を防げるような結紮線の使用（たとえばワイヤーの遠心端を押さえてしまうなど）やブラケットの変形に注意する．

4）舌側矯正で用いられるアーチワイヤー形態

舌側矯正では唇側矯正と同様に次に示す種類のワイヤーが用いられる．

① リトラクション（スペースクロージング）アーチワイヤー．

　A．クロージングループを用いた前歯部舌側移動用アーチワイヤー．
　スペースクロージングループとしては，主に垂直ループ，L字型ループおよびT字型ループが用いられる（図7-13〜31）．

　B．スライディングメカニックスを用いたアーチワイヤー（図7-32〜36）．

② 前歯拡大用アーチワイヤー（図7-37〜41）．
　前歯部の拡大には主にループかコイルスプリングが用いられる．

③ マルチループアーチワイヤー（Multi-Loop）（図7-49〜51）．
　このタイプのワイヤーは臼歯部の整直，咬合高径のコントロールに効果的に作用する．

Chapter 7 治療手順と使用ワイヤーの種類

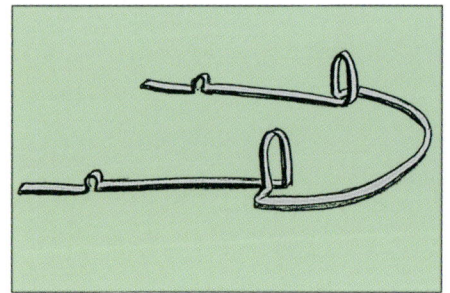

図7-13 バーティカルループ（クローズドタイプ）．

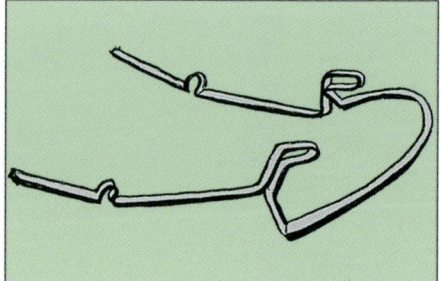

図7-14 Tループ（オープンタイプ）．

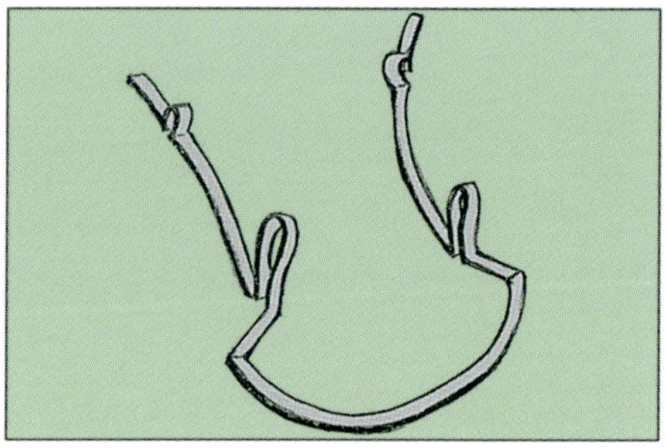

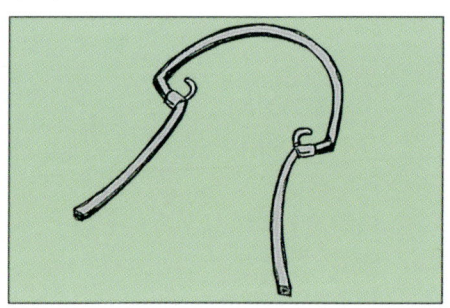

図7-15 バーティカルループ（オープンタイプ）．

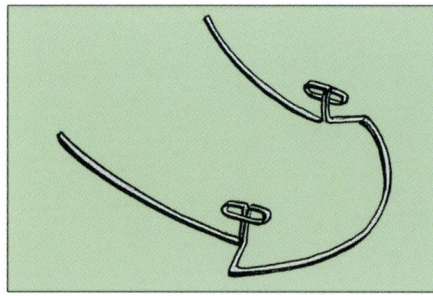

図7-16 Tループ（クローズドタイプ）．

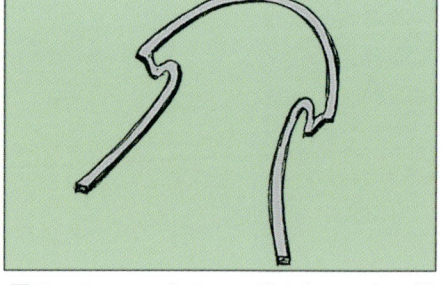

図7-17 スライディングメカニックス用ワイヤー．

図7-18 既成フックを用いたアーチワイヤー．

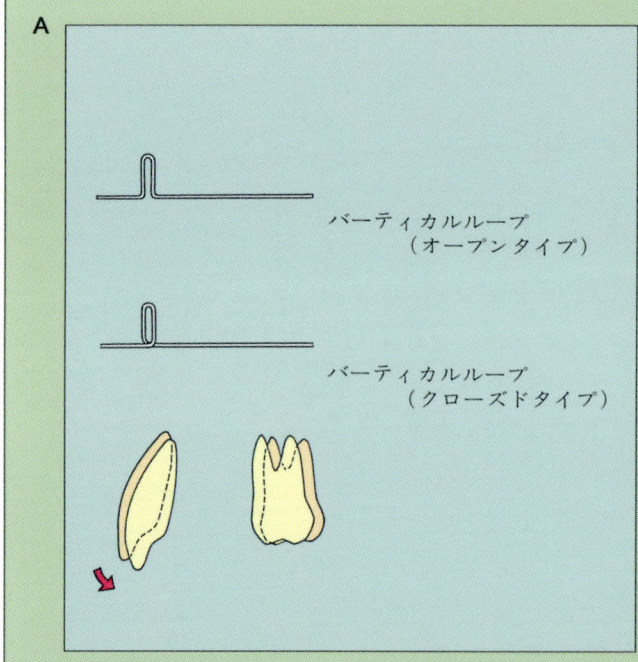

（特徴）
①前歯唇側傾斜，前歯開咬症例などに対して前歯を傾斜移動させるのに適する．
②小さな空隙の確実な閉鎖に適する．

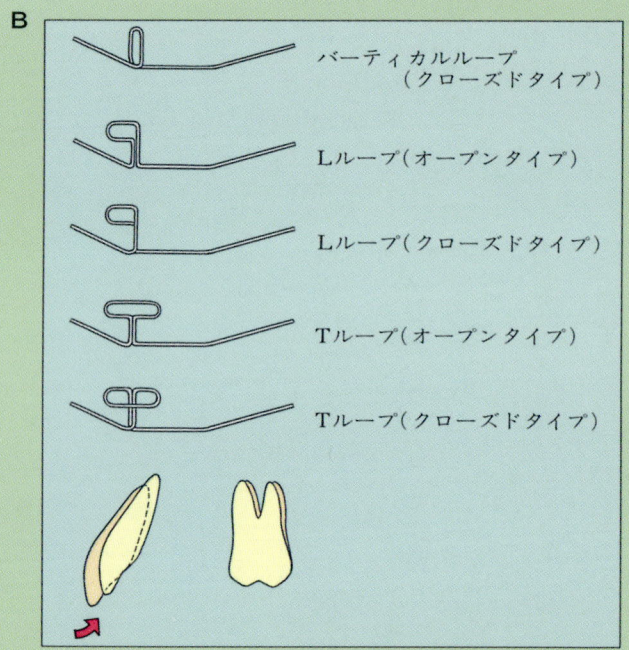

（特徴）
①上顎前歯を圧下し，積極的に咬合挙上を図るのに適する．
②前歯のトルクコントロールが効果的にできる．
③上顎への強いスピー彎曲および臼歯を整直し，近心への傾斜を防ぐテップバックベンドによって固定源の確立が効果的にできる．

図7-19 空隙閉鎖用ループ各種形態と特徴．

舌側矯正で用いられるアーチワイヤー形態

〔クロージングループを用いた前歯部舌側〕

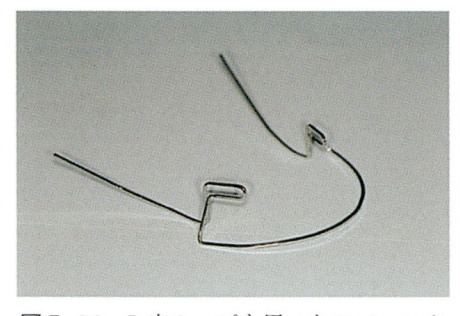

図7-20 L字ループを用いたスペースクロージングワイヤー（側面観）.

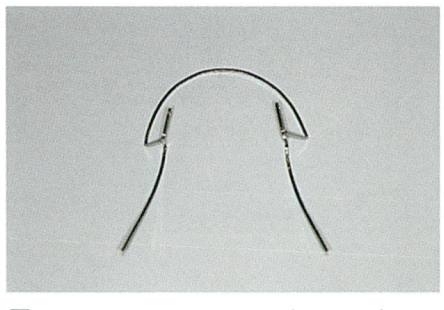

図7-21 スペースクロージングワイヤー（咬合面観）.

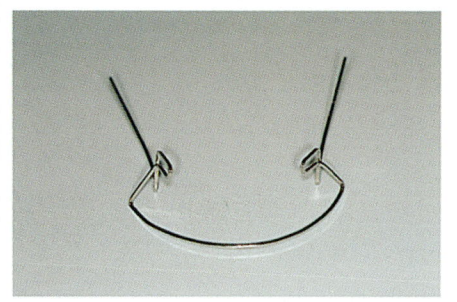

図7-22 スペースクロージングワイヤー（前方面観）.

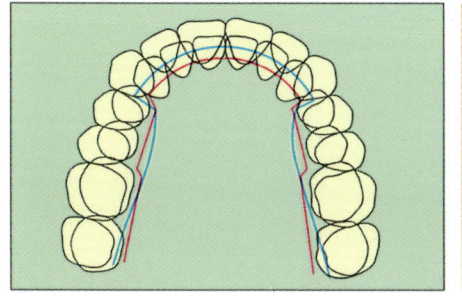

図7-23 アーチフォームは水平的ボーイングエフェクトを防止するため，下顎のアーチ（赤）に対して背ラインの形態になる．

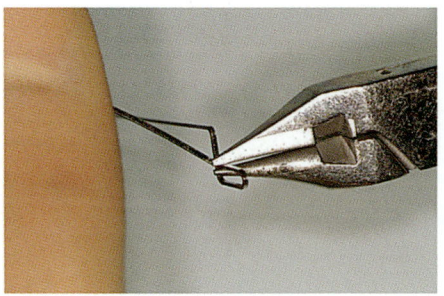

図7-24 L字ループの屈曲.

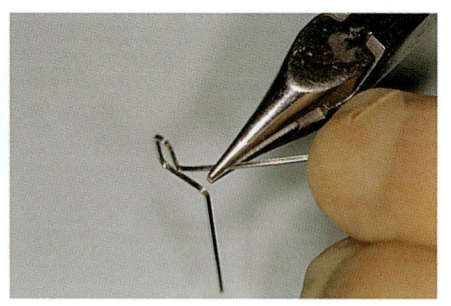

図7-25 犬歯と小臼歯の印セットの量を確定する.

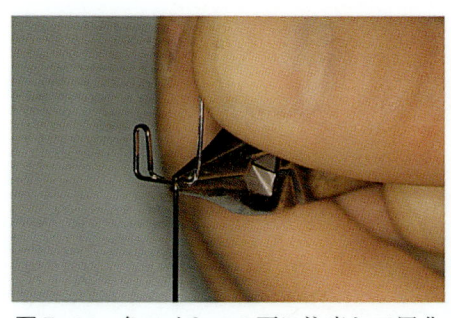

図7-26 角ワイヤーの面に注意して屈曲する.

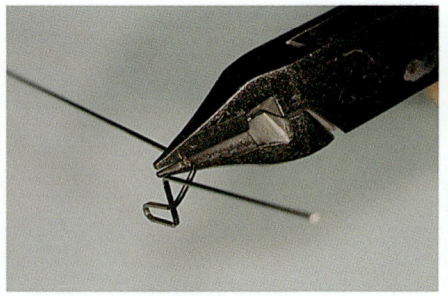

図7-27 臼歯部と前歯部のワイヤーの面が平行になるようにする.

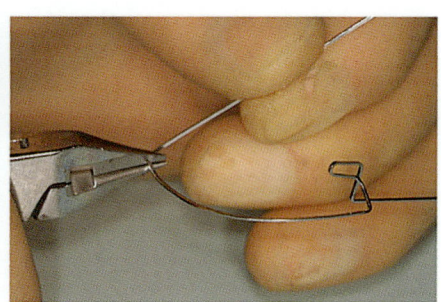

図7-28 反対側のループ屈曲.

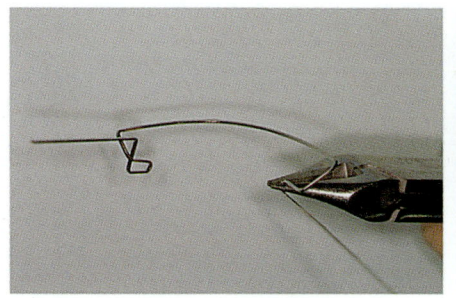

図7-29 反対側のループ屈曲.

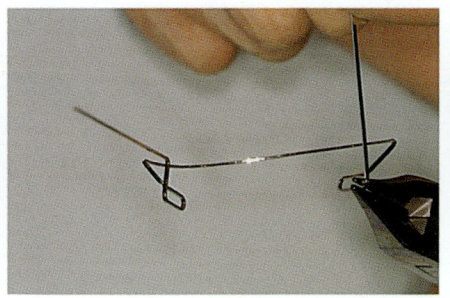

図7-30 反対側のループ屈曲.

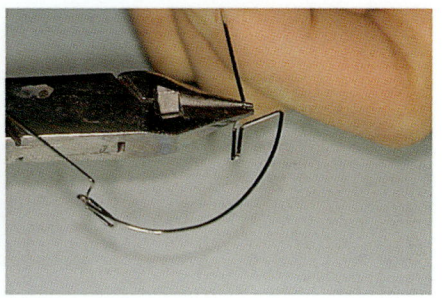

図7-31 反対側のループ完成.

37

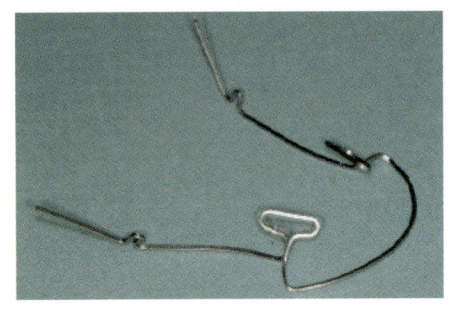

Chapter 7 治療手順と使用ワイヤーの種類

図7-32 ループメカニックス．

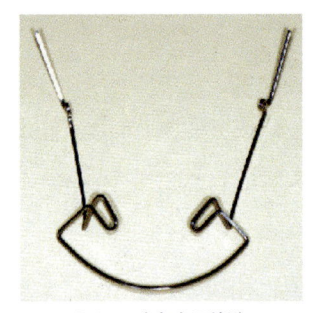

図7-33 ワイヤー（咬合面観）．

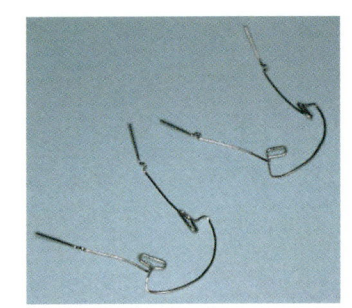

図7-34 Lループ，Tループの形態．

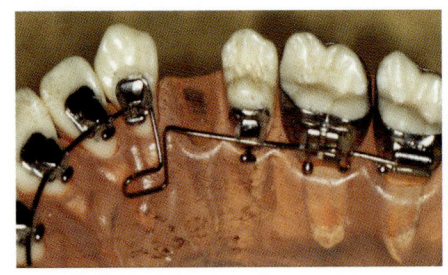

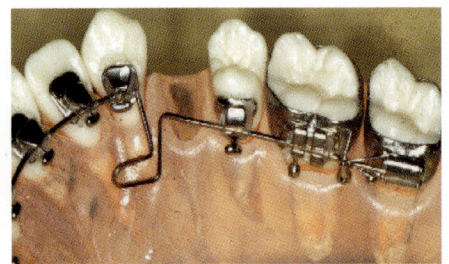

図7-35 ループのアクティベーション前．

図7-36 ループのアクティベーション後（活性は1mm以内）．

〔前歯拡大用ワイヤー〕

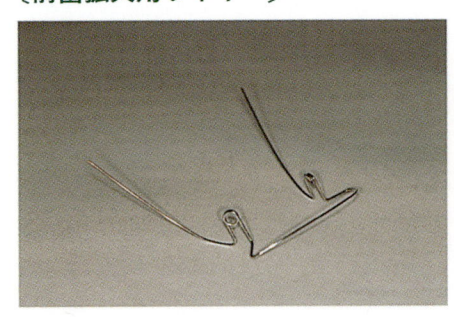

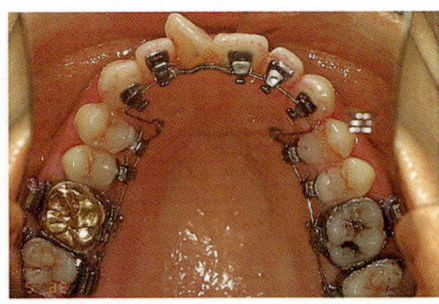

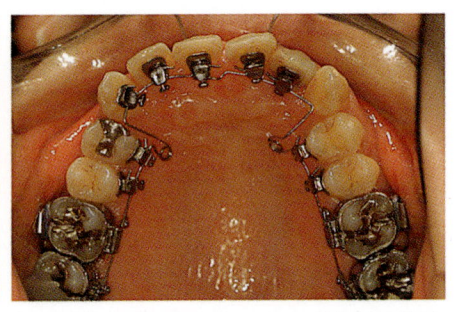

図7-37 ループを用いた拡大用ワイヤー（側面観）．

図7-38 拡大用ワイヤーとコイルによる前歯部拡大．

図7-39 バーティカルループを用いた拡大用ワイヤー．

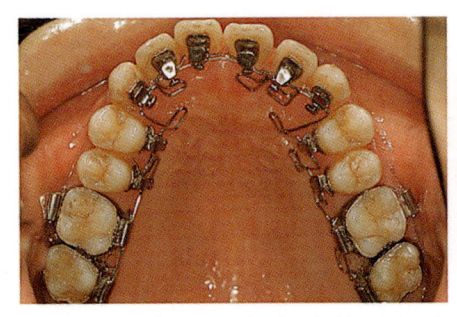

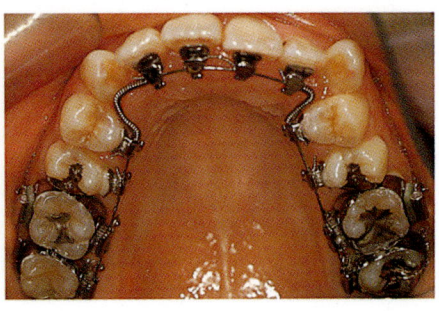

図7-40 L字ループを用いた拡大用ワイヤー．

図7-41 オープンコイルスプリングを用いた前歯部の拡大．

38

舌側矯正で用いられるアーチワイヤー形態

〔スライディングメカニックス用ワイヤー〕

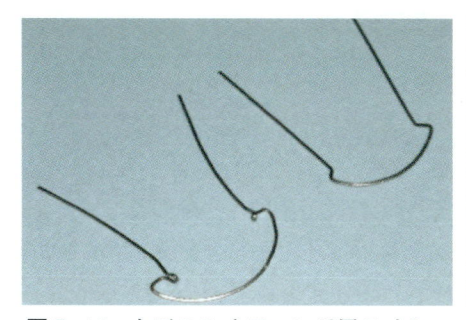

図7-42 上下スライディング用ワイヤーの形態.

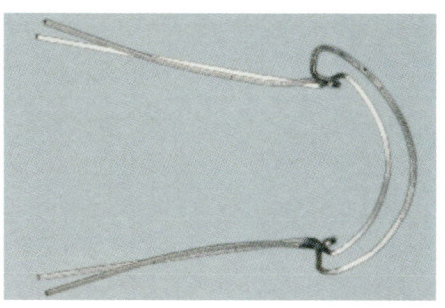

図7-43 上下スライディングワイヤーのコーディネーション.

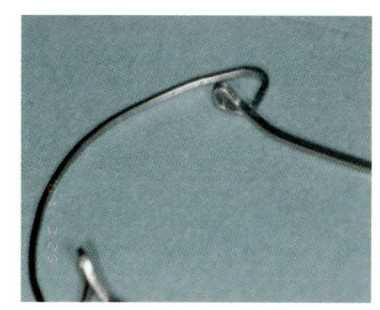

図7-44 スライディングワイヤーのループ形.

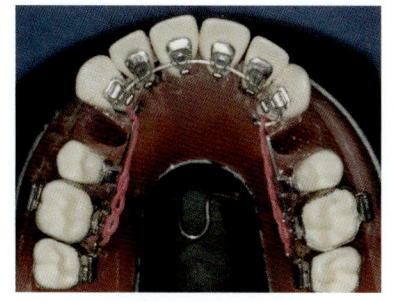

図7-45 上顎前歯舌側移動.

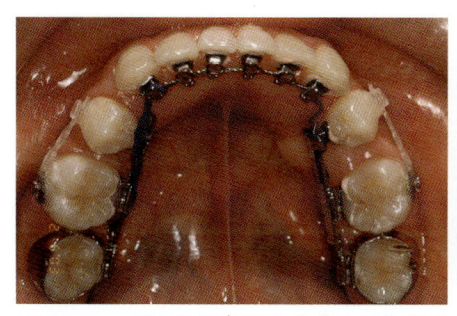

図7-46 下顎（4|4）遠心移動と前歯部舌側移動.

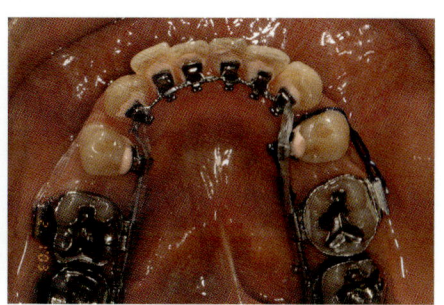

図7-47 下顎（4|4）遠心移動と前歯部舌側移動.

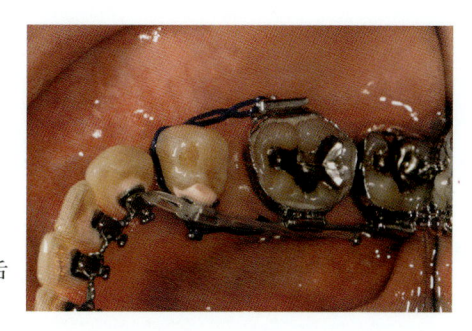

図7-48 下顎（4|4）遠心移動と前歯部舌側移動.

〔マルチループアーチワイヤー〕

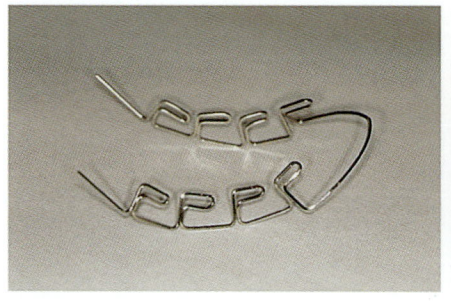

図7-49 マルチループアーチワイヤーの形態.

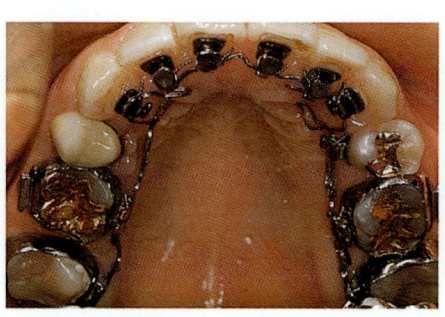

図7-50 マルチループアーチワイヤーを用いた口腔内所見.

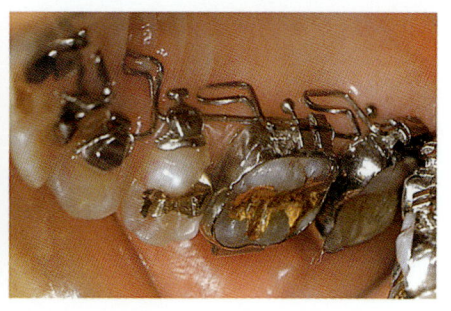

図7-51 マルチループアーチワイヤーを用いた口腔内所見.

39

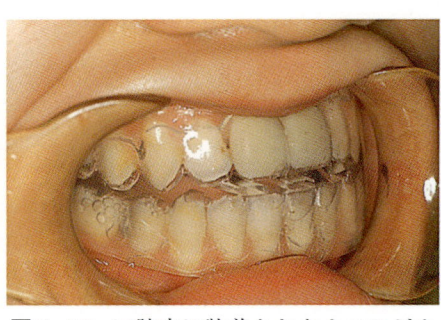

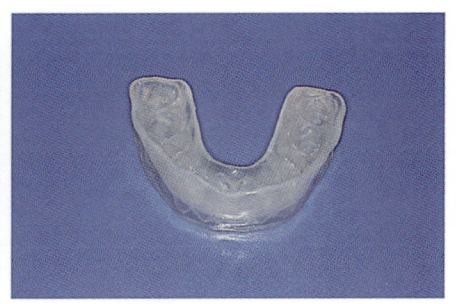

Chapter 7 治療手順と使用ワイヤーの種類

図7-52 中心位を基準として製作されるナソロジカルポジショナー.

図7-53 口腔内に装着されたナソロジカルポジショナー.

図7-54 ナソロジカルポジショナー.

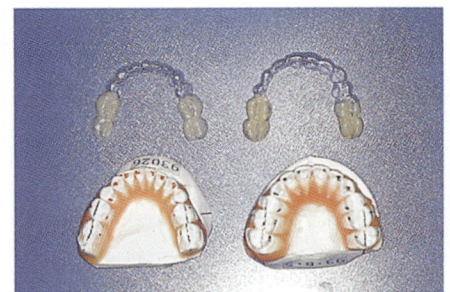

図7-55 セットアップモデルを基準として製作されたクリアーリティナー.

図7-56 口腔内所見.

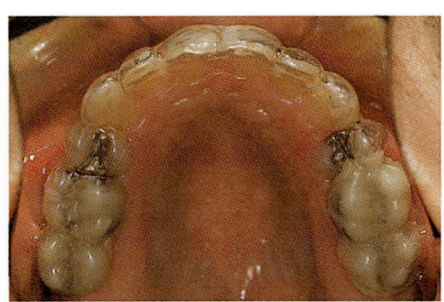

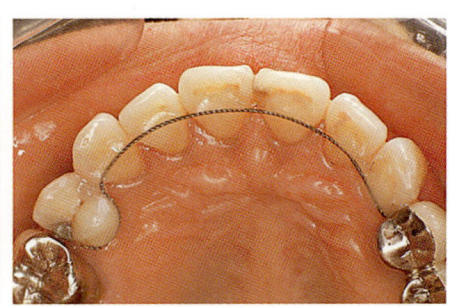

図7-57 前歯舌側面のワイヤーによる固定.

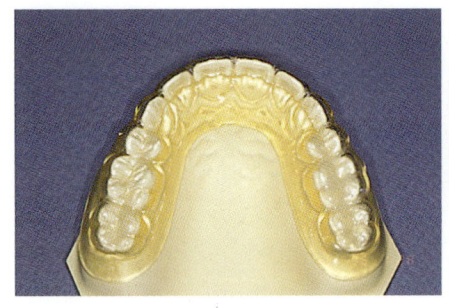

図7-58 ソフトリティナー.

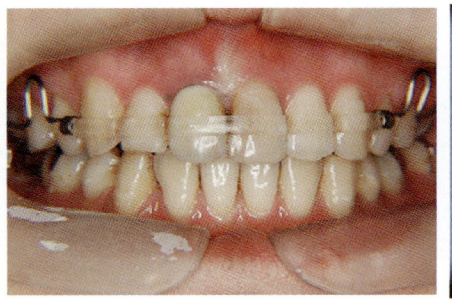

図7-59,60 Q.C.M.™リティナーワイヤー(バイオデント社製).

5) ディテーリング (Detailing)

Detailing(微調整)は，矯正治療のつぎステップが完了した最終段階で行う.
①空隙閉鎖.
②前後的上下歯列関係の改善.
③適切なトルクの確立.
④適切なアーチフォームの確立.

(1) 目的

ラウンドワイヤーにベント(Artistic Bend)を次の目的で入れる.

①緊密な咬合の確立.
②正確なアーチコーディネーションの確立.

(2) 使用ワイヤー

歯牙を生理的に自然な位置に移動させるのに適するワイヤーを使用する.

①.014"または.016"S.S.
②.016TMA

ディテーリングの目的で，剛性の高い角アーチワイヤーを用いると，ワイヤーにベンド(Artistic Bend)を入れたとき，スロットにワイヤーが入れにくく，強すぎる矯正力がかかりやすい．また，不適切な三次元的

な歯牙移動（トルクと歯牙の垂直的移動）が起こりやすい．

(3) 注意事項

スペースが再び開くのを防止するため，必ずCinch BackまたはTie Backを確実に行う．また，必要な場合は連続結紮を行う．

6) 保定

舌側矯正を用いた症例の保定における問題点は，外観に触れる保定に患者の拒否反応を示すことである．

(1) 使用される保定装置（図7-52〜60）

①ナソロジカルポジショナー（Gnathological positioner）．
②クリアーリティナー（Clear retainer）．
③ソフトリティナー（Soft retainer）．
④ホーレータイプ（Hawley type retainer）．

(2) 保定装置の使用方式

①保定装置について患者に説明したうえで，患者が希望すれば，舌側装置を保定装置として，そのまま半年ほど使用することがある．
②ナソロジカルポジショナーは，装置を外したあとスケジュールを組んで，最初の3日間は終日使用し，2〜3か月間は1日4時間以上使用させる．使用方法は20秒間強く咬んで10秒間力を緩める．これを20分継続し，10分間口腔外に出して休む．口腔内装着の合計時間を1日4時間以上とする．
③日中は，セットアップモデルを基本として製作する全歯冠をカバーするタイプの透明なポリビニール系のリティナーまたはいわゆるソフトリティナーを使用する．
④ホーレー（Hawley）タイプのリティナーは夜間使用し，舌側装置を外したあと最低一年間使用する．

7) 臨床症例（図7-61〜70）

4|4 抜歯症例において上顎に使用されるアーチワイヤーの種類と手順を示す．

図7-61｜図7-62

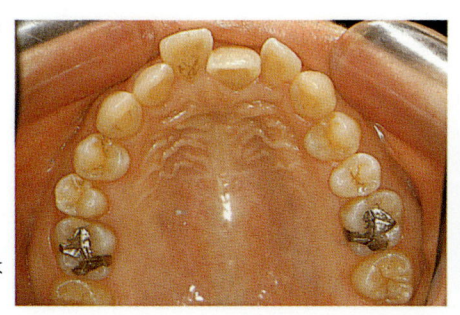

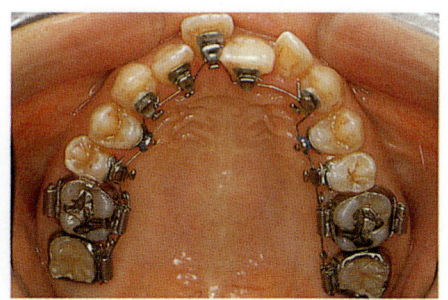

図7-61,62 レベリング，使用ワイヤーは.012"〜.016"NI-TI.

図7-63｜図7-64

図7-63 上顎レベリング完了．使用ワイヤーは.016"S.S.
図7-64 上顎前歯部舌側移動前の前歯部トルク確立．使用ワイヤーは.0175"×.0175"TMA，.016"×.022"S.S.

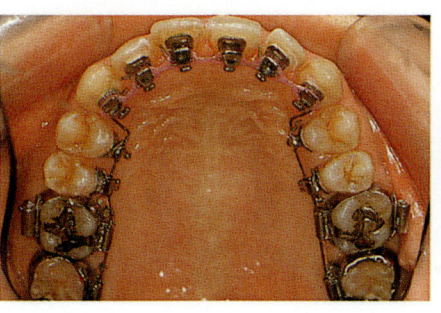

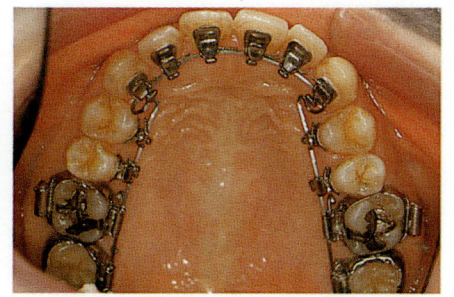

Chapter 7 治療手順と使用ワイヤーの種類

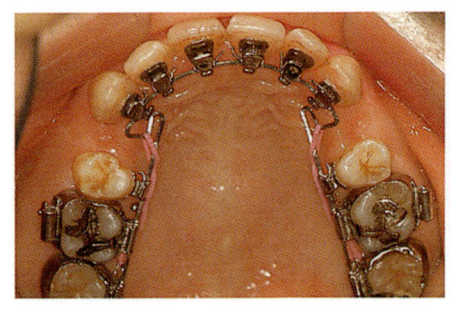

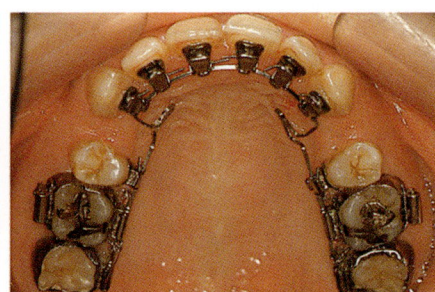

図7-65｜図7-66

図7-65 スライディングメカニックスを用いた上顎前歯（3+3）．一体した舌側移動（エン・マス）．使用ワイヤーは，.016"×.022"S.S.
図7-66 L字ループを用いた上顎前歯（3+3）の圧下と舌側移動．使用ワイヤーは.016"×.022"S.S.

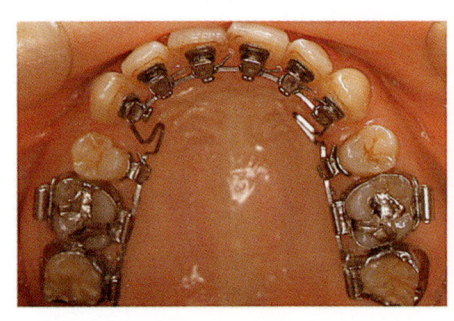

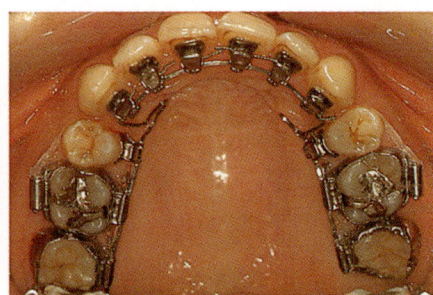

図7-67｜図7-68

図7-67 L字ループを用いた上顎前歯の舌側移動およびトルクコントロール．使用ワイヤーは，.017"×.025"TMA.
図7-68 上顎前歯部舌側移動の完了時点．

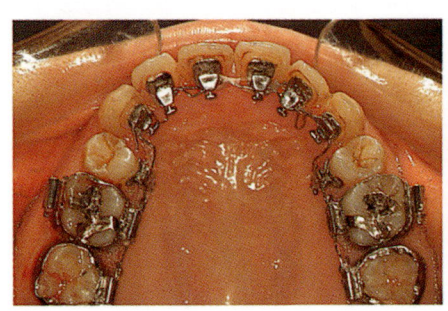

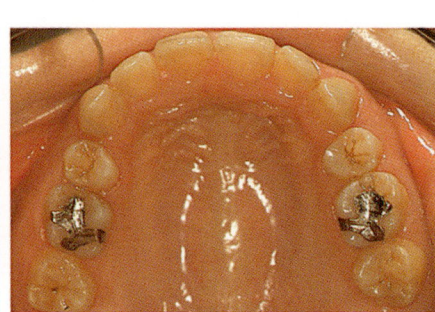

図7-69｜図7-70

図7-69 上顎ディテーリング．使用ワイヤーは.014"S.S.，.016"TMA.
図7-70 治療完了時．

Chapter 8

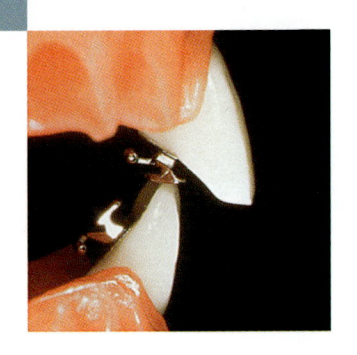

舌側矯正のバイオメカニックス

Ⓐ バイオメカニックスの概念

1）形態

舌側矯正では，前歯舌側面の形態が多様性に富むため，わずかなブラケットの位置の変化が唇側に比較して大きく独特な3次元的位置変化をもたらす．この傾向は豊隆の強い，舌側歯頸部の舌側方向に移動するほど増大する（図8-1）．

2）位置

基本的に，前歯部にかかる矯正力（圧下方向）は歯牙の位置によって異なるが，通常は舌側矯正と唇側矯正では，全く逆の回転力を生じさせる．この反対方向の回転力が舌側矯正において，特に，前歯部におけるトルクコントロールを困難にしている．この回転力は歯牙の回転の中心（抵抗の中心）とブラケットの距離が大きくなる程，言い換えると，歯面からブラケットが遠ざかる程，回転力が大きくなる．したがって，ブラケットが舌側方向に移動するに比例して強い歯根の唇側への傾斜，歯冠の舌側への傾斜を伴う強い回転力が生じる（図8-2）．

3）Kの法則

舌側矯正における独特な歯牙移動の原因は，装置が歯牙の舌側に位置していることによる．装置の位置が舌側方向に移動するのに比較して歯牙移動のコントロールが困難になる．舌側矯正は舌側歯科の裏世界に属し，表世界とは異なるルールによって支配されている（図8-3）．

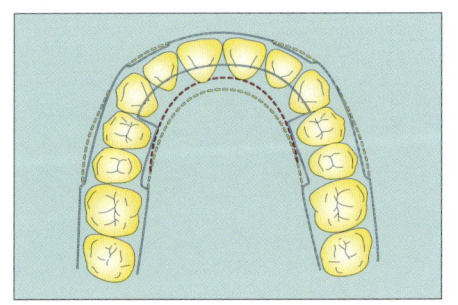

いわゆるストレート・ワイヤー法の舌側矯正への応

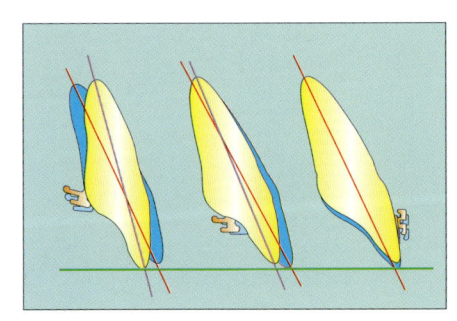

図8-1

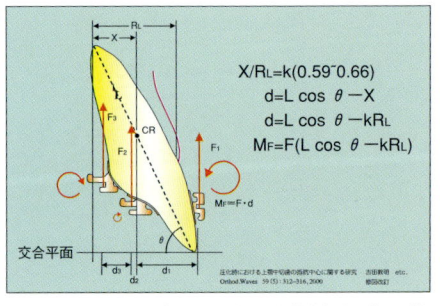

図8-2 圧下時における上顎中切歯の抜歯中心に関する研究（吉田義明 etc Orthod. Waves 59(5):312～316, 2000より引用改変）．

図8-3 舌側矯正は矯正歯科裏世界に属し表世界とは異なるルールによって支配されている．

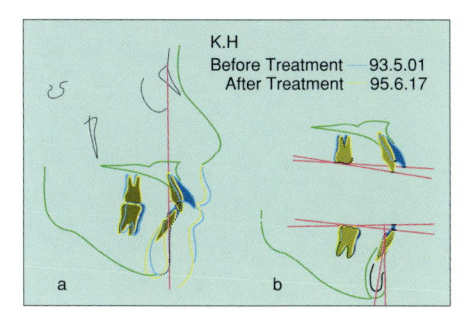

図8-4a,b　図8-5　図8-6a,b
図8-7a,b　図8-8

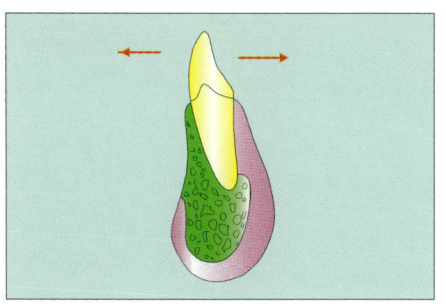

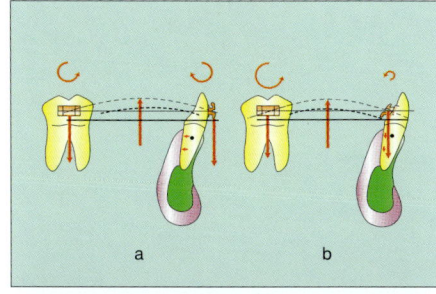

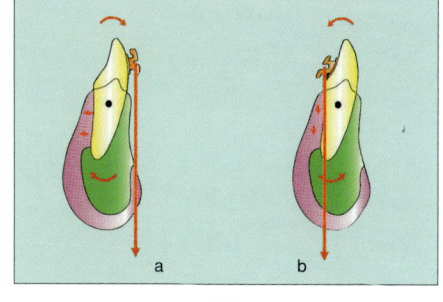

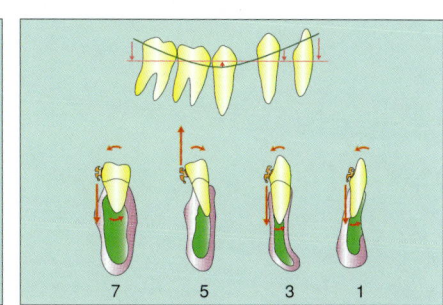

図8-9a｜図8-9b

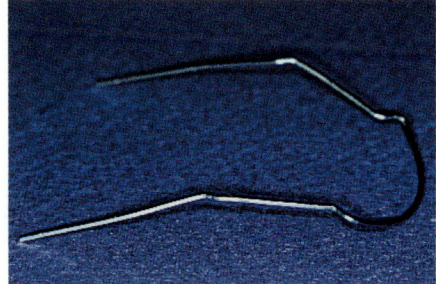

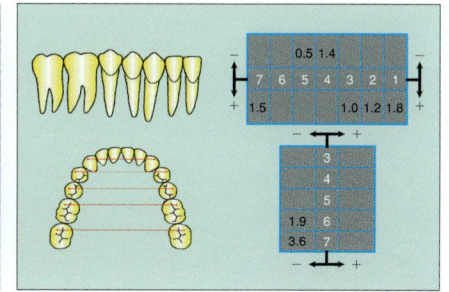

図8-9a ELECTRIC DUNKING（パラマウント社）に下顎ワイヤー装着.
図8-9b

用は，当然の発想であろう．但し，前歯部においては，ブラケットのスロットの位置がかなり舌側に位置せざるを得ない．したがって，従来の方式に比例して，歯冠の舌側への傾斜を伴う強い回転力が生じ前歯部のトルクコントロールが従来の舌側装置より更に困難になることを十分理解した上でこの術式を用いる必要があるだろう．

　一般に舌側矯正では，
①下顎前歯は圧下され易く，舌側移動において歯冠が舌側に傾斜し易い．
②下顎臼歯の近心移動によるスペース閉鎖が困難なことがある．
③上顎前歯は圧下しにくく，トルクコントロールが困難で傾斜移動し易い．
等の歯牙移動上の特徴が指摘されている（図8-4a,b）．

4）下顎の歯牙移動

　下顎前歯の解剖学的位置関係は，舌側に厚い皮質骨が存在し，唇側歯槽部の皮質骨は薄い（図8-5）．

　前歯に圧下力を加えた場合，通常，唇側装置では，矯正力のベクトルが抵抗の中心の唇側を通るためリンガルルートトルクがかかり，歯根が厚い皮質骨に押し当たり，皮質骨の抵抗により圧下されにくくなる．皮質骨を支点として，歯冠が唇側に傾斜し唇側に傾斜する（flare out）（図8-6a）．

　舌側矯正の場合は，これと反対に，ルートラビアルトルクがかかり，歯根は厚い皮質骨の抵抗から離れる方向に動く．歯根は抵抗の小さい海綿状骨の方向に動き，圧下され易くなる（図8-6b）．

　通常，圧下力が前歯にかかると，唇側矯正ではクラウンラビアルトルクがかかるため，臼歯部は近心に移

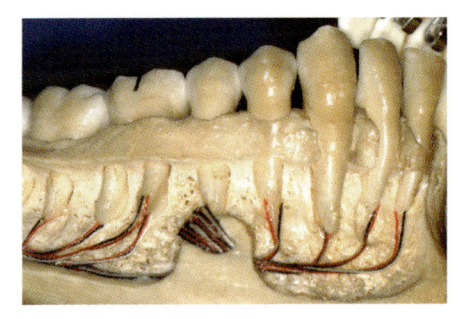

Chapter 8　舌側矯正のバイオメカニックス

図8-10a

図8-10b

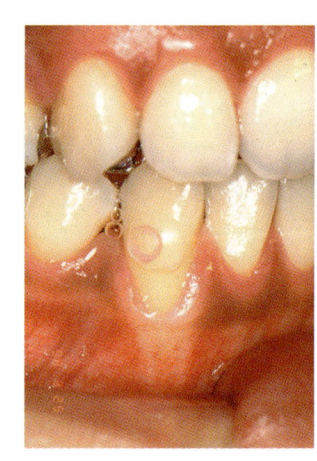

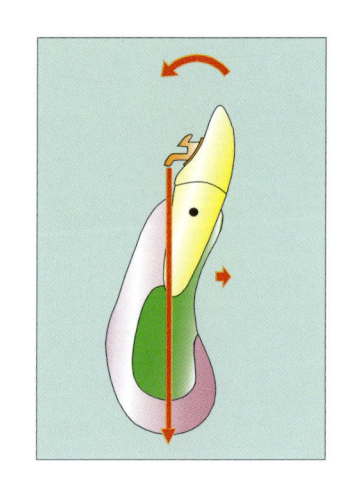

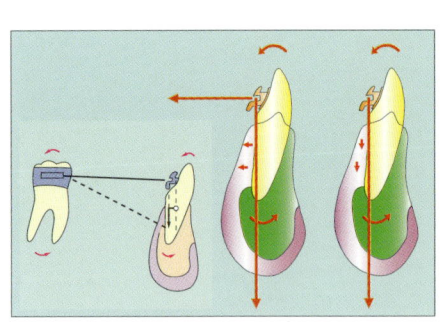

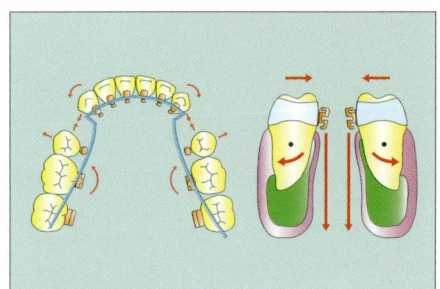

図8-10c

図8-11｜図8-12

図8-13a

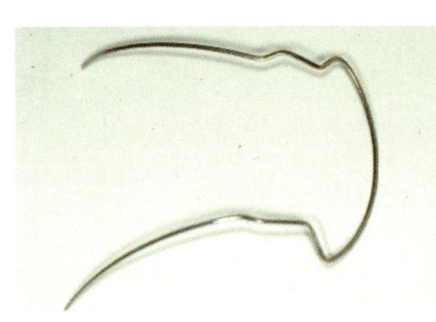

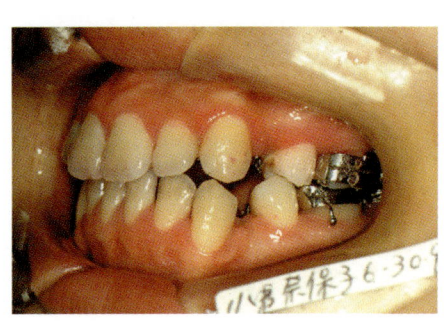

図8-13b

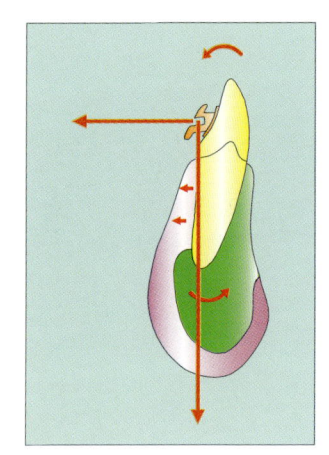

図8-13c

動する（図8-7a）．

　舌側矯正では，これと反対にクラウンラビアルトルクがかかるため，臼歯部は遠心に整直され，いわゆる自然なアンカーロスは起こりにくい（図8-7b）．

　舌側矯正の下顎歯列において，レベリングによってスピーカーブを平坦にすると，各歯牙は図8-8の様な移動を起こすと考えられる．

　ELECTRIC DUNKING（パラマウント社，P83．図11）を用いて下顎歯列のスピー湾曲の平坦化を実験的に行うと，小臼歯部の挺出，前歯，大臼歯部の圧下，および大臼歯冠部の舌側傾斜がみられた（図8-9b）．

　舌側矯正においては前歯部に，ラビアルルートトルクがかかるため，歯根が唇側の薄い皮質骨に当たり，骨レベルの低下および歯肉の退縮を起こし易いので注意する必要がある（図8-10a～c）．

　下顎前歯の舌側移動において，舌側装置では，舌側への牽引引力に拮抗するルートリンガルトルクが作用しないため，舌側の厚い皮質骨を支点として舌側に強く傾斜し易い．一方，下顎臼歯には皮質骨固定がかかるため，下顎のスペース閉鎖が舌側矯正では困難になる（図8-11）．

　前歯の舌側移動においては，大臼歯の舌側面は近心方向に回転する．またクラウンリンガルトルクがかかるため，近心頬側根は厚い頬側皮質骨に圧接して，い

図8-14｜図8-15

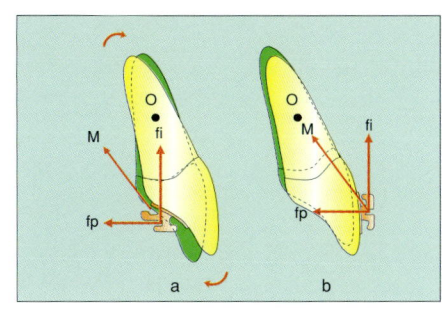

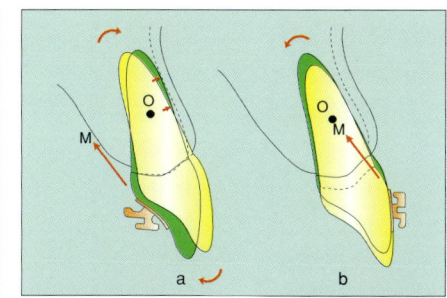

図8-16a｜図8-16b

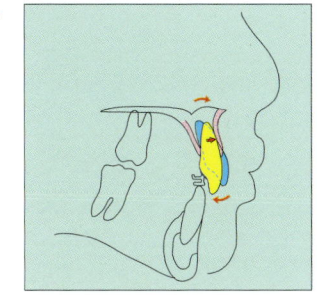

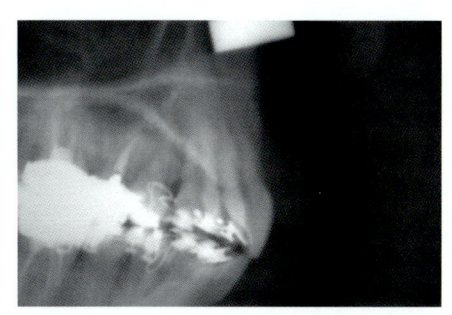

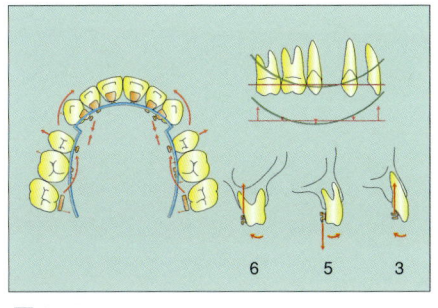

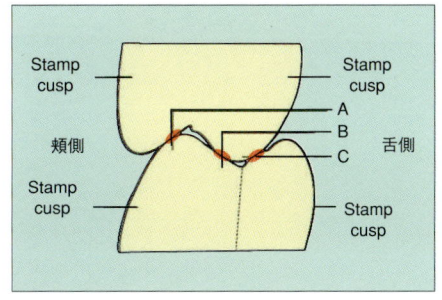

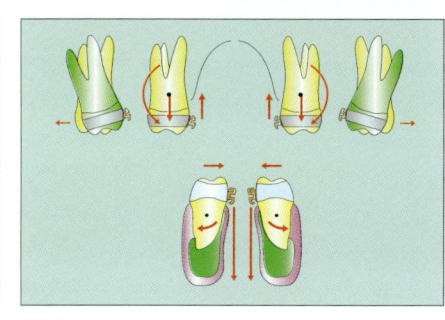

図8-17　　　図8-18a　　　図8-18b

わゆる皮質骨固定（コーティカル・ボーン・アンカレッジ）がかかる．このため，舌側矯正では自然なアンカレッジ・ロス（Anchorage loss）が起こりにくく，下顎の空隙閉鎖は比較的困難である（図8-12）．

前歯の舌側移動において，舌側矯正では前歯の強い舌側傾斜を起こし易い．したがって，前歯に十分トルクをかけ，できるだけ弱い舌側への牽引力で舌側移動する必要がある（図8-13a）．

この状態を改善するには，スピー湾曲の調整が必要であり，Mアーチ（カウンター・フォース）を用いるのも1つの方法であろう（図8-13b,c）．

5）上顎の歯牙移動

上顎前歯に圧下力が加わった場合，圧下力のベクトルが舌側装置では抵抗の中心の舌側を通るため，ルートラビアルトルクがかかる（図8-14a）．

これと反対に，唇側装置ではルートリンガルトルクがかかる（図8-14b）．

上顎前歯を舌側に移動する場合，唇側装置では力のベクトルが抵抗中心を通過する方向になるため，歯牙は海綿状骨方向に動き圧下され易い．

舌側装置では力のベクトルが抵抗中心よりかなり舌側に向かうため，ルートラビアルトルクがかかり歯根は唇側皮質骨に接触する方向に移動する（図8-15a）．唇側皮質骨の抵抗により，圧下が起こりにくくなり，唇側皮質骨を支点として歯冠が舌側に傾斜する（図8-15b）．

舌装置では上顎前歯部歯根尖が唇側皮質骨に接触し易いため，根尖吸収の可能性が増大する点に注意する

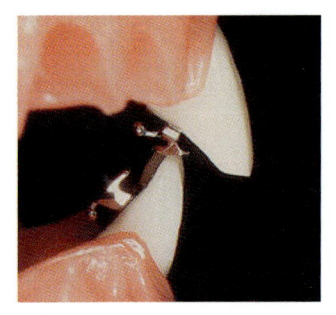

Chapter 8 舌側矯正のバイオメカニックス

図8-19a

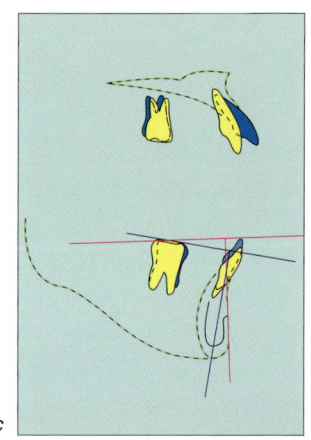

図8-19b ｜ 図8-19c

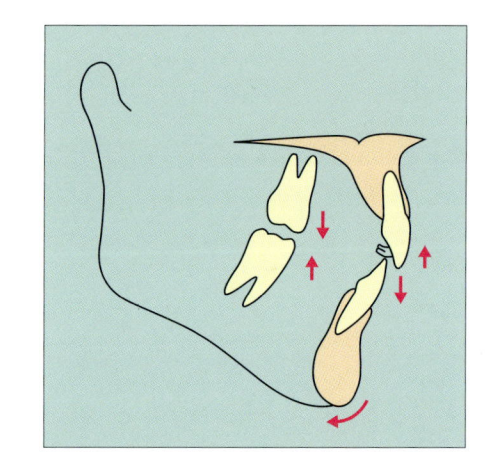

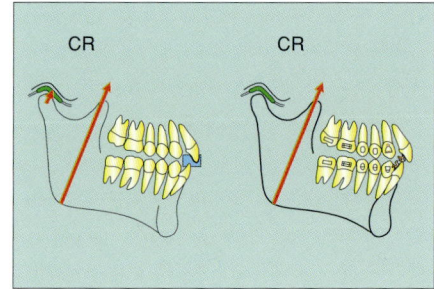

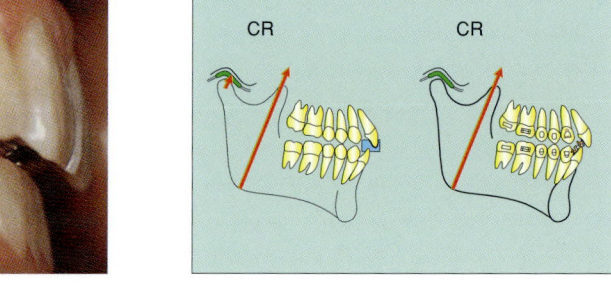

図8-20a

図8-20b

図8-20c

必要がある（図8-16a,b）．

　舌側前歯の舌側移動においては，原則として小臼歯部の頰側傾斜，大臼歯部の舌側傾斜，および大臼歯の近心移動による舌側の近心回転を伴う，青色ライン方向への歯列変形が起こる（図8-17）．

　したがって，この変形に拮抗するアーチフォームにする必要がある．

　上下顎臼歯の咬頭と窩は，頰舌的に3つのタイプの咬合関係を作る（頰側からA，B，C，コンタクト，図8-18a）．頰舌的な咬合の安定を得るためには，Bコンタクトが最も重要である．舌側矯正では，ブラケットが舌側にあるため舌側咬頭をコントロールし易いとの見解もあるが，特に上顎大臼歯に舌側傾斜するような頰側ルート・トルク（Buccal root torque）が加わると，Bコンタクトが咬合から外れて，Aポイントのみの咬合関係になる傾向があり，機能的問題を生ずる可能性がある（図8-18b）．

6）前歯舌側装置のバイトプレーン効果（Bite Plane Effect）

　前歯舌側装置のバイトプレーン効果（Bite Plane Effect）はバイトオープニング（咬合挙上）に有効である．但し，咬合挙上は上下前歯の圧下，臼歯の挺出は同率で起こるのではなく，主に下顎前歯の圧下によって起こる（上顎前歯は挺出傾向）（図8-19a～c）．したがって，咬合平面がスティープ（Steep）になる傾向がある．
この傾向に対して，十分に上顎臼歯を整直（Up Right）しないと臼歯の咬合干渉が生じる（いわゆるディスクルージョンの状態が作りにくい）．

　また上顎前歯部を圧下する必要のある症例（いわゆるガミースマイルなど）では，下顎前歯の圧下をスピー湾曲の調整力などによって抑制し，上顎臼歯部のTip back bendを十分に入れて，上顎前歯の圧下を計るなど，治療メカニックスの工夫を十分に行っても舌側矯正ではコントロールが難しい．したがって一般的には，舌側矯正はバイオメカニックスの観点からガミー

図 8 -21a　図 8 -21b

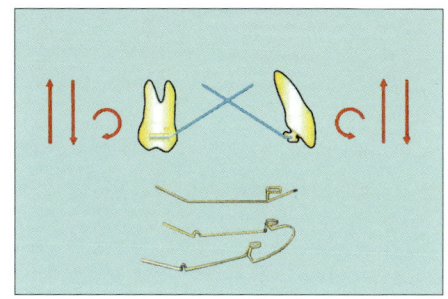

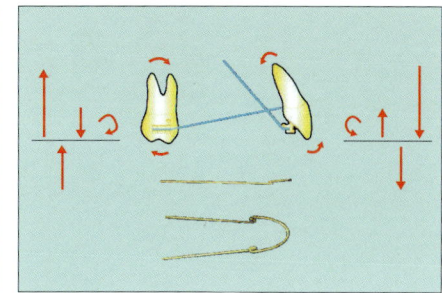

図 8 -22

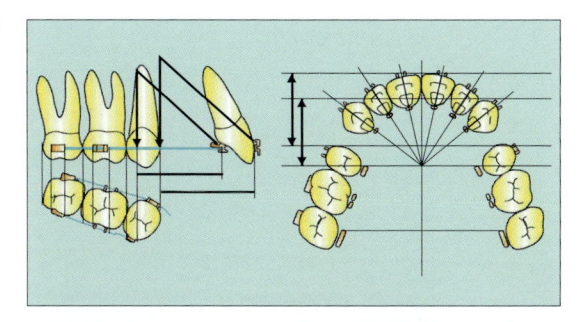

図 8 -23a　図 8 -23b

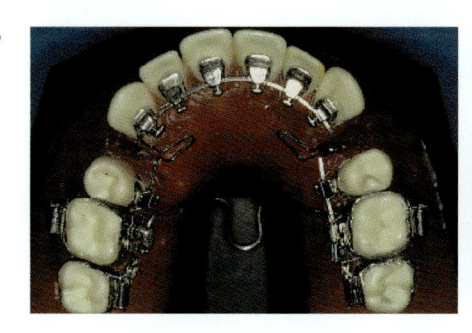

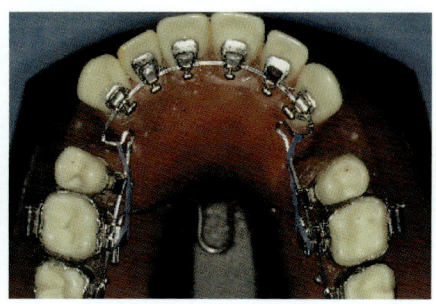

スマイルの治療には適さない．

バイトオープニングは主に，前歯部の変化が要因となる．したがって，下顎の後下方への関大（FXの増加）は起こりにくい．

このバイトオープニング効果は，Hawleyのバイトプレーンを用いたのと同じ効果を生ずる．すなわち，Bite Openingの他に下顎を安定した中心位（C.R.）へ誘導し（図8-20a〜c），ある種のT.M.D.患者の診断，治療の可能性もある．

7）EN-MASSE移動

臼歯のテップバックベンドと前歯のトルクベンドが等しい角度関係にあるときは回転力（モーメント）のみが生じ，垂直方向の力のモーメントは相殺され，生じない．この状態がセンターベンドである（図8-21a）．

トルクベンドがティップバックベンドより大きい時（オフセンターベンド），前歯部で挺出力，臼歯部では圧下力が加わる（図8-21b）．

舌側矯正では唇側矯正に比較して，ブラケット間距離が短く，ワイヤーの作用距離が短い（図8-22）．

同じたわみを生じさせるための荷重は，ワイヤーの長さの3乗に反比例し，力のモーメントは長さに比例して小さくなる．したがって，舌側矯正では唇側矯正と同じたわみ（前歯のトルク）を生じさせるための荷重は大きくなる．計算によると，舌側矯正では約2倍の力（荷重）をかけなければ唇側と同じたわみ（トルク）を前歯にかけることが出来ないことになる．

舌側矯正の前歯舌側移動は前歯6本のEN-MASSE移動において行われる（図8-23a,b）．

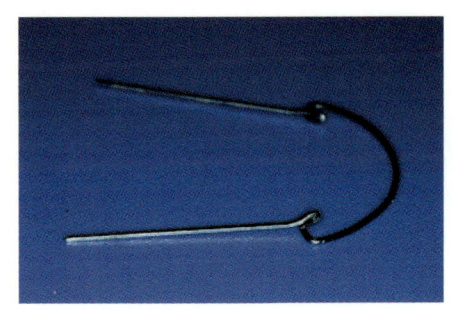

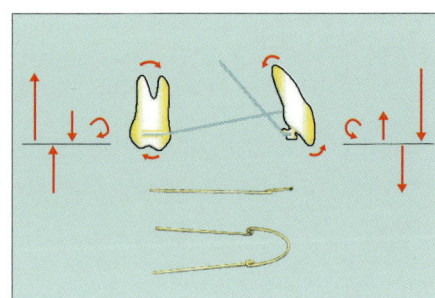

Chapter 8 舌側矯正のバイオメカニックス

図8-24a｜図8-24b

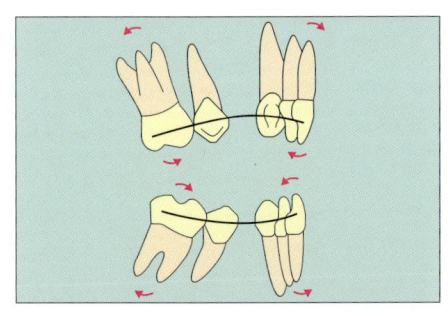

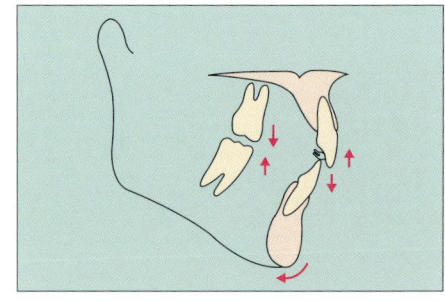

図8-25a｜図8-25b

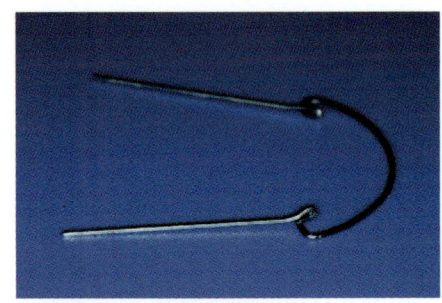

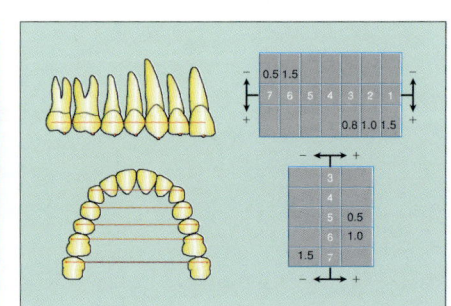

図8-26a｜図8-26b

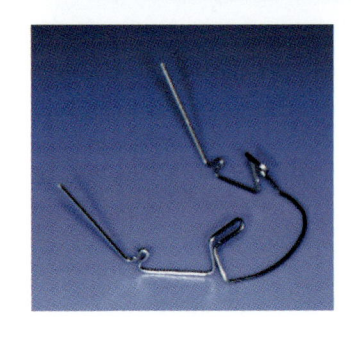

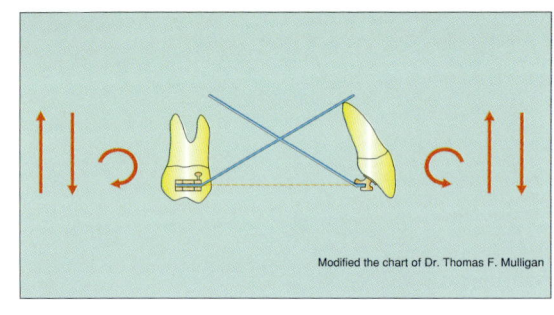

図8-27a｜図8-27b
Modified the chart of Dr. Thomas F. Mulligan

　小坂はEN-MASSE移動は日本人には向かないとしている．その理由は人種的に日本人は歯軸の前方傾斜が強く，叢生の度合いが大きく，ハイアングルケースが多い．これに前歯，ブラケットに組み込まれたアンギュレーション効果とが相乗的に働き，アンカレッジロスが起こり易いとしている．
　但し，唇側矯正で一般的に行われている犬歯を先行して遠心移動する方式の場合，審美性とメカニックスに問題がある．
　審美性については側切歯と犬歯の間に空隙が生じる．審美性に対する要求の高い舌側矯正の患者はこの空隙は受け入れられない．側切歯と犬歯のブラケット間距離が短いため，アクチベーションの量に制限があることと，犬歯の歯体移動は難しく，前歯の歯根の平行性が得られにくいことである．
　舌側矯正では，前歯1歯当たりに加わる力が強くな

50

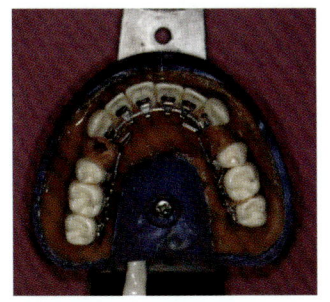

図8-28a 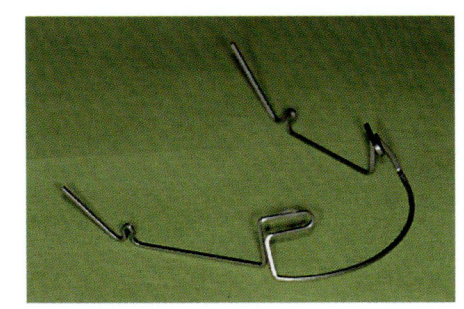　　　　　　　図8-28b 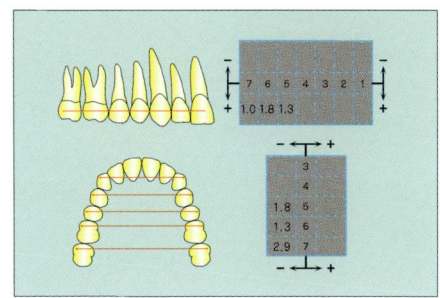　　　　　　　図8-28c

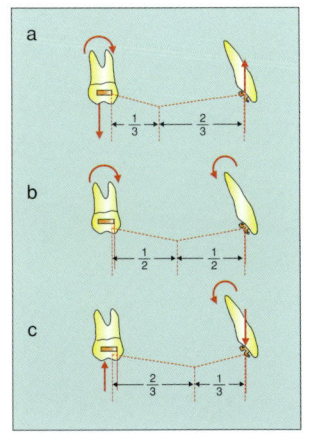

図8-29a〜c 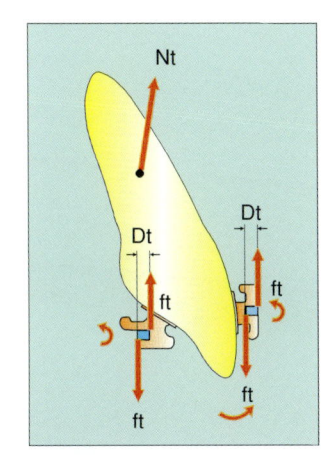　　　　　図8-29d

るため，前歯部の回転力（Torque）が臼歯部の回転力（Tip-back bends）より大きくなる傾向がある．すなわち，前歯部よりのオフセンターベンドの状態となり，咬合平面の時計回りの回転に伴い，前歯部は挺出する（図8-24a,b）．

En masse retraction の際，舌側矯正では，特に強い力を加えなくても上顎前歯は舌側傾斜してくる．遠心方向への力および前歯に加わる挺出力によるリンガルクラウントルク（Lingual crown torque）は前歯のバイトプレーン効果（Bite plane effect）および臼歯の離開を生じさせる（図8-25）．これにより臼歯の近心への傾斜が生じ易くなる．この状態がいわゆる，垂直的弓なり現象（Vertical Bowing Effect）である．

ELECTRIC DUNKING（パラマウント社）にスライディングリトラクションワイヤー（.017"×.025"S.S.，図8-26a）を装着すると，前歯部の挺出，臼歯部の圧下がみられた（図8-26b）．

スペースクロージングループ（Space Closing Loop, 図8-27）を用いた前歯舌側移動スライディングメカニックスでは用いられない臼歯部のティップバックベント（Tip back bend）は臼歯部の固定強化と前歯部の圧下に用いられる．この時，臼歯の回転力と前歯の回転力は拮抗するが，臼歯の回転力が強いと咬合平面は反時計回りに回転して，臼歯部の挺出又は前歯の圧下を起こす（図8-27b）．

ELECTRIC DUNKING（パラマウント社）にループリトラクションワイヤー（.017"×.025"S.S.，図8-28b）を装着すると，臼歯部の挺出がみられた（図8-28c）．

V-bendによる力とモーメントについて，丹根は以下の様に述べている．

①V-bendではその部位により力とモーメントの大きさが変化する（図8-29a〜c）．

②V-bendの位置が一方のブラケットに近づく程，垂直力は増加するが，V-bendがブラケット間中央部に位置する場合は，垂直力は生じない．

前歯の舌側移動様式は，前歯の回転力（M, Torque,

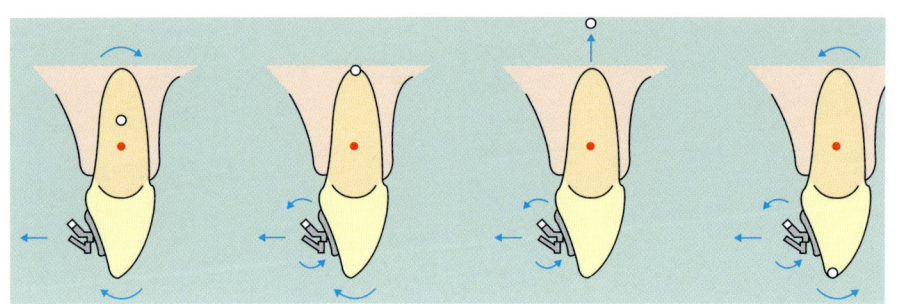

Chapter 8 舌側矯正のバイオメカニックス

図8-30a

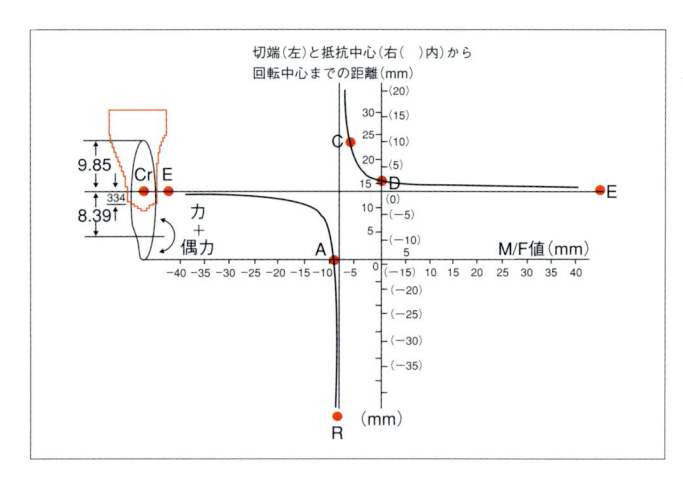

図8-30b

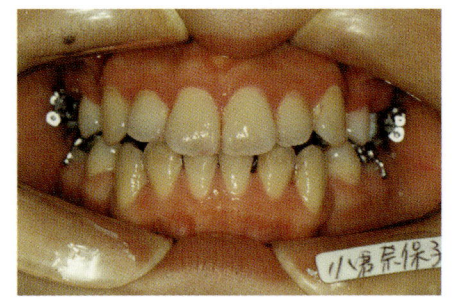

図8-31a

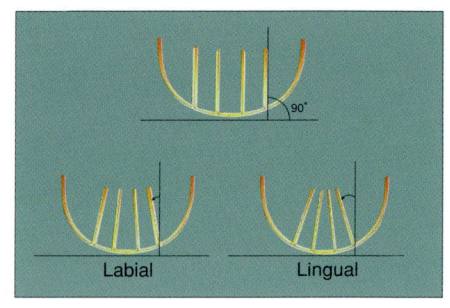

図8-31b

Couple）と舌側への牽引力（F）との比率によって決定される（図8-30a）．唇側装置では，前歯の歯体移動を実現するためには，M／F比が8～10である（図8-30b）．

舌側装置では約2倍の力（荷重）をかけなければ唇側と同じたわみ（トルク）を前歯にかけることができないので，歯体移動を実現するためには牽引力（F）は最小限にしなければならない．

舌側矯正では，アーチの内径が小さいためトルクを加えた時に生ずる，前歯歯根の近心への傾斜の率が高い（図8-31a,b）．

前歯ブラケットに組み込まれたアンギュレーション効果はアンカレッジロスが起こる原因の1つとなる．この点を考慮した上で，舌側矯正前歯の舌側移動を行う必要がある．

52

Ⓑ バイオメカニックスの特徴

舌側矯正による歯牙移動におけるメカニックス上の特徴としては次の項目がある．
1）バイトプレーン効果（Bite Plane Effect, 咬合挙上効果，Bite Openitg Effect）
2）弓なり現象（ボーイング・エフェクト，Bowing Effect）
　（1）水平的弓なり現象（Transverse Bowing Effect）
　（2）垂直的弓なり現象（Vertical Bowing Effect）
3）固定源の喪失（Anchorage Loss）が起きにくく（とくに下顎），前歯部が唇側へ傾斜しにくい．

1）バイトプレーン効果

上顎前歯部舌側ブラケットに組み込まれたバイトプレーン（Kurz appliance）に下顎前歯切端が接触し，臼歯部が離開する状態．
バイトプレーンを使う場合，治療中に次の歯牙移動が起こる可能性がある．
①下顎切歯が圧下する可能性．
②上顎切歯が圧下する可能性．
③臼歯部が挺出する可能性．
主にどの歯牙移動が必要であるか治療計画の中であらかじめ決定され，これに基づいた治療テクニックスが設計されなければならない（図8-32～39）．

(1) 利点
①機能的咬合平面の再構成および，アーチフォームの修正が治療メカニックス上，効果的にできる．
②咬合挙上効果（Bite Opening Effect）によって，過蓋咬合（Deep Bite）症例の治療が効果的にできる．
③前歯部のバイトプレーン効果と臼歯部レジン床（光重合レジンの臼歯部咬合面への直接付加，または臼歯部レジン床，Acrylic Posterior Supportsの装着など）によって下顎のリポジション（Mandibular Repositioning）を矯正的歯牙移動と平行して起こすことが可能である．このメカニックスはいわゆる顎関節機能障害（Cranio-Mandibular Disfunction Syndoome）の治療に有効である場合がある．
なお，臼歯部レジン床を装着する目的には次のものがある．
　a．前述したように，顎関節症を有する症例に対して，一種のスプリントとして機能させ，下顎を中心位に安定させる可能性がある．
　b．急激な臼歯部離開による患者の咀嚼障害をできるだけなくし，ゆるやかな装置への順応を促す（図8-35）．
　c．機能的咬合平面の再構成を図る場合，臼歯部を挺出させたくない側（上顎または下顎）の臼歯部咬合面にレジン床を装着し，反対側の臼歯部の挺出を促す場合はレジン床咬合面を順次，削合する．
　d．上顎前歯ブラケットにバイトプレーンがあらかじめ組み込まれていると，いわゆる過蓋咬合の症例においても，上下顎にブラケットの同時装着が可能である．

(2) 欠点
①バイトプレーン効果によって，臼歯部の離開が急激に起こるため，患者に与える不快感や咀嚼障害が大きい．
②臼歯部の離開によって臼歯部の咬合の安定が失われるため，アーチのコーディネーション（調和）が失われやすく，アンカレッジロス（Anchorage loss）が起こり易い．
③アングルⅡ級の症例やいわゆるロングフェイス（Long Face, Dolico-facial Type）に属する症例の場合，バイトプレーンの作用による下顎の後下方への回転によって，一時的な状態の悪化が認められる．

2）ボーイング・エフェクト（弓なり現象，Bowing Effect）

舌側矯正において，とくに注意しなければならないメカニカルな特性にボーイング・エフェクトがある．

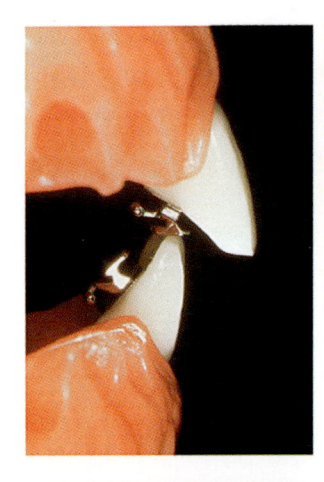

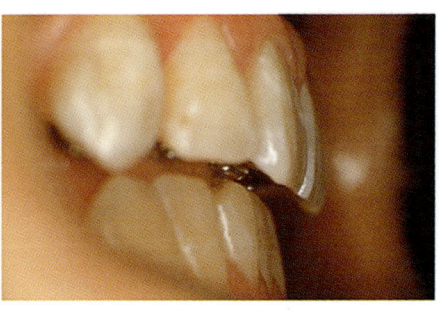

Chapter 8 舌側矯正のバイオメカニックス

図8-33 バイトプレーンエフェクトの口腔内写真.

◀図8-32 バイトプレーンエフェクト.

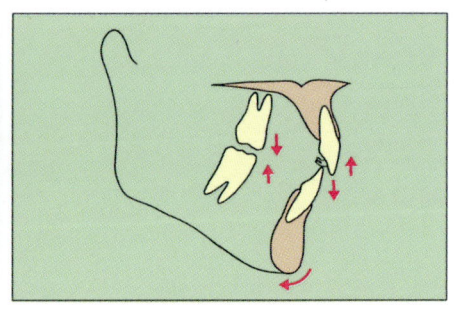

図8-34 バイトプレーンエレクトによる歯牙移動. どの歯牙移動を有効に使うか, あらかじめメカニックスをプログラムしておく.

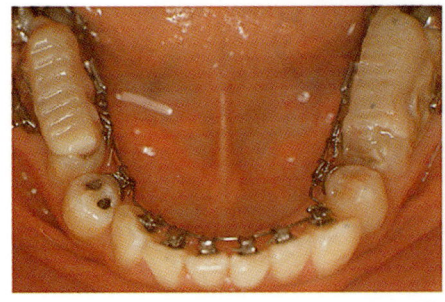

図8-35 患者の咀嚼障害防止のため, 暫定的光重合レジンの咬合面への装着.

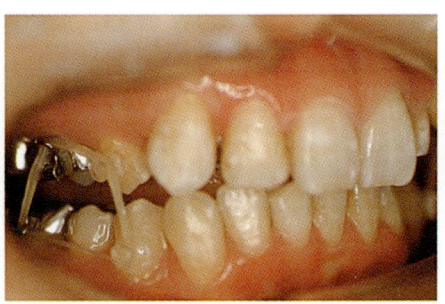

図8-36 バイトプレーン効果による臼歯部の離開と, 積極的臼歯挺出.

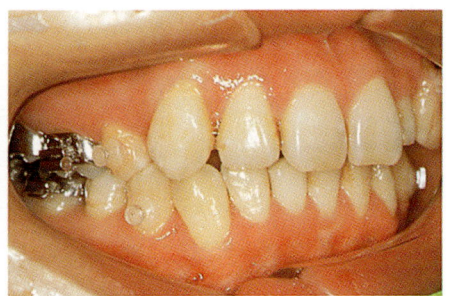

図8-37 咬合挙上の完了した状態.

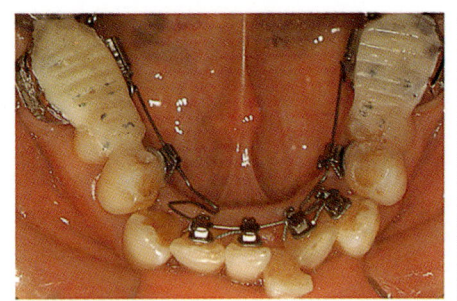

図8-38 レジン床の装着はいわゆるニュートラルゾーンと思われる下顎第二小臼歯部位を中心として行われる.

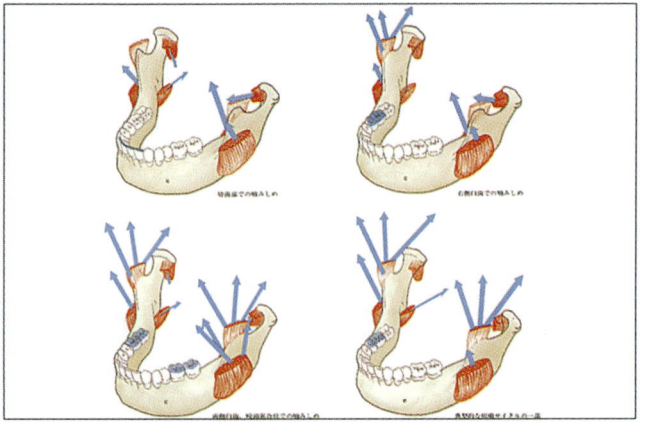

図8-39 （原画A.G.Hannamによる：井手吉信／中沢勝宏, 顎関節機能解剖図譜, クインテッセンス, 東京, 1990, P.111）

　これは, ワイヤーの三次元的な変形を意味するものであるが, 一般に, 水平的（Transverse）なものと垂直的（Vertical）なものに分類される.

(1) 水平的ボーイング・エフェクト（Transverse Bowing Effect）（図8-40〜42）

　前歯の舌側移動, 空隙閉鎖において抜歯スペースを中心に, エラスティックの作用などによって, 変形が起こり, とくに小臼歯部が頬側に拡大（Flare Out）される状態を示す. この現象を防ぐには次の方法がある.

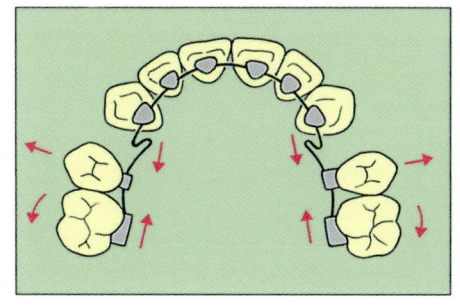

ボーイング・エフェクト（弓なり現象，Bowing Effect）

図8-40 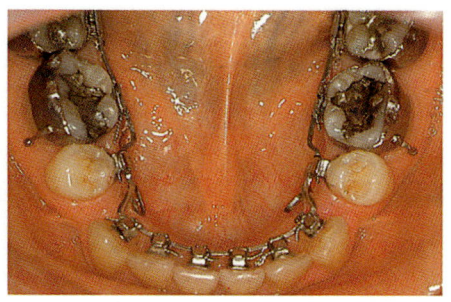　　　　　　　　　図8-41 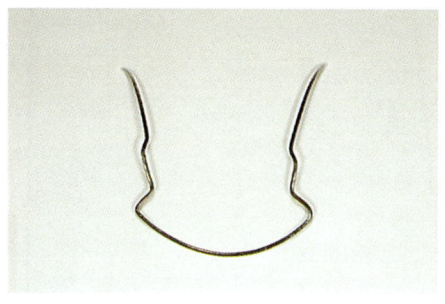　　　　　　　　　図8-42

①抜歯は，レベリングを確実に行い，臼歯部の整直（Upright）を十分にした後行う．
②前歯部のリトラクション（エン・マス移動）について次の方法を用いる．
　a．ワイヤーは十分剛性（Stiffness）の高いワイヤー（.016"×.022"またはそれ以上のサイズのステンレススチールなど）を用いる．
　b．アーチフォームを小臼歯部が舌側に狭窄し，第二大臼歯部が拡大した形態にフォーメーションする．
　c．エラスティックの矯正力が強すぎないようにし，なるべく短い距離で用いる．
③前歯部リトラクションに入る前のステップであらかじめアーチフォームを小臼歯部舌側に狭窄した形態にフォーメーションしておく．
④後方歯の固定ユニットを確保するため，第二大臼歯まで装置装着し，臼歯部には連続結紮を用いる．
⑤左右大臼歯副径を確保するため，臼歯部に連結結紮を用いる．

(2) 垂直的ボーイング・エフェクト（Vertical Bowing Effect）（図8-43,44）

上下的なワイヤーの変形などによる，歯牙の垂直的な（好ましくない）移動．

例えば，前歯の舌側移動時に前歯部が舌側および遠心に傾斜し，同時に臼歯部が近心に傾斜する現象を示す（図8-45）．この歯牙移動をコントロールするには，次の方法がある．
　①レベリングの段階で，低位唇側転位した犬歯などを剛性の低いレベリング・ワイヤーで咬合面方向へ誘導すると垂直的ボーイング・エフェクトが発生する．したがって，コイルスプリングなどで十分なスペースを確保し，高い剛性を有する主線（.016"×.022"S.S.またはそれ以上）にエラスティックなどをかけて，ゆっくり誘導する．
　　抜歯部位方向に傾斜している歯牙（犬歯，小臼歯）については，垂直エラスティックまたは垂直部分アーチ（Uprighting Sectional Arch）を用いる．
　②犬歯の部分的遠心移動の段階では，十分な剛性を有するワイヤー（.016"S.S.またはそれ以上）を用いる．エラスティックはなるべく短い距離で用い，コイルスプリングは，弱い持続的な矯正力を得るために，NI-TI系のものを用いるのが望ましい．
　③前歯部のリトラクションの段階では，
　　a．十分な剛性を有するワイヤー（.016"×.022"S.S.またはそれ以上）を用いる．
　　b．矯正力のベクトルの関係から，前歯部は舌側に傾斜しやすいので，あらかじめ十分なルートリンガルトルクをかけておく．これには.0175"×.0175"または.017"×.025"TMAなどを用いる．
　　c．ワイヤーに，ボーイング・エフェクトに拮抗する，いわゆる補償的なスピー彎曲（カーブ）を入れておく．すなわち，上顎に対しては強調されたスピー彎曲（Exggerated Curve of Spee），下顎に対しては逆スピー彎曲（Reversed Curve of Spee）を入れたフォメーション（Arch Formation）をする（図8-46）．
　　d．スペースクロージングループ（Space Closing Loop）を用いた，前歯部の舌側移動は矯正力の

55

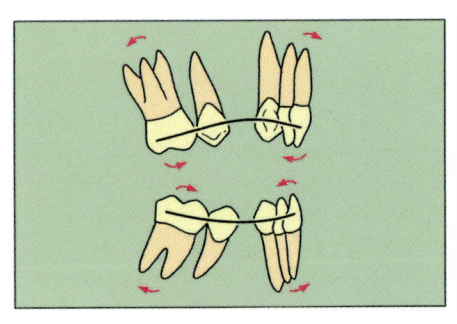

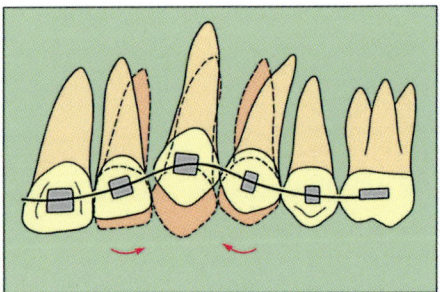

Chapter 8　舌側矯正のバイオメカニックス

図8-43｜図8-44

図8-43　垂直的ボーイングエフェクト.
図8-44　犬歯誘導における垂直的ボーイング・エフェクト.

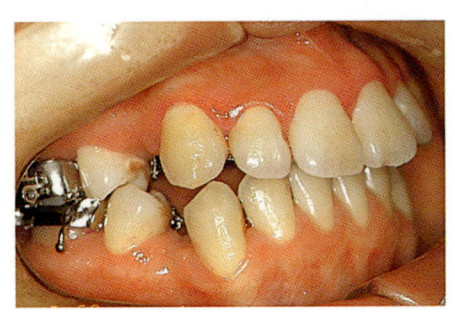

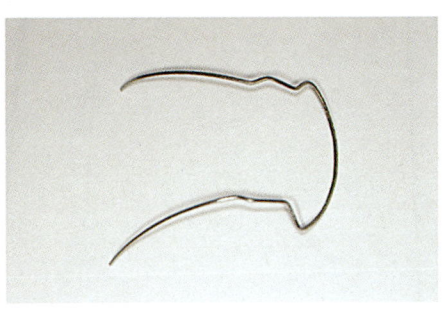

図8-45｜図8-46

図8-45　前歯部エン・マス移動における前歯部と臼歯部の相互的傾斜.
図8-46　逆スピー彎曲を入れた下顎用アーチワイヤー.

コントロールが難しく，矯正力が強くなりすぎる傾向がある．このため，上顎第一大臼歯の近心にオメガループを入れて，タイバックによるループのアクチベーションをしたほうが矯正力のコントロールがしやすい．また，ループの前後には傾斜を防ぐベンド（Untipped Bend）を入れる．

e．スライディング・メカニックス（Sliding Mechanics, En masse movement）を用いる場合は，エラスティックによる最適な矯正力（Optimal Force）を用いるように注意する．

f．上顎大臼歯の近心傾斜を防ぐには，ヘッドギアーは有効である．ヘッドギアーの種類は治療方針によって異なる．

g．ブラケットの位置，とくにアンギュレーションが適当でないとボーイング・エフェクトが起きやすいので，ブラケットのポジショニングはセットアップモデルを基準としたコアー・システムを用いて正確に行う．

3）固定源が強く（Strong Anchorage），前歯部は唇側傾斜しにくい特徴

Chapter 8　Ⓐバイオメカニックスの概念を参照

4）舌側装置と唇側装置の歯牙移動様式の比較（図8-47）

ブラケットを唇側と舌側に装着した場合では，矯正力に対する歯牙移動の様式に違いが生じる．純粋な圧下力に対しては，歯の抵抗中心と力の作用点の違いによって，切歯においては次のような歯牙移動の違いが生じる．

①唇側にブラケットのある場合：圧下の力のベクトルが抵抗の中心より前方となり，歯は唇側へ傾斜し，いわゆるルートリンガル・トルク（Root Lingual Torque）が生じる傾向がある．

②舌側にブラケットがある場合：圧下の力のベクトルが抵抗の中心を通か，後方となり，歯は純粋に圧下されるが，舌側に傾斜し，いわゆるルートラビアル・トルク（Root Labial Torque）が生じる傾向がある．

ただし，矯正力は三次元的なベクトルを持ち，単一

56

図8-47 舌側装置と唇側装置の歯牙移動様式の比較.

図8-48 回転中心（Center of rotation）. 物体が移動させられるときに回転が生じる中心．もし力と偶力を歯冠に加えると，回転中心をコントロールして歯体移動，歯冠よりも大きな歯根の移動を行うことができる．

　歯を移動するために加えられる力と歯根の位置をコントロールするために用いられる反対方向のモーメントの比が歯の移動様式を決定する．A：単純な牽引力だけのときは回転中心はやや根尖よりにあり，傾斜移動を生ずる．B：モーメント／力比が増すと回転中心は遠ざかり，よくコントロールされた傾斜移動を生ずる（モーメント／力比が1〜7）．C：モーメント量が増加し，モーメント／力比が8〜10になると回転中心はさらに遠ざかり，歯体移動を生ずる．D：さらにモーメント量が増加すると回転中心は歯牙切端に移動し，歯根の舌側傾斜（ルートリンガル・トルク）を生ずる（CHARLES J. BURSTONE, ORTHODONTICS, The C.V. Mosby Company Chapter3. p.197原図）．

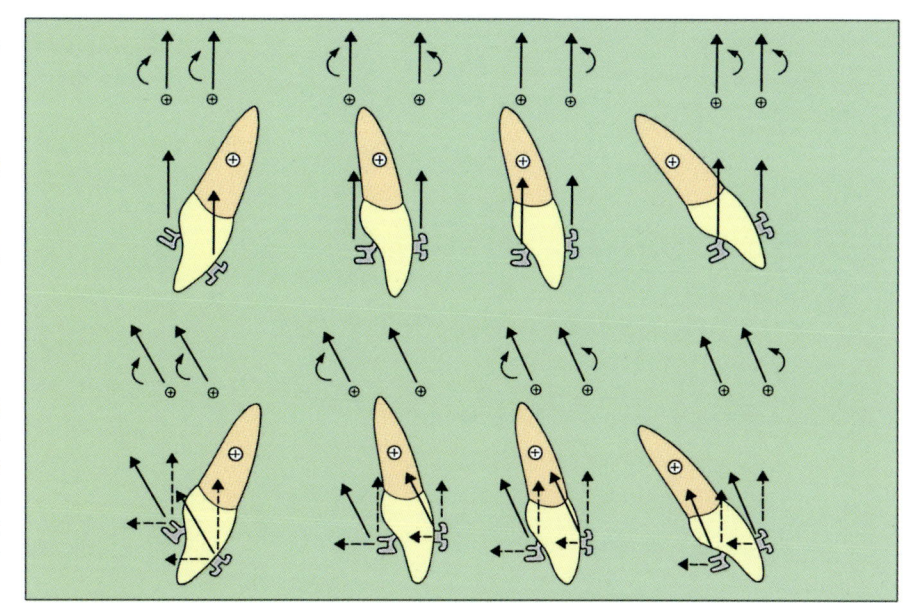

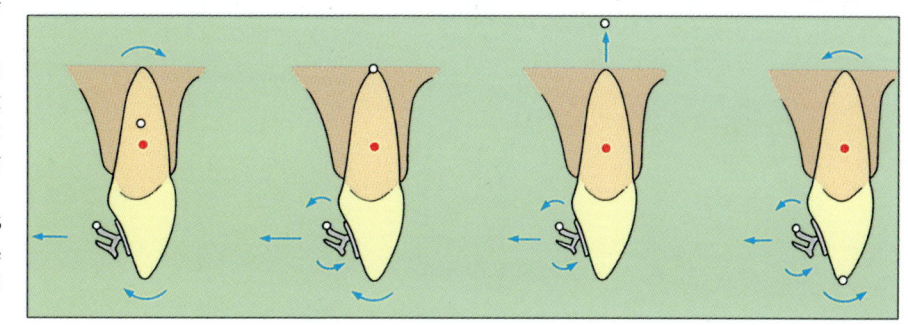

のものではない．水平方向の矯正力が加えられると，力のベクトル方向が異なる．

5）トルクと歯牙移動

　トルク（Torque）が加わると，歯牙移動は純粋な傾斜移動ではなくなる．

　トルクの大きさの違いによって抵抗の中心と回転の中心の位置が変化することによって多様な歯牙移動が生じる（図8-48）．

　トルクの大きさはワイヤーサイズとスロットサイズの関係によって変化する．

　.018"インチスロットに対して，.0175"×.0175"インチのワイヤーを挿入したほうが，.016"×.022"インチのワイヤーよりトルクロス（Torque Loss）は小さい（図8-49）．

6）舌側矯正におけるトルクコントロール

（1）トルクコントロールの問題点

①矯正力が舌側に作用するため，歯牙の回転の中心と力のベクトルの関係からルートリンガル・トルクが作用しにくい．

②ブラケット間距離が唇側に比較して小さいために，いわゆるモーメントアームが短くなり，ワイヤーの弾性，たわみ率が大きくなる．したがって，剛性の強いワイヤーのスロットへの挿入が困難になる．

③水平方向からワイヤーを挿入するタイプでは，前歯部舌側移動の場合，ワイヤーがスロットから外（舌側）に引き出されやすい．

④最後臼歯，とくに下顎第二大臼歯（7|7）の歯冠

ワイヤー サイズ	トルク ロス*	
	.018" SPIN	.0223" Slot
.016"×.016"	19.84	SPIN
.016"×.022"	10.71	27.75
.0175"×.0175"	6.91	SPIN
.017"×.025"	5.60	17.87
.018"×.025"	2.45	14.22
.019"×.025"	N／A	10.69
.021"×.025"	N／A	4.04

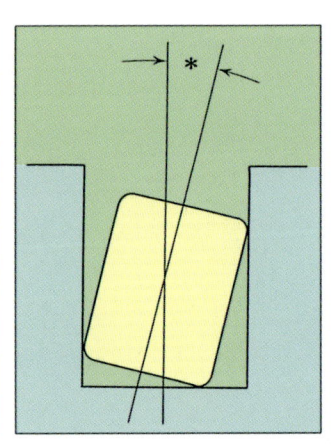

表8-1, 図8-49 ワイヤーがスロット内で回転するために失う最大限のトルク（Dr. Gormanの資料による）.

が舌側に傾斜しやすい.

(2) トルクコントロールの術式

①前歯のリトラクション（舌側移動）をする場合，十分なトルクを前歯に与えておく.

②Ⅱ級エラスティックを必要以上強く長く使用しない.

③大きめのトルクをセットアップ製作時にあらかじめ入れておく.

④結紮においては，ワイヤーがスロットから抜け出さないように，いわゆるダブルオーバータイなどを用いて，しっかりスロット内にワイヤーを固定する.

⑤上下顎に補償的なスピー彎曲をアーチフォーメーションによって与える（上顎に強調されたスピー彎曲，下顎にはリバーススピー彎曲）.

⑥Anterior Jigを用いて前歯にトルクと圧下力をかける.

⑦大臼歯，とくに下顎第二大臼歯の歯冠は，舌側に傾斜する傾向が強い．これに対し，舌側にコンティニアスワイヤーを使用する場合は，ワイヤーの大臼歯部分をリデュースして必要以上のトルクがかからないようにする．また必要であれば，クロスオーバーテクニック，すなわち下顎第二大臼歯の頬側にチューブを装着し，下顎第一大臼歯の頬側ブラケットとセクショナルワイヤーで連結する.

7）舌側矯正における加強固定

主に用いられる加強固定には，トランスパラタルアーチ，ヘッドギアーおよび矯正固定用インプラントなどが用いられる.

(1) トランスパラタルアーチ（ゴッシュガリアン）（図8-50～53）

トランスパラタルアーチは，アンカレッジの加強，回転コントロールおよびアーチ幅の維持の目的で用いられる.

一般的には.036"インチワイヤーを大臼歯のブラケットアタッチメントに挿入して固定する.

以下，使用についての見解を述べる.

①原則として最大の固定（Maximum Anchorage）の必要な症例およびハイアングル（Dolico-facial）症例に用いる.

②ハイアングル症例において，臼歯部の垂直方向のコントロールの目的でパラタルアーチを用いる場合，口蓋から約2mm離して設計する（通常は約1mm）.

③上顎臼歯部の挺出などによって，積極的に咬合平面を変化させる必要のある症例では用いない.

④積極的に臼歯の整直を図る必要のある症例では，臼歯を十分に整直したあとにパラタルアーチを装着する.

⑤パラタルアーチに対して患者が強い違和感を訴え

舌側矯正における加強固定

図8-50 | 図8-51

図8-50 Kurzアプライアンスにおけるトランスパラタルアーチ.
図8-51 パラタルアーチ挿入用アタッチメント.

図8-52 | 図8-53

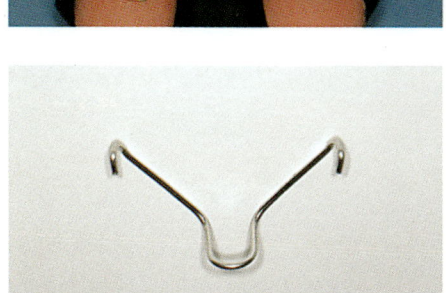

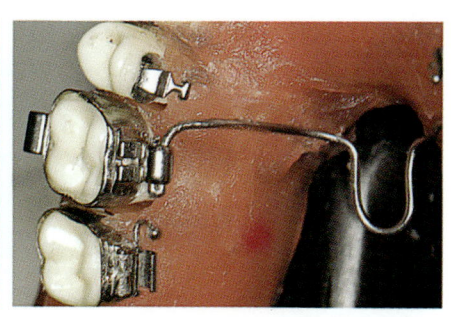

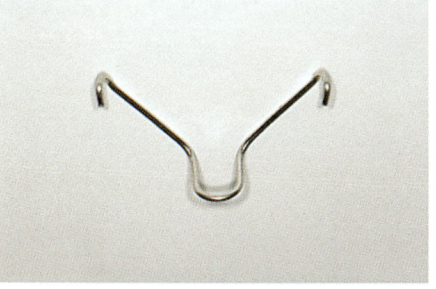

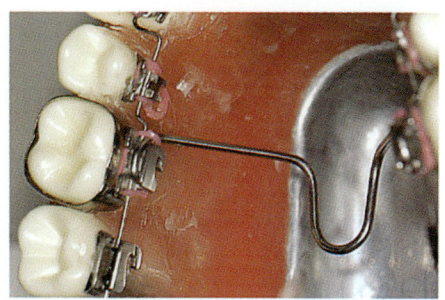

図8-52 Creekmoreアプライアンスにおけるトランスパラタルアーチ.
図8-53 パラタルアーチ挿入用アタッチメント.

○ 抵抗の中心
● 実際の回転の中心

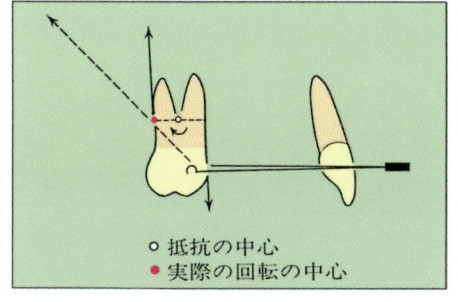

図8-54 顎外力のベクトルが大臼歯の実際の回転の中心を通過するとき理論的には歯体移動が可能となる.

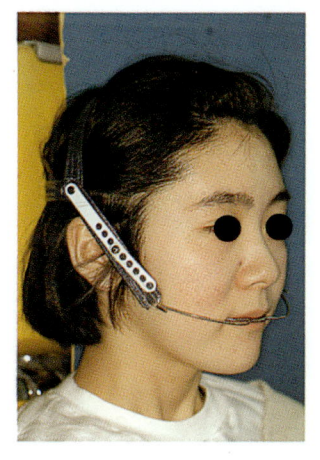

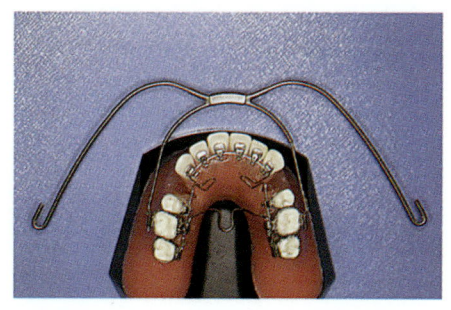

図8-56 ヘッドギアーを含めたマキシム（Maximum）アンカレッジシステム.

◀図8-55 ヘッドギアー（ハイプル）.

た場合は，舌側装置に慣れたあとにパラタルアーチを装着するか，その使用を中止する．

(2) ヘッドギアー（図8-54～56）

上顎臼歯のアンカレッジコントロールには通常，顎外力が最も効果がある．通常はハイプルヘッドギアー，またはコンビネーションヘッドギアー（ハイプルヘッドギアーとサービカルヘッドギアーを組み合わせたもの）が用いられる．

重度のローアングル（ブレーキーフェイシャル）症例や積極的に上顎大臼歯の挺出を促し，機能的咬合平面を変化させる必要のある症例についてはサービカル（ロープル）ヘッドギアーを用いる．

大臼歯をできるだけ歯体移動させ，望ましくない傾斜移動を起こさないようにするためには，エラスティックの牽引方向とアウターボーの長さが重要な要素となる．

大臼歯の歯体移動は原則として，顎外力の力のベクトルが歯牙の回転の中心を通過する必要がある．

59

（3）インプラント（IMPLANT）

　歯科インプラントが普及されるに伴い，これを矯正治療の固定源として用いようとする数多くの試みがなされてきた．

　Dr.朴が報告しているMIA（Micro-implant Anchorage）は直径1.2mmのMicroscrewで比較的容易に植立・除去が可能である．

　舌側矯正において，固定源の補強が必要なのは主に上顎である．

　上顎大臼歯の口蓋根は1本で，歯根の間が広い為，インプラントは上顎第一臼歯と第二大臼歯の間の口蓋歯槽骨に埋入される．

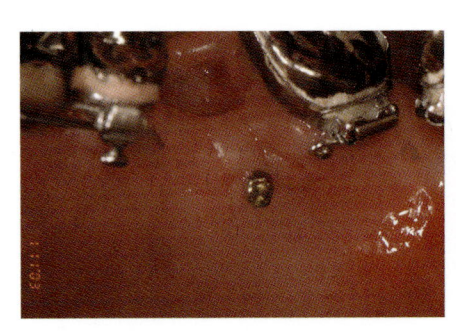

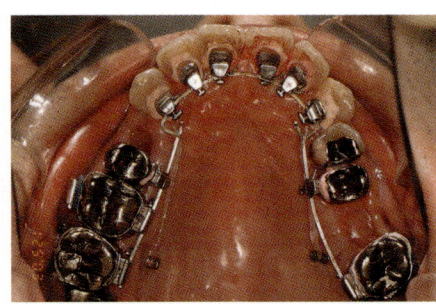

図8-57｜図8-58

図8-57　口蓋に挿入したインプラント
図8-58　舌側矯正での応用

Chapter 9

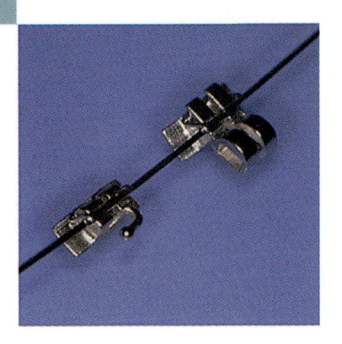

舌側矯正に関する臨床テクニック

1) 両側（舌側および唇頰側）からのアプローチ（図9-1～5）

①個々の歯牙移動についてはアーチの外側と内側の両側から矯正力を加えたほうが，捻転などが起こりにくく，確実に歯牙移動が可能になる．ただし，外観に触れるなどの問題点もある．

②舌側にブラケットが装着不可能な場合，部分的に唇頰側にブラケットを装着し，歯牙移動を行うことがある．

③下顎第二大臼歯の舌側への傾斜を防止し，操作性を向上させるために第二大臼歯の装置を頬側に装着し，第一大臼歯の頬側チューブとをセクショナルワイヤーで連結する．これをクロスオーバーテクニック（Cross over technique）という．

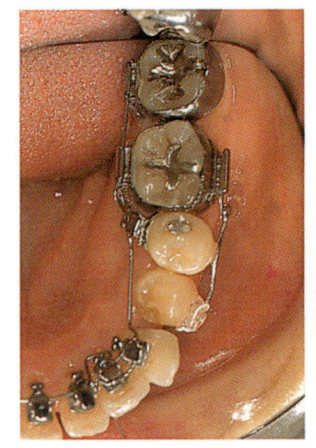

図9-1　舌側にブラケットの装着ができない歯牙の整直．

図9-2　頰舌両面からの歯牙移動．

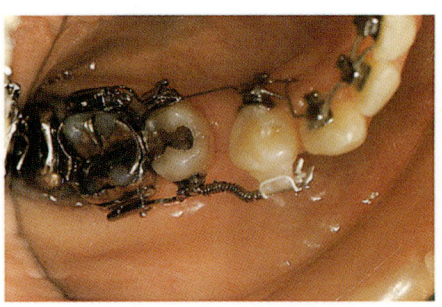

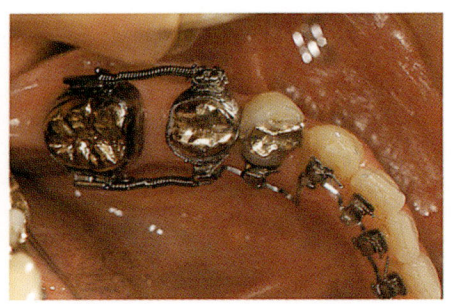

図9-3　頬側および舌側の両側からの大臼歯遠心移動．

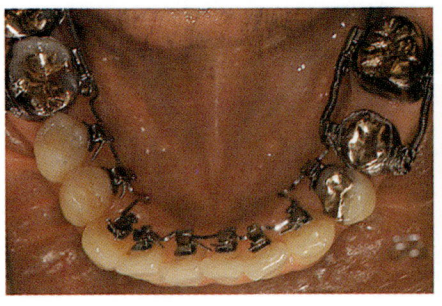

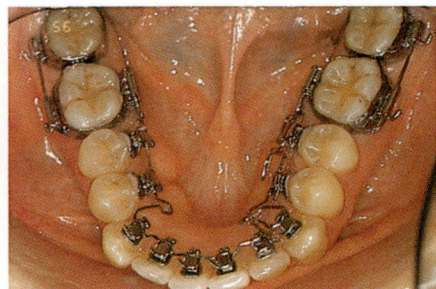

図9-4｜図9-5

図9-4　頬側へのブラケット装着は，犬歯まで延長すべきであるが，審美性を考慮して第二小臼歯だけにした．

図9-5　クロスオーバーテクニック．

抜歯部位のカモフラージュ

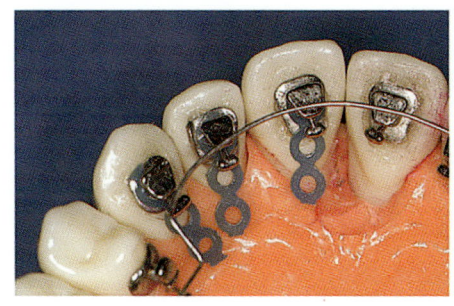

図9-6　①ダブルオーバータイの術式.

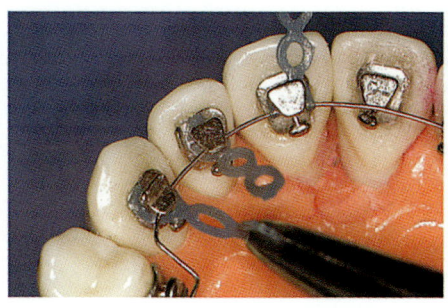

図9-7　②ワイヤーの挿入前にあらかじめエラスティックは装備しておく.

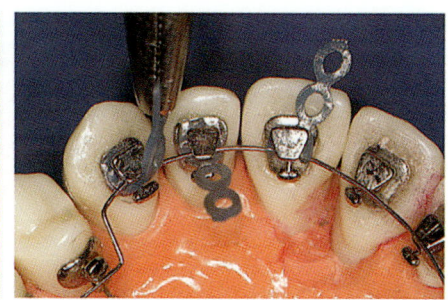

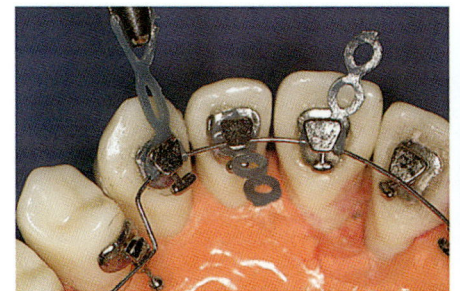

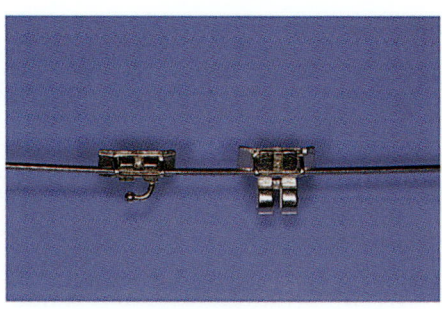

図9-8　③

図9-9　④

図9-10　結紮の必要のない，セルフロッキングシステムを持った臼歯用ブラケット.

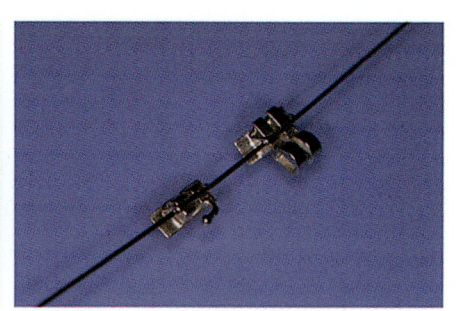

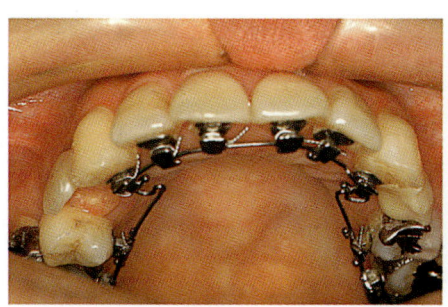

図9-11

図9-12, 13　抜歯部位のカモフラージュ.

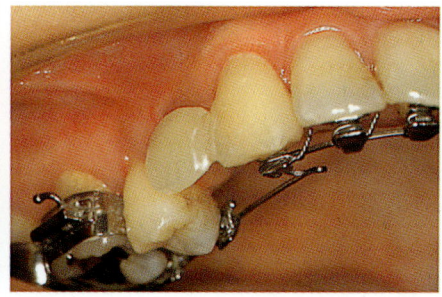

2）結紮の術式（図9-6〜11）

①舌側矯正においては舌側方向の矯正力に対して，スロットからワイヤーが抜け出してきやすいので，いわゆるダブルオーバータイ（Double over tie）を用いるほうがよい．

②今後は結紮の必要のない，いわゆるセルフロッキングシステムが多用されることになると思われる．

3）抜歯部位のカモフラージュ（図9-12, 13）

抜歯部位が外観に触れないようにするため，既成テンポラリークラウンあるいは光重合レジンを犬歯の遠心面または小臼歯の近心面に接着する．

63

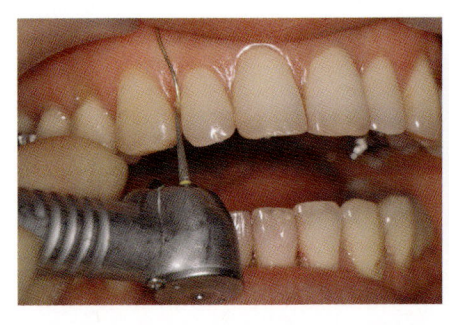

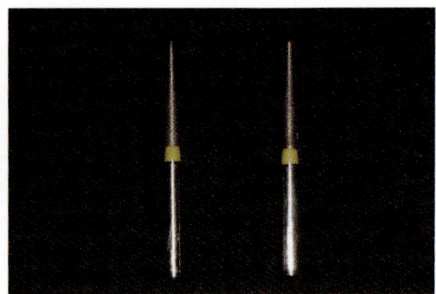

Chapter 9　舌側矯正に関する臨床テクニック

図9-14｜図9-15

図9-14　ダイヤモンドバーによるエナメル質削合．
図9-15　エナメル質削合用ダイヤモンドバー前歯用（左），臼歯用（右）［DIA BURS，マニー（株）］．

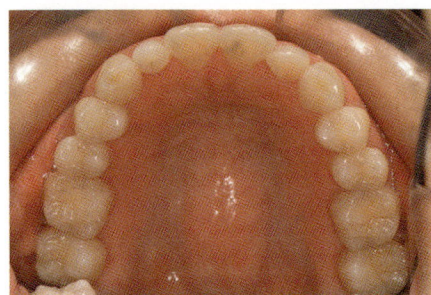

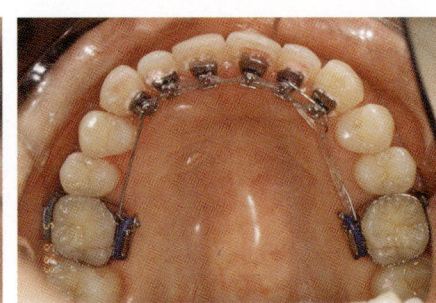

図9-16｜図9-17

図9-16　前歯叢生症例．
図9-17　エナメル質削合による叢生の改善．（Sheridan JJ. Air-rotor stripping update. J. Clin. Orthod. 1987；21：781-788 より引用）

4）スペースメーキングの為のエナメル質削合（Interproximal Enamel Reduction as Space-Gaining System）

　マイナーな叢生（Crowding）、上顎と下顎前歯の歯間幅径の調和、抜歯と非抜歯のボーダーライン症例等の解決法として歯牙サイズを小さくしてスペース（空隙）を得るためのエナメル質削合は矯正治療の有効な術式である．以下、Sheridan等によるエナメル質削合の原則を列記する．

a）エナメル質削合の原則
　1）矯正装置を装着してからエナメル質削合を行う．
　2）エナメル質の削除量を予め計算する．
　3）捻転歯は削合しない．

　4）全顎的削合を行う場合は臼歯から削合して前歯部に移行する．
　5）適切な器具を使用する．
　6）軟組織に傷害を与えない防御法を必ず施す．
　7）エナメル質の削除量を特定する．
　　削除量についての研究結果を以下に示す。
　　0.5mm（下顎前歯）　　　　　　　　　　（Barrer）
　　0.25 to 0.37mm　　　　　　　　　　　（Paskow）
　　0.20 to 0.25mm（前歯）0.35mm（犬歯）（Hudon）
　　0.3mm（下顎前歯）0.4mm（下顎犬歯）
　　　　　　　　　　　　　　　　　　　　（Tuverson）
　　0.25mm（前歯）0.8mm（臼歯部）　　　（Sheridan）
　　0.25mm　　　　　　　　　　　　　　（Alexander）
　　0.3mm（前歯）0.6mm（臼歯）　　　　　（Fillion）

Chapter 10

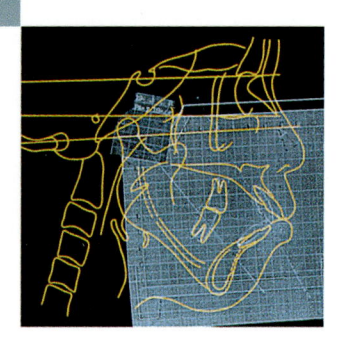

矯正診断に必要な臨床的診査

臨床的診査は形態分析と機能分析に分類される．

1） 形態分析の種類

①顔貌の診査．
　顔の形態的バランスを評価．顔面正中線の確認．
②模型分析．
　歯牙・歯列の大きさ，形態の評価，上下顎正中線の確認．
③セファロ分析（頭部X線規格写真）．
　側方と前後（P-A）．頭蓋・顎骨の形態的バランスおよび顔面のタイプを評価．
④パノラマX線写真．
⑤顎関節X線規格写真．
　a．モンジーニ・プレッチ（Mongini-Preti）顎関節撮影装置（図10-1，2）．
　b．顎関節X線断層撮影装置（Axial Tomography，図10-3，4）．

2） 機能分析の種類

（1）咬合器による咬合診断

①セントリックバイト（中心位の咬合採得）．
②中心位での模型のマウント．
③正中伝達装置（パラマウント社，図10-5，6）による顔面正中線の模型への伝達．
④CO-CRの変位の方向と量の計測．
　C.P.I.（パナデント社，図10-7，8），MPI（サム咬合器），ナソグラフィー（Gnathography，図10-9，10，東京歯材社）．
⑤生体のヒンジポイント（Hinge Point）を含む平面（Articular Line）を基準としたとき，セファロ分析と咬合器上の模型分析を互換性をもって比較することができる．この2つの分析を基準として理想的機能咬合を具現化するためのセットアップモデル（Set-up Model）を製作する（図10-11，12）．

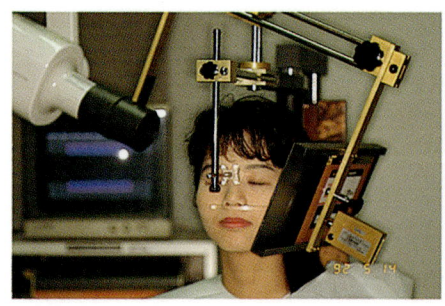

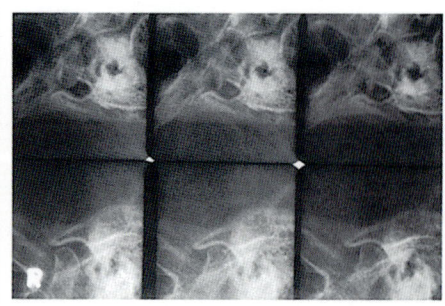

図10-1　モンジーニ・プレッチ顎関節撮影装置．

図10-2　モンジーニ・プレッチ顎関節撮影装置によるX線写真．

機能分析の種類

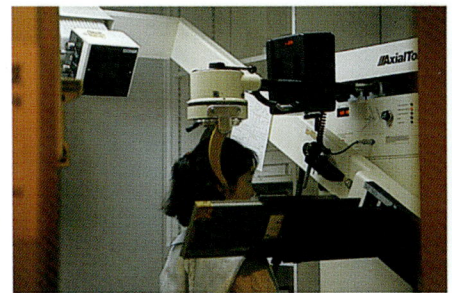

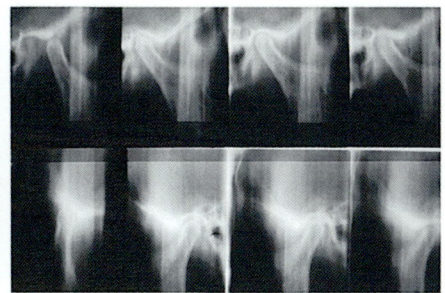

図10-3 顎関節X線断層撮影装置（Axial Tomography）．
図10-4 Axial-TomoによるX線写真．

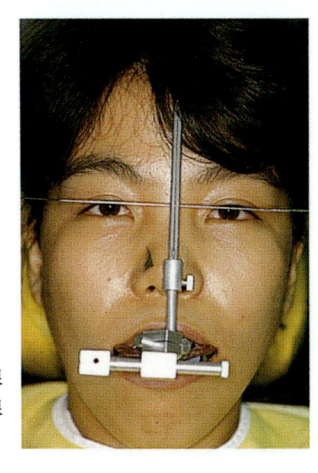

図10-5 正中伝達装置による顔面正中線の設定．左右瞳孔を結んだ線の二等分垂線を顔面正中とする（パラマウント社製作）．

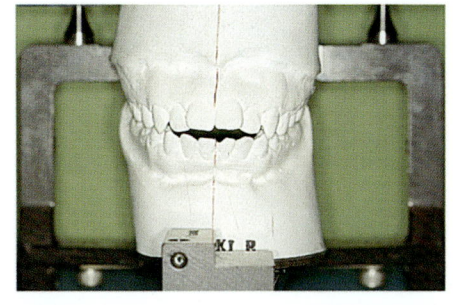

図10-6 咬合器上の模型への顔面正中線のトランスファー．

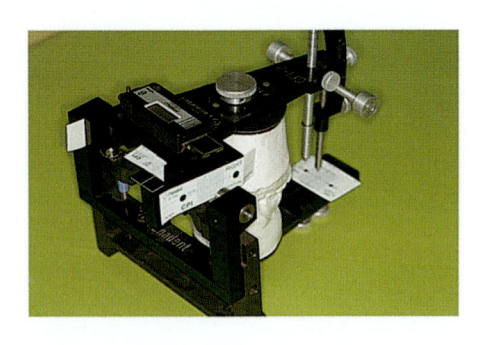

図10-7 C.P.I.（パナデント社）．

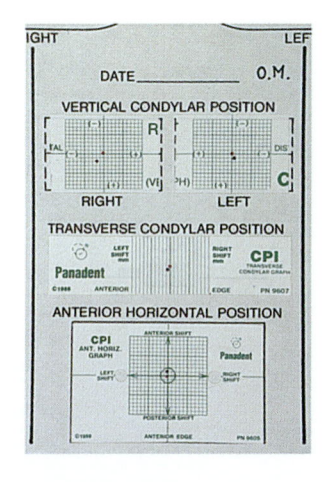

図10-8 C.P.I.によるCO-CR変位の量と方向の計測．

図10-9｜図10-10

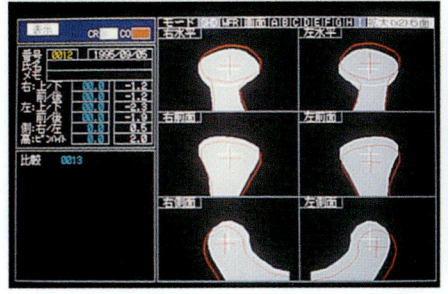

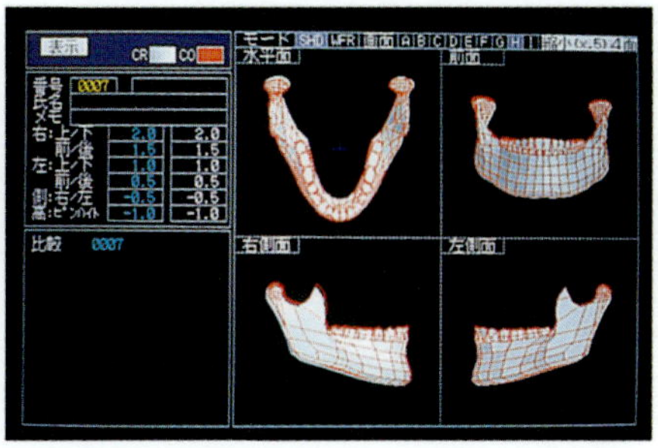

図10-9 ナソグラフィー（Gnathography，東京歯材社）によるCO-CRの変位の方向と量の計測．
図10-10 ナソグラフィーによる表示．

67

Chapter 10 矯正診断に必要な臨床的診査

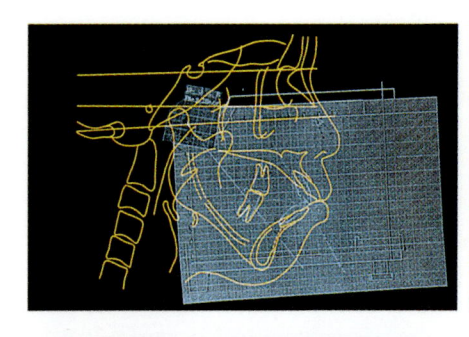

図10-11│図10-12

図10-11 セファロと咬合器上模型の互換性をもった比較分析.
図10-12 理想的機能咬合を具現化するためのセットアップモデル(Set-up Model)の製作.

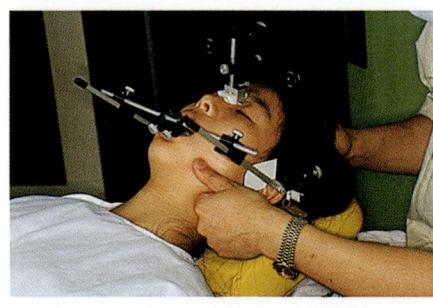

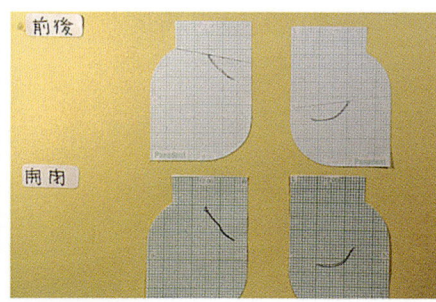

図10-13│図10-14

図10-13 Axi-path Protractor（パナデント社）による下顎運動のレコーディング.
図10-14 顆頭運動のレコーディング.

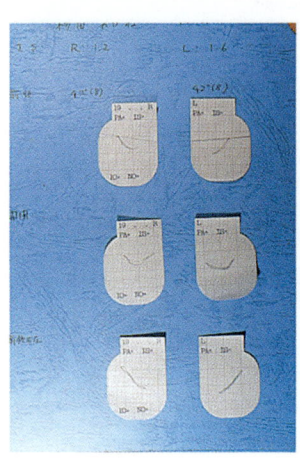

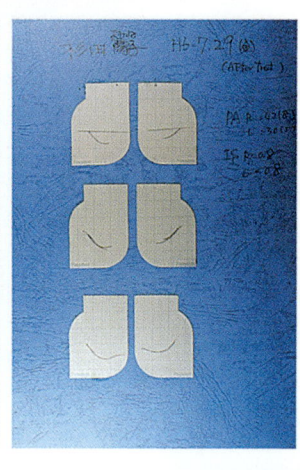

図10-15│図10-16

図10-15 矯正治療前のレコーディング.
図10-16 矯正治療後のレコーディング.

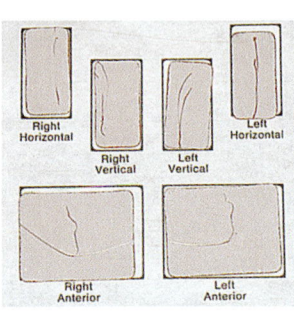

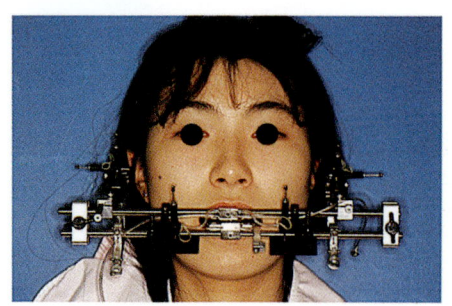

図10-17│図10-18

図10-17 パントグラフによる下顎運動の軌跡.
図10-18 パントグラフ（ディナー社）.

(2) 下顎運動の記録と診断

①顆頭運動のレコーディング（限界運動）.
　Axi-path Protractor（パナデント社，図10-13〜16），Axiograph（SAM社），Pantograph（ディナー社，図10-17, 18）.

②咀嚼パターンの記録.
　S.G.G.（Sirognathograph，シロナソグラフ），M.K.G.（Mandibular Kinesiograph）.

(3) その他（動的様能分析の補助となる術式）
　①咬合接触状態の診査．
　　プレスケール（Dental Prescale, 富士写真フィルム）．
　②クロポールセンの筋診断．
　③ゴシックアーチトレーシング．

3）咬合機能分析の要点

①機能分析の目的は，機能障害を含めた咬合状態の把握とこのデータを基にした治療目標の具現化である．
②患者にストレスをかけない状態で採得した再現性のある中心位は咬合治療の最も大切な出発点である．いわゆる中心位の確認は治療完了まで一貫して行われなければならない．
③中心位での咬合器上にマウントされた模型によって，咬合干渉の部位および咬合干渉による下顎（顆頭）の偏位量を知ることができる．また，咬合調整の必要量を確認（矯正では動的治療の最終段階）する．
④CO-CRの変位の量と方向は，C.P.I.（パナデント社）またはMPI（サム咬合器）によって計測できる．
⑤下顎全体の変位の二次元的表示には，
　a．平均値を用いた方式，
　b．生体のヒンジポイントを基準とした方式，
　がある．ただし，これらの方式は三次元的な下顎位を二次元的に表現しているために診断の有効性に限界がある．中沢らによるナソグラフィーは下顎全体の変位の状況をコンピュータグラフィックで三次元表示できる．
⑥咀嚼運動は限界運動（解剖的）とチューイングパターン（機能的）の両面から観察すると，より正確な診断ができる．咀嚼サイクルは咀嚼運動の運動経路を切歯点で観察する方式が一般に用いられる．
⑦顆頭運動のレコーディングはAxi-path Protractor（パナデント社），パントグラフ（ディナー社）などで行われる．この目的は，
　a．顆頭運動の性状と異状の程度を確認する，
　b．前方顆路角を基準として個々の理想的機能咬合の具現化を図ること，である．
⑧臨床上，イミディエート・サイドシフト（Immediate side shift以下I.S.と略す）と前方運動顆路角（Protrusive path angle以下，P.A.と略す）の採得は重要である．寿谷によると，日本人のI.S.量は1.0mm以内が77％，また1.5mm以内が91％である．P.A.は38〜56°が83％，44〜50°に44％が含まれる（40〜60°，旗手ら）．運動経路の長さは，15.0±3.5mmが平均であるが，20mm以上は顆頭の過剰な運動，10mm以下は運動の制限が推定される（旗手らによると開口運動時の最大下顎運動量の正常値は20.7±3.1mm，25.0mm以上では下顎頭運動過剰，15.0mm以下では下顎頭運動制限）．顆頭運動経路の分析は上記のデータなどを基にした正常者と比較すると同時に，左右側の比較，術前・術後の比較を行うことが重要である．
⑨以上の術式を用いて，いわゆる咬合の不調和を機能的側面から診断する場合，次の三つの要素について異常の有無を確認する必要がある．
　a．咬頭嵌合位の位置：中心位と前後的，左右的関係，習慣性閉口位との不一致，安静空隙量．
　b．咬頭嵌合位の不安定：接触歯数の過少や偏在．
　c．咬合接触：咬頭嵌合位と習慣性閉口位の不一致，中心位における片側性接触，作業側における臼歯単独接触，平衡側における咬合干渉，前方位における臼歯の咬合干渉と片側性接触．
⑩いわゆる顎関節内障（Internal Derangements of Temporomandibular Joint）は，顎関節円板前方転位復位型と顎関節円板前方転位非復位型に大別される．

a. 顎関節円板前方転位復位型（図10-19〜22）
　咬合嵌合位で下顎頭の前方に転位していた顎関節円板が，下顎運動中に正常な円板と下顎頭の関係になるとき，クリック音とともに下顎頭運動経路上に屈曲（deflection）が認められる．下顎頭運動経路の全体像として8の字型を示す．

b. 顎関節円板前方転位非復位型（図10-23）
　前方に転位している顎関節円板は，下顎運動中も正

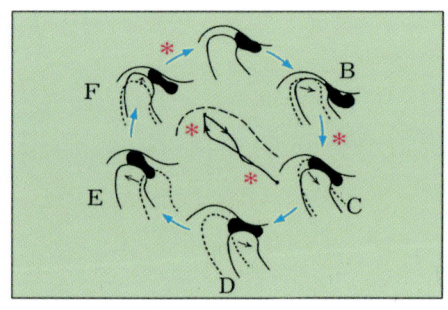

図10-19　顎関節円板前方転位復位型における下顎頭と顎関節円板の動態および下顎頭運動経路（Freesmeyerらの図より）．

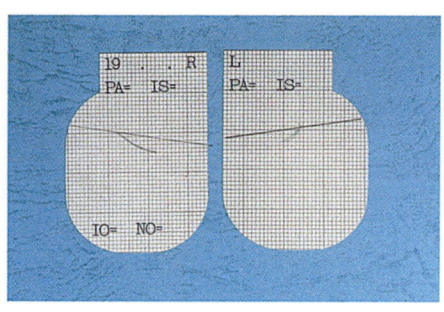

図10-20　アキシパスレコーダーによる顎頭運動の記録．左側下顎運動制限が認められる．

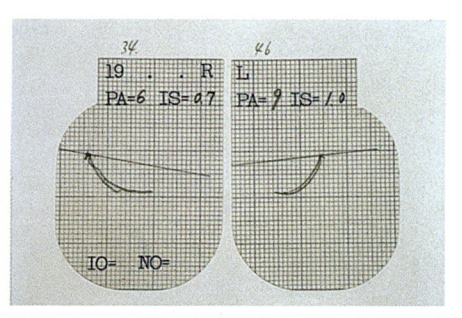

図10-21　右側顎関節円板前方転位復位型と診断される顆頭の軌跡．

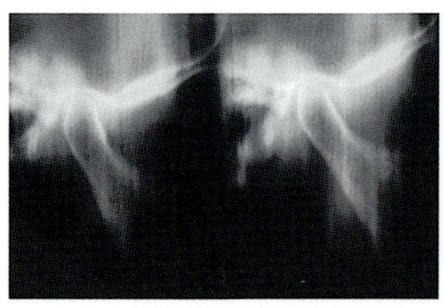

図10-22　この症例の顎関節断層撮影X線写真（Axal Tone）．

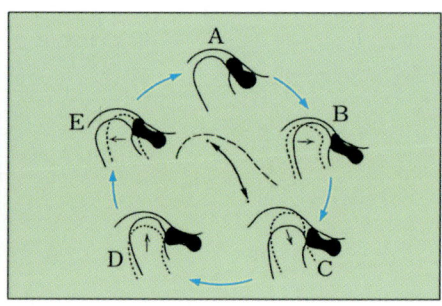

図10-23　顎関節円板前方転位非復位型における下顎頭と顎関節円板の動態および下顎頭運動経路（Freesmeyerらの図より）．

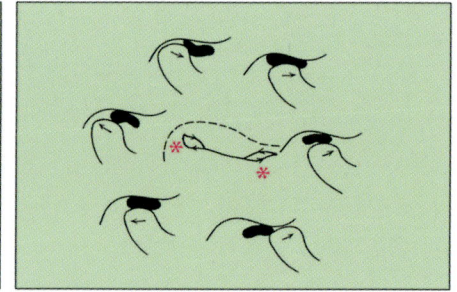

図10-24　顎関節円板前方転位復位型とAnterior over rotation chickの複合型における下顎頭と顎関節円板の動態および下顎頭運動経路（Freesmeyerらの図より）．

常の円板と下顎頭の関係になることはない．下顎頭の運動量は少なく，かつ直線的である．下顎運動経路の全体像としては上に凸の形を示す．
その他，舌骨上筋群および外側翼突筋の機能亢進によって発現する，いわゆるAnterior over rotation clickなどが特徴的な下顎頭運動経路を示す（図10-24）．

⑪咀嚼運動の制御システムは，シロナソグラフなどを用いて三次元的に解析される（図10-25, 26）．
　これを用いて主に末梢オクルーザルガイダンスの異常（ガイド欠如・不足・過剰および異常と干渉など）および，中心咬合位の不安定や中心咬合位と咬合嵌合位の不一致などを解析する．これは，歯牙形態の適切性，下顎の位置，安全度，自由度の診断に有効であり，リシェイピング（歯牙の補充的形態修正を含めた咬合調整）の指針として用いる（図10-27〜29）．

⑫咬合圧の左右バランスを計測するには，咬合圧評価システム「デンタルプレスケール」（富士写真フィルム，図10-30〜35）などの器械の使用が有効である．

⑬生体のヒンジポイントを含む平面（Articulator Line）を基準としたとき，セファロ分析と咬合器上の模型分析を互換性をもって比較できる．セファロ分析から下顎前歯の理想値を求め，レコーディングから求めた前方顆路角から前方切歯路角および咬合平面の位置を算定する．このデータを基本に治療方針と治療メカニックスを決定し，理想的機能咬合を具現化するためのセットアップモデルを製作する．

⑭ストレートワイヤーテクニックを使用する場合は，セットアップモデルを基準としてブラケットの位置づけを決定する．

咬合機能分析の要点

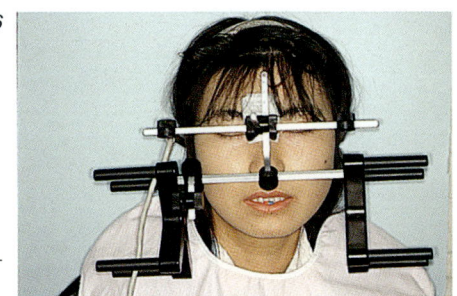

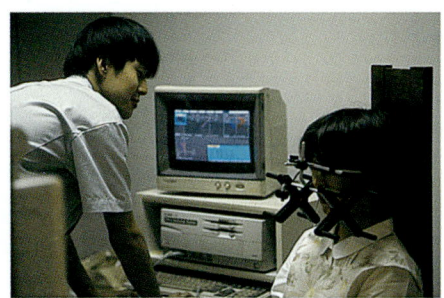

図10-25, 26 シロナソグラフ（Sigrognathograph）．

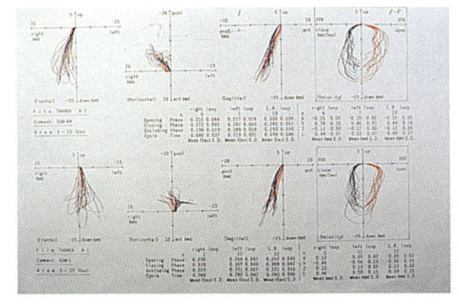

図10-27 シロナソグラフを用いた咬合調整1（咬合調整前）．

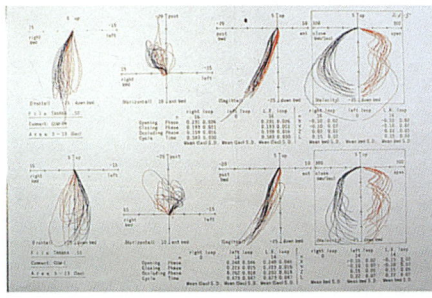

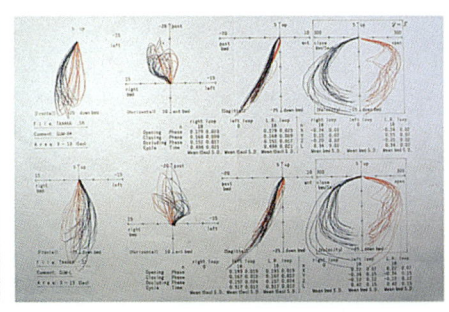

図10-28 咬合調整2．一回目の咬合調整後の記録．

図10-29 咬合調整3．二回目の咬合調整後の記録．

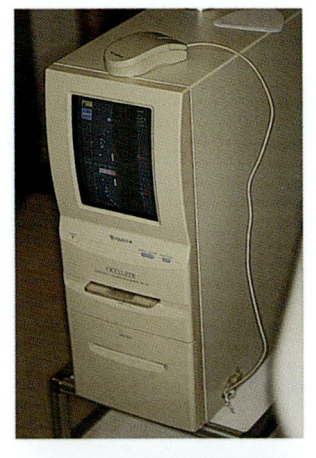

◀図10-30 プレスケール［富士写真フィルム（株）］．

図10-31 咬合圧計測用フィルム．

▶図10-32 咬合調整前のデータ．

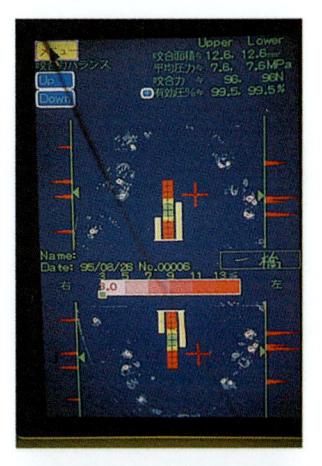

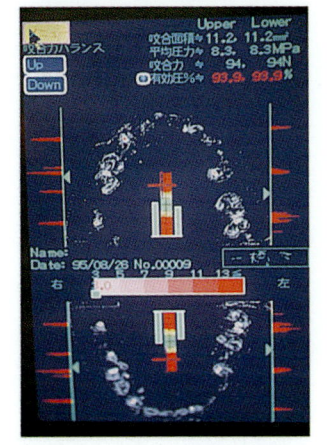

図10-33 咬合調整後のデータ．左右咬合圧の調和が改善された．

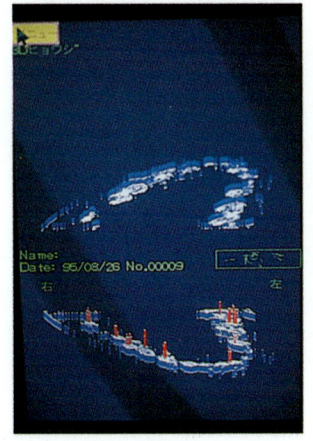

図10-34 咬合調整前のデータ．

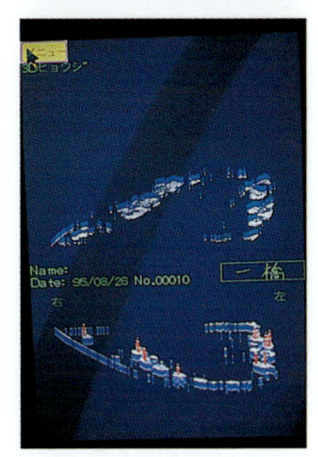

図10-35 咬合調整後のデータ．

71

Chapter 10 矯正診断に必要な臨床的診査

4) 臨床術式 (図10-36〜101)

[初診時]

患者：年齢19歳6か月，女性．

舌側矯正によって治療されたアングルⅡ級症例．

主訴：前歯部叢生，犬歯低位唇側転位，顎関節症．

図10-36 前歯部過蓋咬合．下顎歯列弓長と歯牙幅径との不調和は8.0mm．いわゆる顎関節症を伴う．

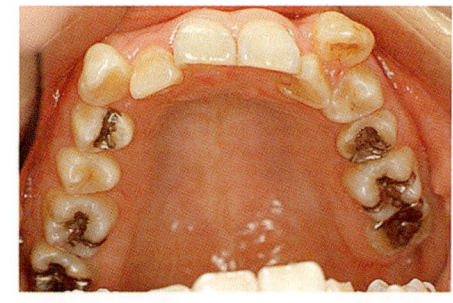

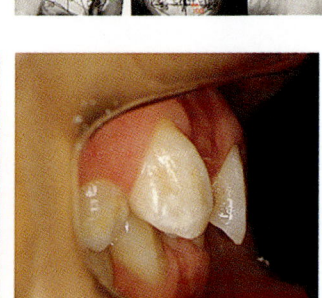

	図10-37	図10-38
図10-39	図10-40	図10-41
	図10-42	

図10-37〜42 治療前口腔内所見．

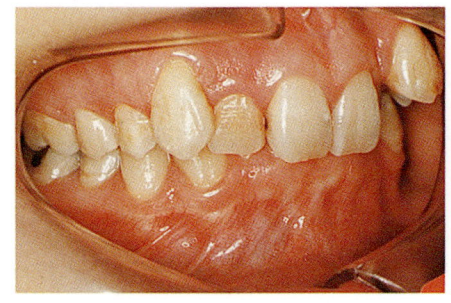

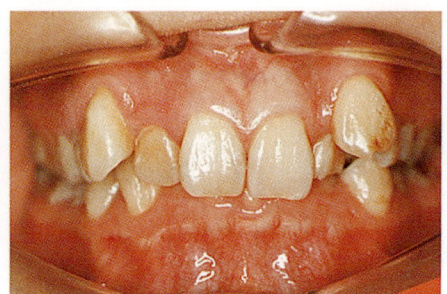

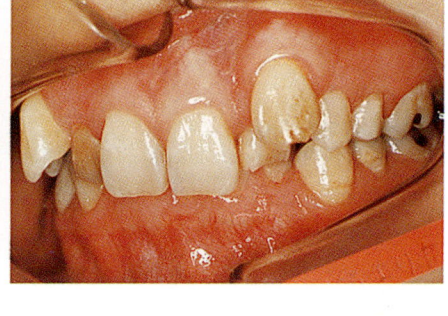

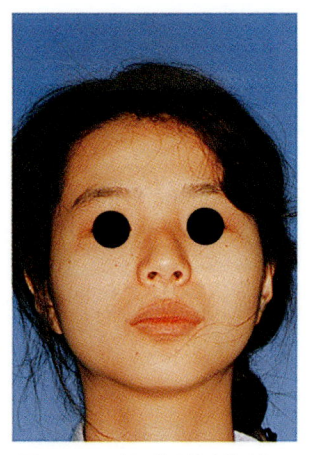

図10-43 顔面写真（前方）．

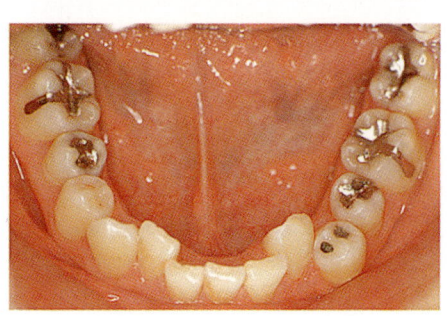

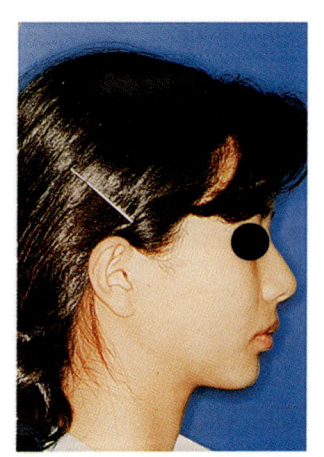

図10-44 顔面写真（側方）．

72

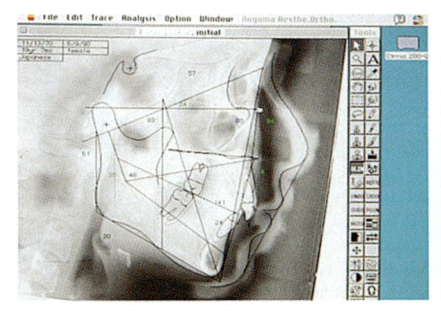

臨床術式

図10-45 頭部X線規格写真（セファロ）． 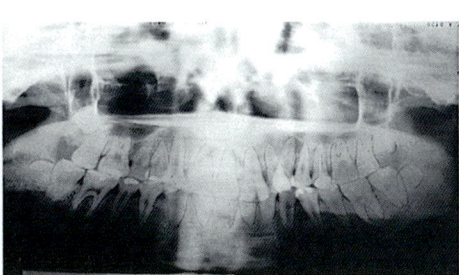　図10-46 パントモX線写真． 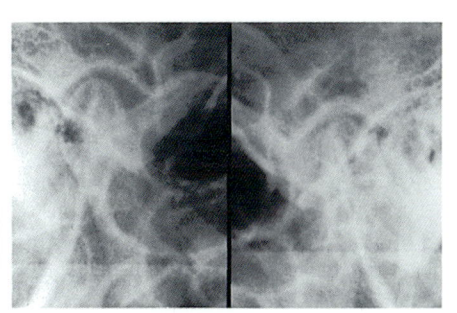　図10-47 顎関節X線写真（モンジーニ）．

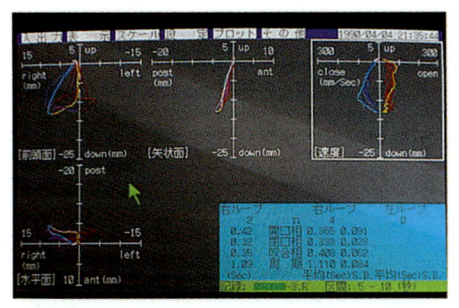

図10-48 シロナソグラフによる下顎運動の記録． 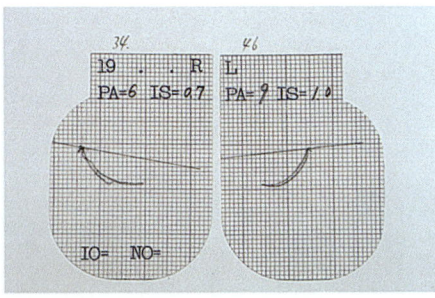　図10-49 レコーディングによるデータ． 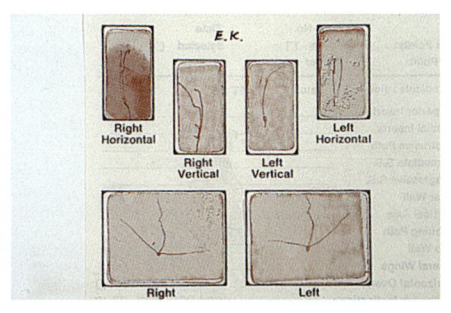　図10-50 パントグラフによる下顎運動のレコーディング．

図10-51｜図10-52

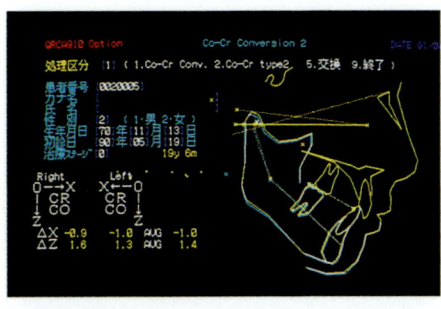

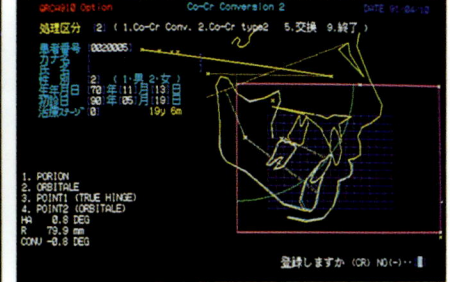

図10-51 平均値を用いたCO-CRコンバージョン．
図10-52 生体のヒンジポイントを基準としたCO-CRコンバージョン．この方式では二次元（平面）的な情報しか得られない．

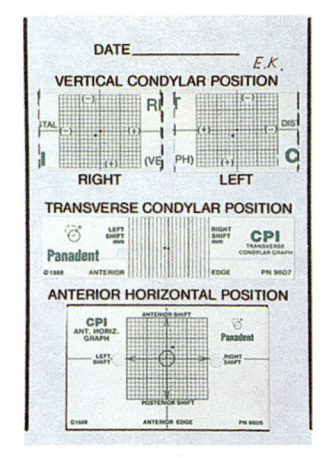

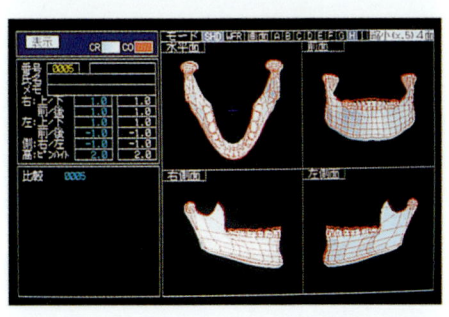

図10-54 下顎全体の変位の状況をコンピュータグラフィックで三次元表示するナソグラフィー．

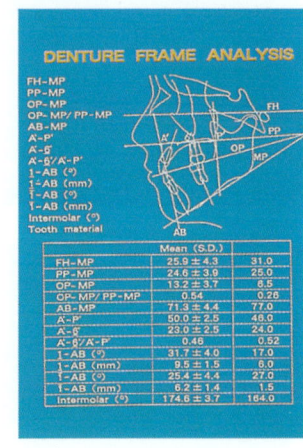

図10-53 下顎位計測システムのCPIシステム（パナデント社）を用いた計測．

図10-55 デンチャーフレーム分析（佐藤）．この症例のOP-MP/PP-MPは0.26 U1 to ABは17.0°6.0mmであった．

73

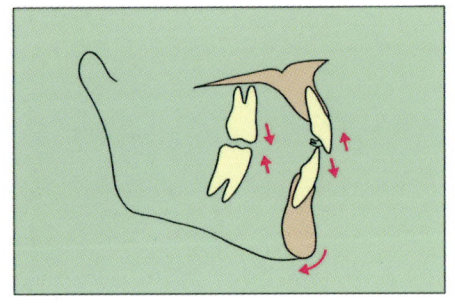

Chapter 10 矯正診断に必要な臨床的診査

図10-76 バイトプレーン効果による歯牙移動．どの歯牙移動を有効に使うか，あらかじめメカニックスをプログラムしておく．

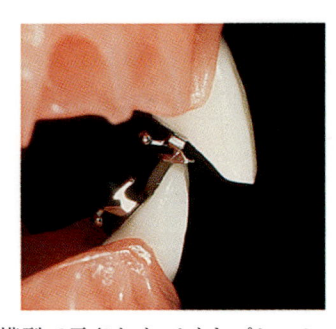

図10-77 模型で示されたバイトプレーン効果．

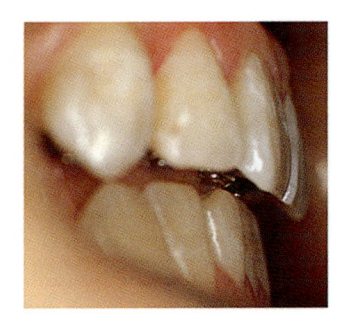

図10-78 バイトプレーンエフェクトの口腔内所見．

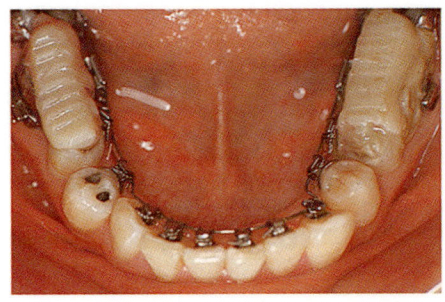

図10-79 臼歯部に光重合レジンを装着する．下顎の安定と咀嚼障害の軽減などを目的とする．

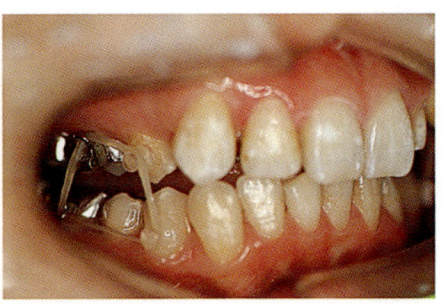

図10-80 下顎歯列にスタビライジングアーチ（.016"×.022"S.S.）を入れ，上顎臼歯部の挺出を図る．

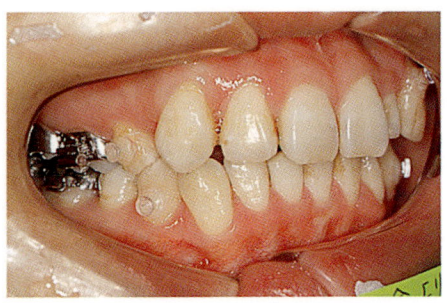

図10-81 咬合がある程度安定してきた状態．

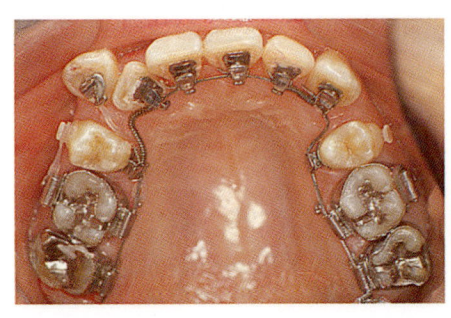

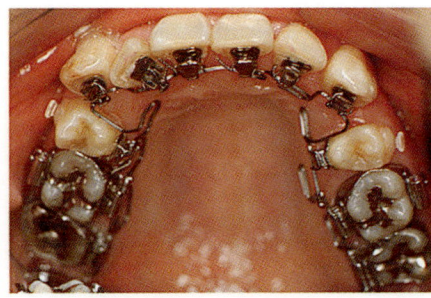

図10-82 | 図10-83

図10-82 上顎犬歯誘導．.016"×.016"S.S.使用．臼歯部の整直と前歯部の圧下．
図10-83 上顎に用いたマルチループワイヤー．.016"×.022"S.S. 使用．

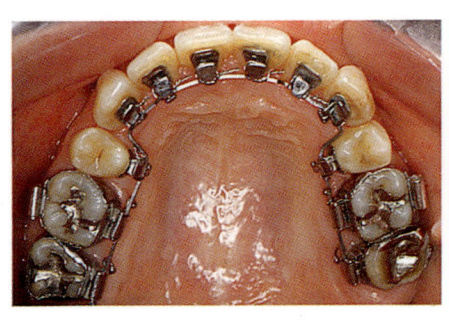

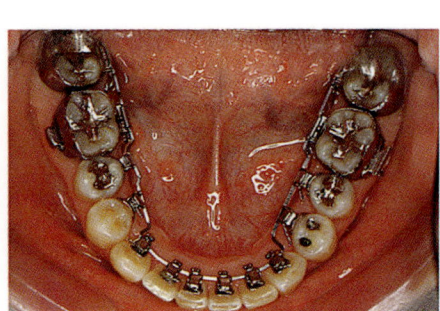

図10-84 | 図10-85

図10-84 上顎．アイデアルアーチの挿入（.017"×.025"TMA）．
図10-85 下顎．

臨床術式

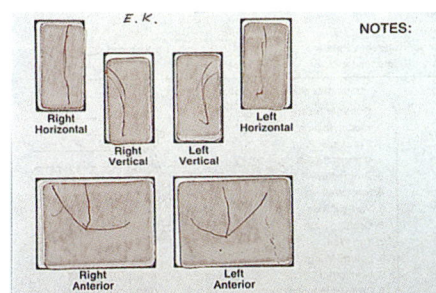

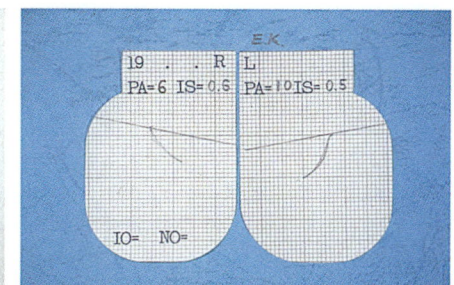

図10-86｜図10-87

図10-86 完了時のパントグラフによるレコーディング．
図10-87 下顎運動のレコーディング．

図10-88	図10-89
図10-90	図10-91	図10-92
	図10-93

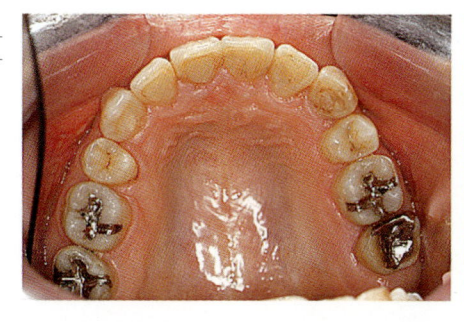

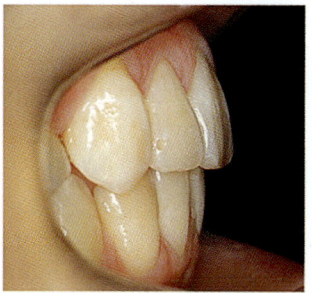

図10-88〜93 完了時の口腔内写真．

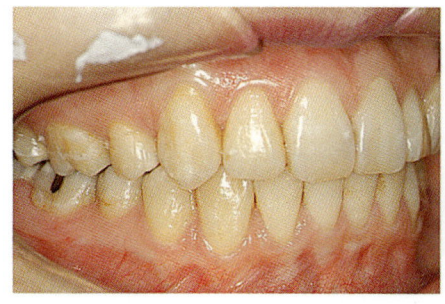

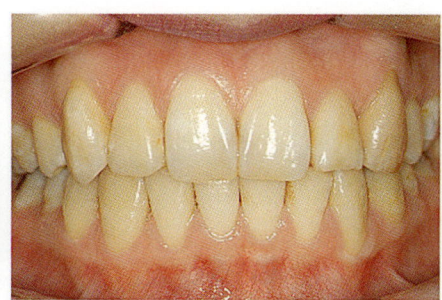

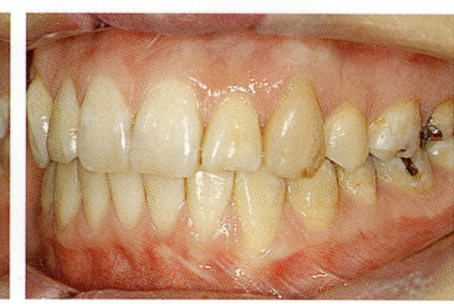

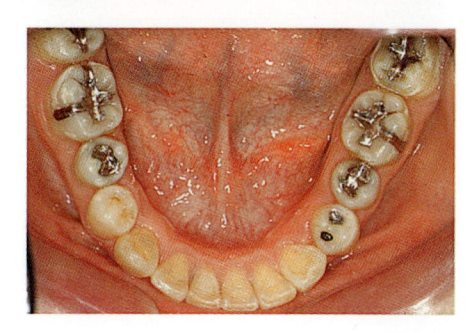

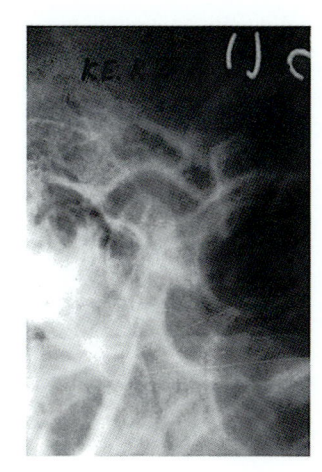

図10-94 治療完了時の右側顎関節X線写真（モンジーニ）．

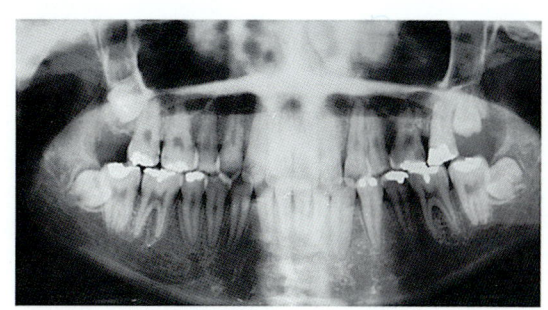

図10-95 パントモX線写真．8|8 は患者が拒否しているため抜歯していない．

77

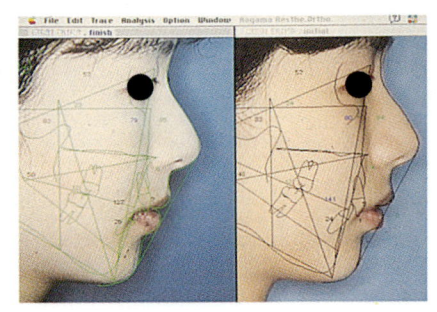

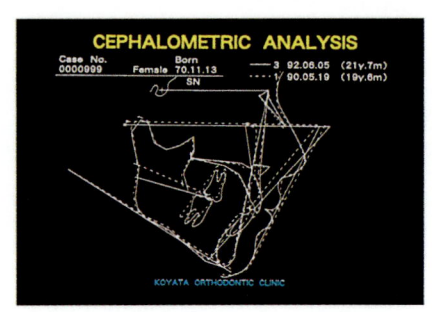

Chapter 10 矯正診断に必要な臨床的診査

図10-96 治療前後のプロフィールの比較.

図10-97 頭部X線規格写真.治療前後の比較.機能的咬合平面が再構成されている.

図10-98 保定装置としてのナソロジカルポジショナーの装置.

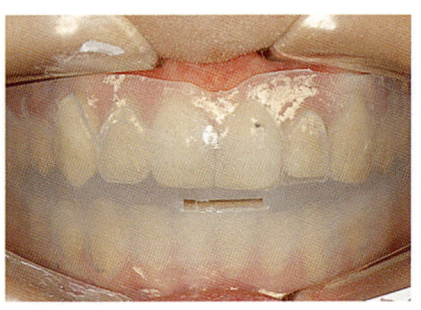

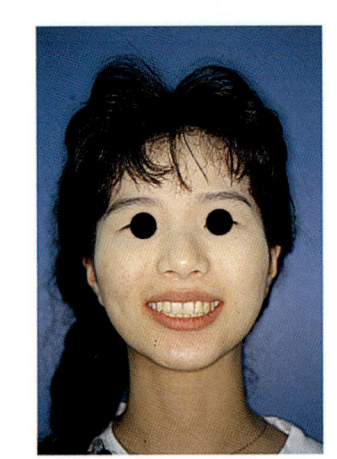

図10-99 患者の完了時のスマイル.

78

Chapter 11

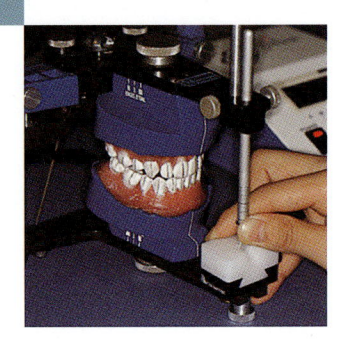

コアーシステム

　コアーシステムとは症例の理想的機能咬合を咬合器上で，セットアップモデルにより，具現化することによって，症例の治療方針と治療目標を明確にする．この理想的機能咬合を基準にしてブラケットの理想的な位置を決定し，間接法ボンディング用コアーを製作する術式である．
（この術式は1985年，小谷田が44回目日本矯正歯科学会にて，完了症例を用いて発表している）

1）症例模型の咬合器への装着（マウント）

　患者の咬合関係を正確に確認するためには，セントリックバイトを採得し，いわゆるC.R.（Centric Relation）で患者模型を半調節咬合器にマウントする必要がある．

2）セットアップモデルの活用法と種類

　セットアップモデルは，症例の理想的機能咬合を具現化するものである．
①間接法ボンディング用コアー作成に必要であるが，それ以上に診査，診断，治療計画の立案に極めて有効である（図11-1～5）．
　すなわち，セットアップモデル上のマークによって，歯牙移動の方向と量を把握できる．いわゆる3次元評価装置を用いれば，セットアップモデルとオリジナルモデルで比較して各々の歯牙の位置の変化を3次元的に計測することが可能である．

　この情報を基にして，治療方針が妥当なものであるかを確認することができる．
　また，歯牙の移動量方向によって，外科治療を含めた治療範囲，固定源の設定を決定する．
　技工師と術者（歯科医師）のコミュニケーションがセットアップモデル製作に当たっては特に重要である．
②IT技術を用いて，3次元で歯の動きを表現し，治療経過をバーチャルシュミレーションできるいわゆるバーチャルセットアップ（Virtual Setup）も実現化されている（図11-6, 7）．
　抜歯，非抜歯，スライス等の治療オプションを作成することができ，治療後のイメージを基本として治療前の模型上でもブラケット像を再現することができる．今後は舌側矯正への応用が期待される．

③セットアップモデルに入れるオーバーコレクションには次の項目がある（図11-8, 9）．
（1）アーチフォームを水平的ボーイングエフェクトに対抗する携帯にする（臼歯部の頬側補償拡大）．
（2）症例に合わせたアーチフォームの拡大、狭小
（3）垂直的ボーイングエフェクトに対抗する臼歯の整直（5度程度）、前歯のルートリンガルトルク（10度程度）．
（4）前歯の舌側移動の大きい症例には特にルートリンガルトルク（15～20度程度）
（5）Oever-jet, Oever-biteのオーバーコレクション
（6）捻転歯のオーバーコレクション

セットアップモデルの製作

図11-1 | 図11-2

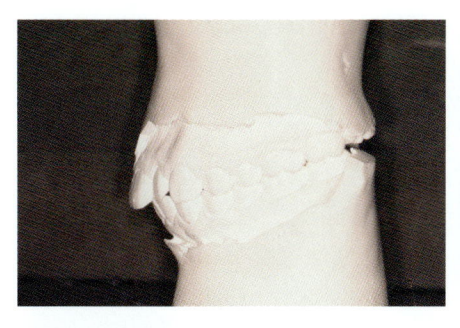

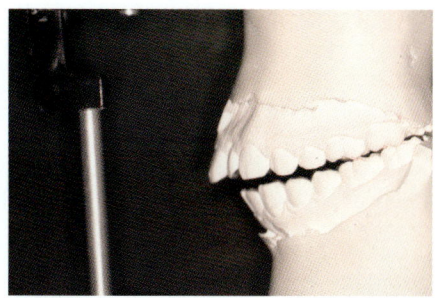

図11-1　C.O.(Centric Occlusion，最大嵌合位)での咬合状態．
図11-2　セントリックバイトを用いて，aの模型を半調節器にマウントした状態．C.R.(Centric Relation)では開口症例であることが分かる．

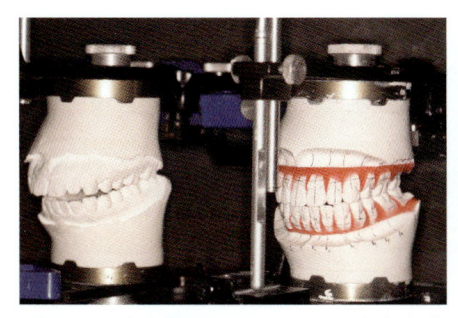

図11-3　咬合器にマウントした咬合を基準としてセットアップを製作する．
図11-4　オリジナルマウント． 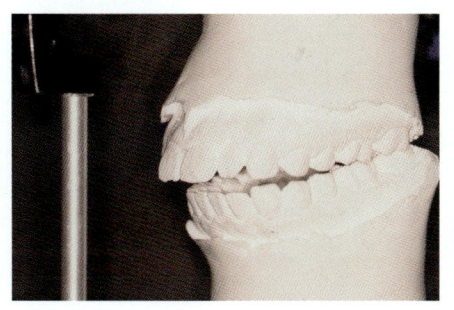
図11-5　セットアップモデル．歯牙移動の量と方向がマークを比較することによってわかる．これによって治療方針が適当なものか否かを確認することができる． 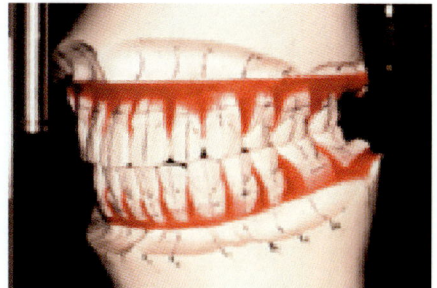

図11-6 | 図11-7

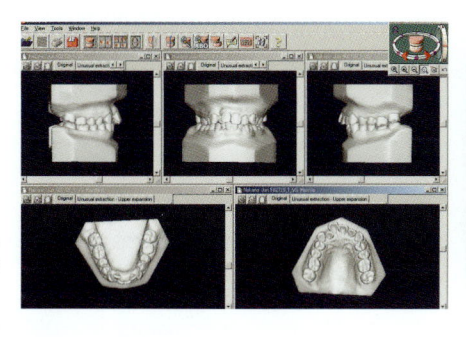

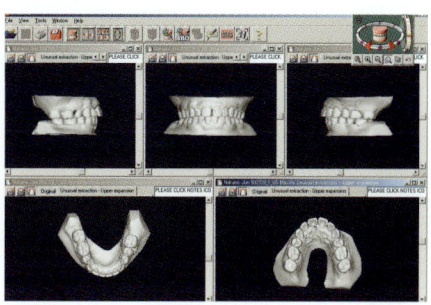

図11-6　3次元スタディモデルのコンピューター表示．
図11-7　治療後の予測を3次元で再現，バーチャルシュミレーションしたいわゆるバーチャルセットアップ．（Virtual Setup）抜歯，非抜歯，スライス等の治療オプション作製可能．

（オーバーコレクション）

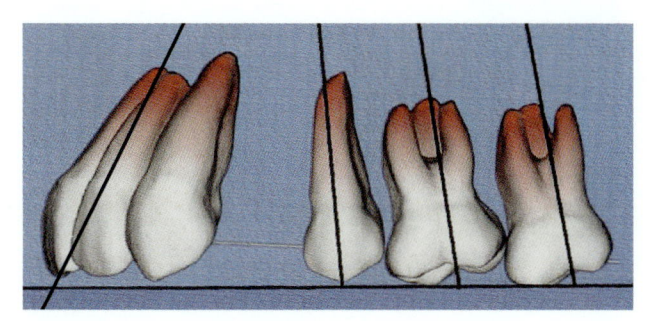

図11-8
1．上顎前歯のオーバートルク（+10°程度）．
2．臼歯部のアンチ・テッピング（-5°程度）．
　（Seoul Orthodontics. Int Ltd）

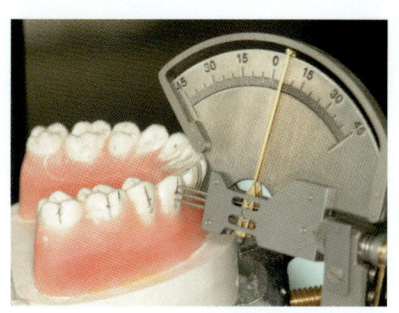

図11-9　トルクの量を計測するためのトルクチェッカー．（DR. TAEWEON KIM 資料提供）．

81

3）セットアップモデルの製作

セットアップモデルは基本として，理想的機能咬合を具現化するものである
但し，重要な点は，治療方針の情報をいかにセットアップに伝達していくかである．
セファロ分析にて，治療目標については，次の3項目が主に用いられる
①舌顎切歯の理想的位置
②上顎切歯舌面角度
③咬合平面傾斜角度

寿谷によって開発された，セットアップ作成の術式を以下に示す．

図11-10｜図11-11

図11-10 オリジナルModel A．
図11-11 セットアップモデル製作用（Model A）．

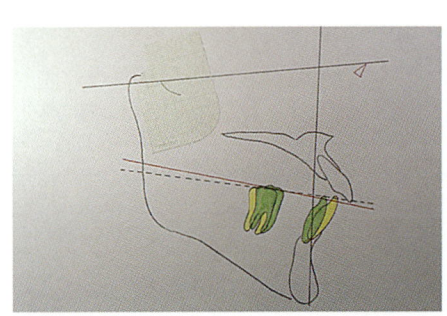

図11-10

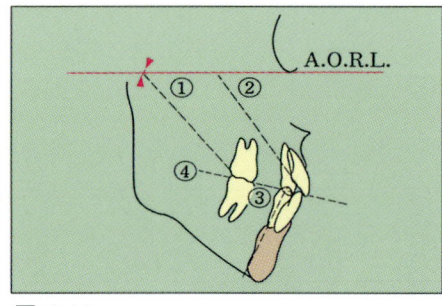

図11-11

図11-12 セファロ分析と咬合器上の模型との相互的診断によって下顎前歯の舌側移動量を決定する．
図11-13 生体のヒンジアキシスと目窩下点を結んだライン（A.O.R.L）を基準として，4相対性機能角度を決定する．
①顆当頭前方運動路角度（Protrusive Angle）．
②上顎切歯誘導角度（Incisal Guidance Angle）．
③犬歯側方誘導角度（Canine Guidance Angle）．
④咬合平面角度（Occlusal Plane Angle）．

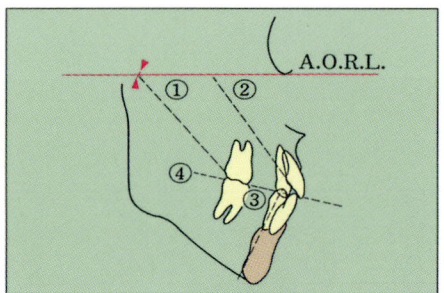

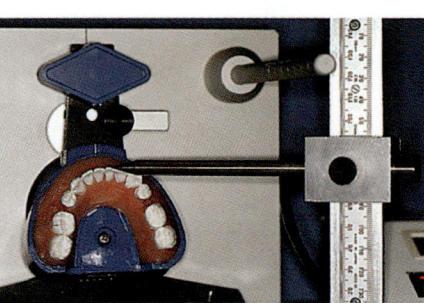

図11-12

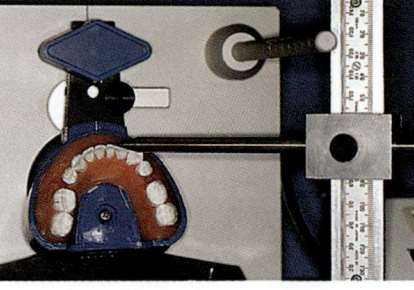

図11-13

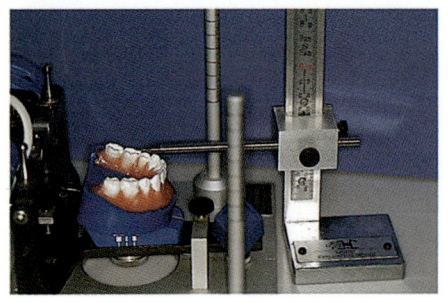

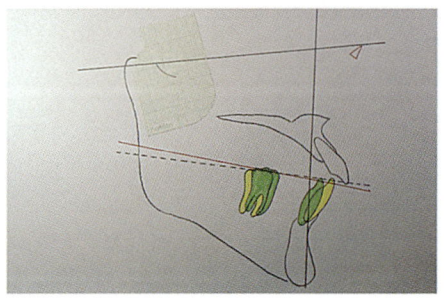

図11-14,15 下顎前歯を設定された量だけ舌側に移動する．

図11-16｜図11-17

図11-16,17 下顎前歯に対する臼歯の位置を設定することによって下顎咬合平面の位置付けをする．

セットアップモデルの製作

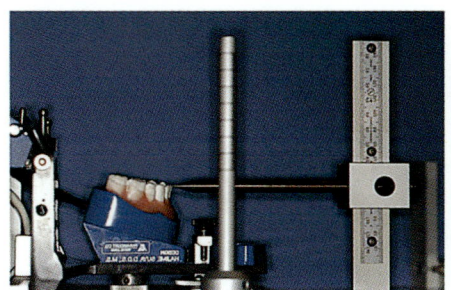

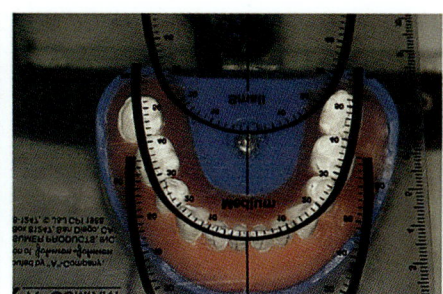

図11-18 | 図11-19

図11-18,19 テンプレートを用いて下顎アーチフォームを完成する．

図11-20 | 図11-21

図11-20 寿谷による機能角度の相対性原理によって上顎切歯舌面角度（Incisal Guide Angle）を設定する．
図11-21 上顎切歯舌面角度を基準として犬歯側方誘導角度を設定する．これに合致したAnterior Guidance Blickを選択する．

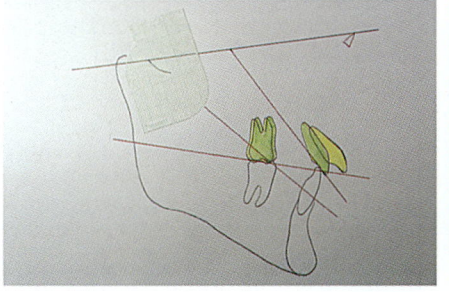

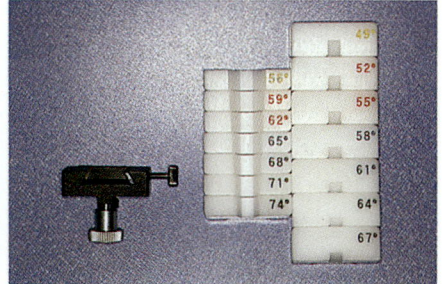

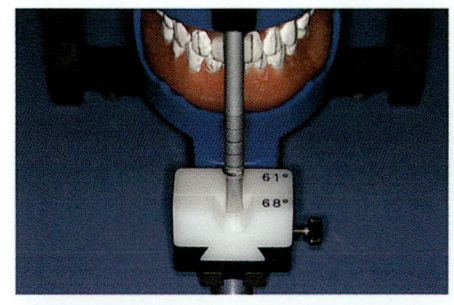

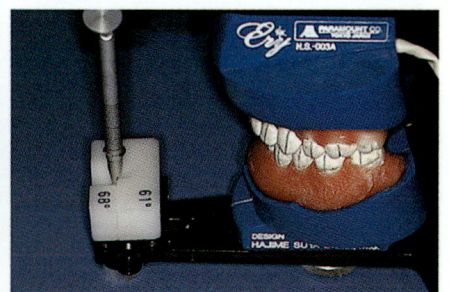

図11-22 | 図11-23

図11-22,23 Anterior Guideance Blockを用いて咬合器上で下顎の前方運動を行うことによって上顎前歯の位置を決定する．

図11-24 | 図11-25

図11-24,25 咬合器上で，下顎の側方運動を行うことによって，犬歯側方角度の設定と，臼歯部の側方運動時の干渉を除く．（Disclusion）．

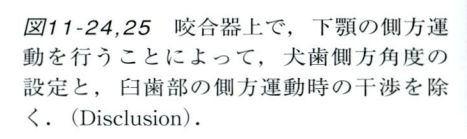

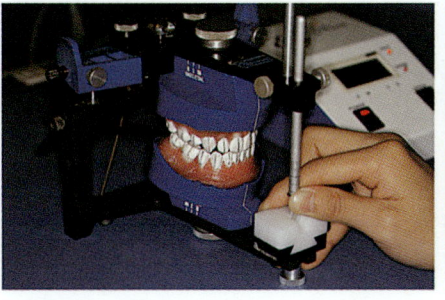

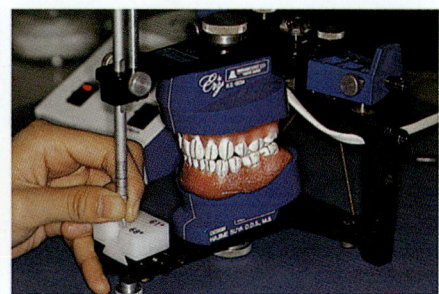

表11-1　PA・IGACGAOPAの機能角度の解析結果（寿谷）．

R/L Average Protrusive Angle＋13°±3°（10～16°）＝Incisal Guidance Angle（IGA）
Incisal Guidance Angel（IGA）＋7°±3°（4～10°）＝Canine Guidance Angle（CGA）
R/L Average Protrusive Angle−30°±2°（11～32°）＝Occlusal Plane Angle（OPA）

4）ブラケット・ポジショニング（BRACKET POSITIONING）

舌側装置のSet-up model上での位置づけは現在、以下の方式が用いられている．

1．IDEAL ARCH（FULL SIZE）WIRE
2．ブレード
3．ポジショニング用特殊装置

（1）IDEAL ARCH

ワイヤーとブラケット・スロットにはいわゆるあそび（PLAY）が有り、また、前歯における位置のずれが生じ易いため、ブラケットの位置付けはやや不安定である．

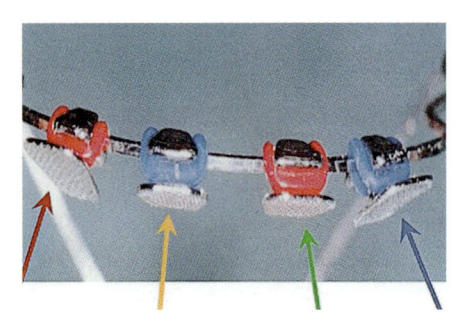

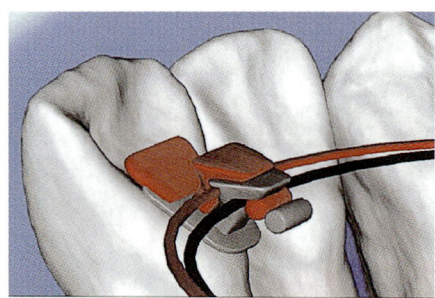

図11-26｜図11-27

(Seoul Orthodontics Int. Ltd..のTextより引用)．

（2）ブレード（BLADE）

メタルブレードは変形や加工に問題がある．現在、ブラケットとブレードに遊び（PLAY）のない精度の高いブレードが開発されている．

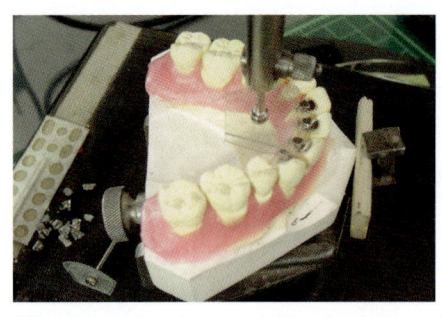

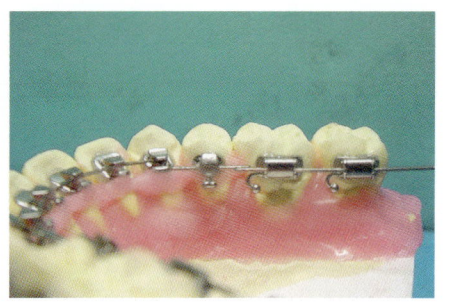

図11-28〜30 ブレードを用いたブラケットのポジショニング（Seoul Orthodontics Int. LtdのTextより引用）．

（3）ポジショニング用特殊装置

技工作業の効率を上げ、より正確なブランケットポジションを得るために特殊な装置が開発されている．

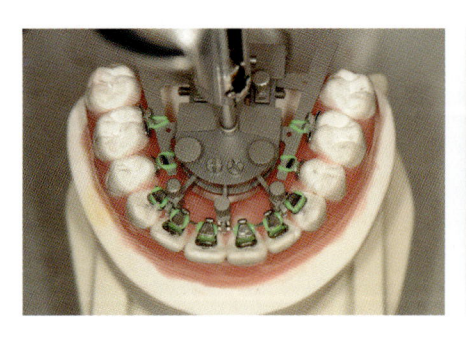

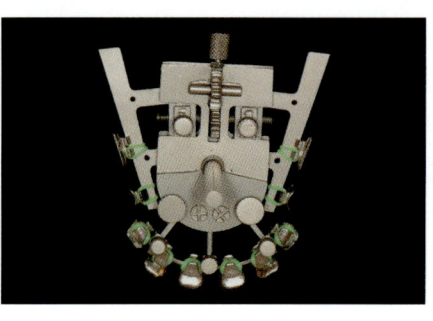

図11-31｜図11-32

図11-31,32 特殊な装置を用いたブラケットのポジショニング（Dr.TAEWEON KIM資料提供）．

ブラケット・ポジショニング

|図11-33|図11-34|
|図11-35|図11-36|

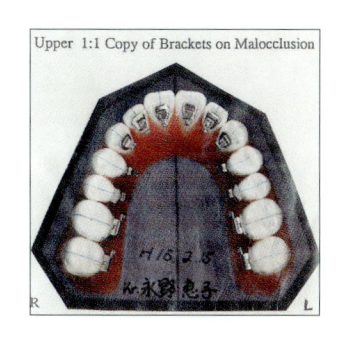

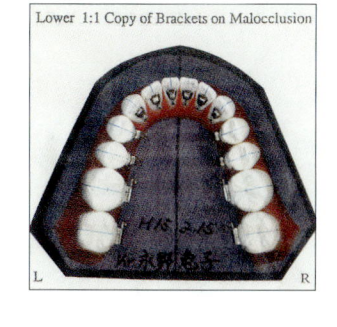

図15-33〜36 セットアップモデル上のブラケットの位置を基準としてアイデアルアーチの理想的アーチフォームを具現化する．〔(有)ケー・ディー・ラボ資料提供〕

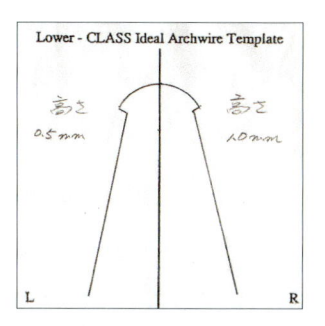

|図11-37|図11-38|
|図11-39|図11-40|

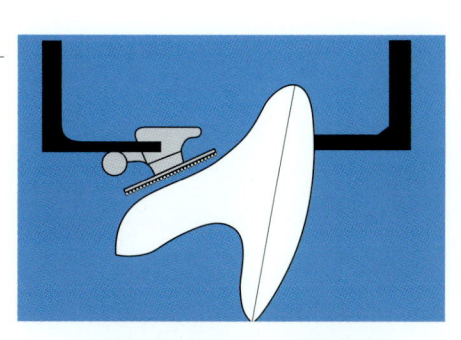

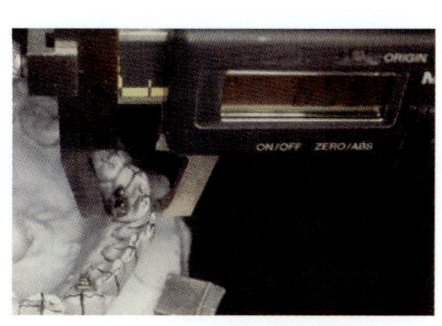

図11-37〜40 Dr.Fillionによるthe TARG (Torque Angulation Reference Guide), the Thickness Measurement System, and the DALI Program (Dessin Del Arc Lingual Informatise' or Computerized Drawing of the Lingual Archwire). (Romano,R.LINGUAL ORTHODONTICS. B.C.Decker Inc. 1998 Chap.16, 175〜184より引用)

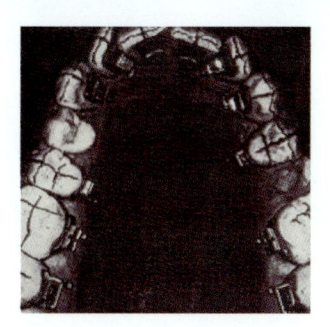

85

Chapter 11 コアーシステム

5）コアーシステムの種類

セットアップモデルを基準としてブラケットの位置を決定し，ここを基準としてブラケットを正確に歯牙に接着するために用いるコアーを作製する．インダイレクト ボンディング用コアーを作製する．この術式をコアーシステムと称するが，多くの方式が開発されてきた．

①コアーシステムの重要項目
(a) 正確で安定したブラケットの位置付けが可能なこと
(b) 操作性に優れ，トレーの着脱が容易で安全に出来ること
(c) 歯牙移動中のブラケット脱落時に同じコアーを用いて，容易で正確に再装着可能なこと
(d) ボンディングが困難な部位にもボンディング出来ること

②舌側矯正コアーシステムの種類

図11-44｜図11-45
1）シリコンタイプ：内側にインジェクションタイプ，外枠にパテタイプのシリコン印象材を用いたコアーシステム多数歯の装置装着が同時に出来て操作性に優れ，製作が比較的容易．但し，材質的に弾力性を有するため，やや安定性に欠ける．ブラケットは分割して個歯トレーとして用いる事は可能であるが精度に欠ける

図11-46｜図11-47
2）メモジルタイプ：透過性が良くブラケットを直視して，一度に全歯牙に装着出来る．分割して用いる事も可能なシリコン素材のコア．

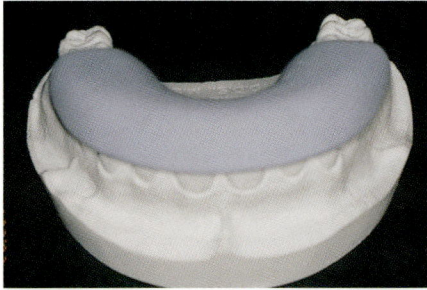

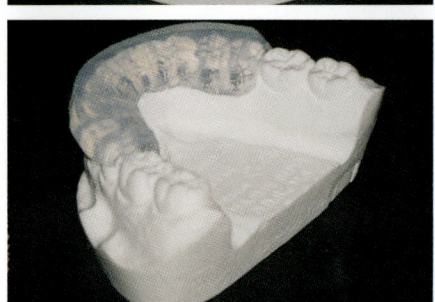

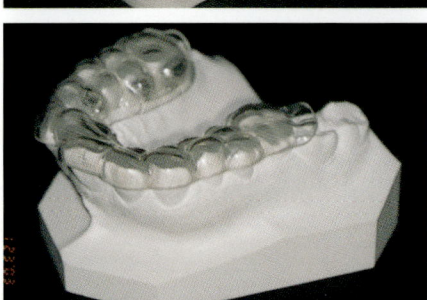

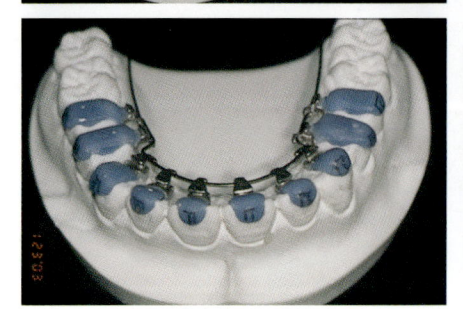

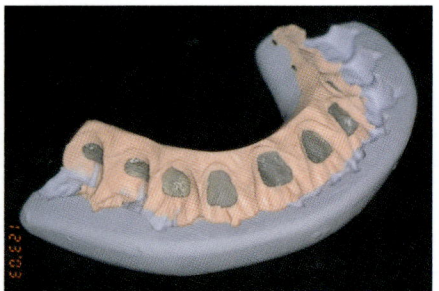

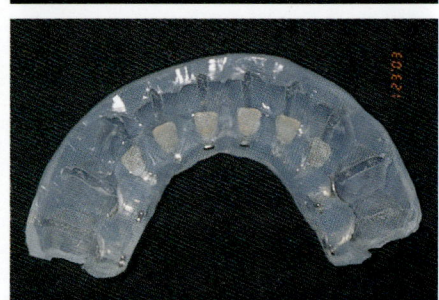

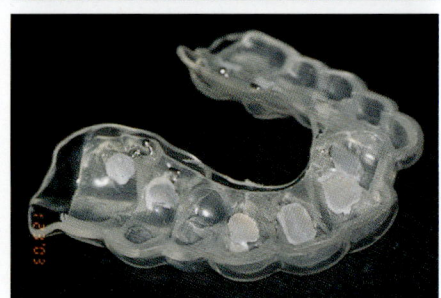

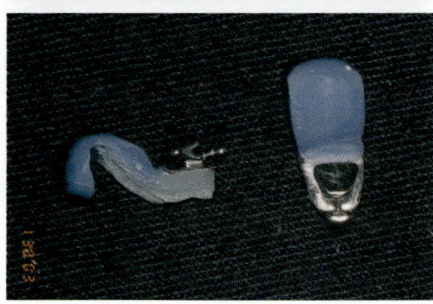

図15-48｜図15-49
3）プレスタイプ：ソフト板の上からアウターシェルを重ねた二重コアタイプ．脱落したブラケットの再装着は困難．

図11-50｜図11-51
4）ヒロ・システム（RCIBS）：臨床的に製作が容易で，正確で安定した術式．脱落したブラケットの再装着は不可能．但し，付属する3D（リプレースメント）アーチワイヤーにより，脱落したブラケットの再装着が可能であるがこの再装着の術式はやや不安定である．

図11-52｜図11-53

5）ハイブリィドコアシステム：硬いレジンコアーの内面のシリコンにブラケットを固定する．脱落したブラケットの再装着は可能であるが，ブラケットを保持しているシリコンの破損に注意する必要がある．

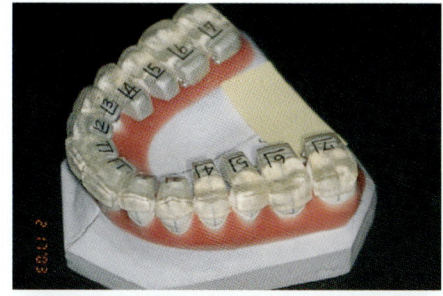

図11-54｜図11-55

6）CRC(CONVERTIBLE RESIN CORE)システム：正確で安定したブラケットの位置付けが可能．操作性に優れ，コアーの着脱及び過剰ボンディング除去が容易に出来る．歯牙移動中のブラケット脱落時の再装着が装着に用いたと同じ各歯トレーを用いて正確に容易に行える．

〔(株)アソインターナショナル　資料提供〕

6）技工プロセス（C.R.Cシステム）

① Custum Lingual Arch Systemに基づいてセット・アップ・モデル上にブラケットの位置づけを行う．

② ブラケット・スロット部分と歯面の一部を結紮用エラスティック（Elastomeric Ligature）とBase Plate Waxを用いてブロック・アウトする

③ ブラケットベースとレジンコアーの間に空隙を作るためのワックスを歯面に付着する．
この空隙によって，ボンディング剤がレジンコアー内に進入するのを防ぐ分離剤をセットアップモデル上に塗布した後，パターンレジン（Pattern Resin-Durallay）を用いてコアーを形成する．（Brush-on Laying Technique）安定性を増すために，歯面上面からホールフックの位置までコアーを拡大する

④ レジンが硬化したら，セットアップモデルから，コアーとブラケットを一塊として外ベースプレートワックス（Base Plate Wax）と，Elastomeric Ligatureを外すとブラケットはレジンコアーから容易に外すことができる．

⑤ レジンコアーの上面に結紮用エラスティックを装着するための溝を形成する．結紮用エラスティックを用いてブラケットをレジンコアーに固定し，ボンディングを行う．

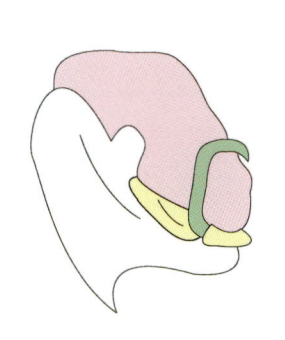

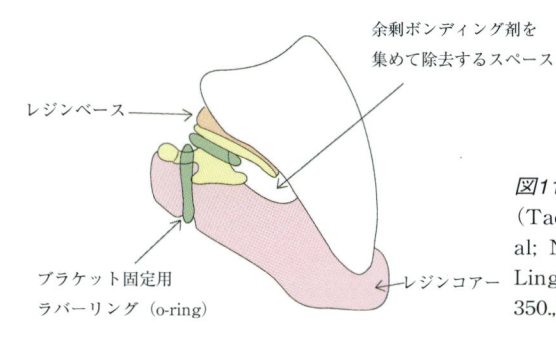

図11-56,57　C.R.Cシステム，前歯コアー．（Taeweon Kim 原図　Taeweon Kim, et al; New Indirect Bonding Method for Lingual Orthodontics. J.C.O., Vol.34.: 348-350.,2000.より引用）

Chapter 11　コアーシステム

7）臨床プロセス

① 歯牙表面にレジンコアーが密着（fit）するか確かめる．
　表面処理（付着物の除去，エッチング）を通例に従って行う．更に付着力を強力にするためには，Microelcherを用いてサンドブラスト（Sundblast）を行う．
② ブラケットベースにボンティング剤を塗着し，ブラケットで一体化したレジンコアーを歯牙に付着する．完全にブラケットが歯牙に密着するように指で軽く押さえる．
③ 接着剤が硬化する前にボンディング剤の除剰分を除去する
④ ボンディング剤が硬化したら，結紮用エラスティックを除去してコアーを外す
⑤ 各歯コアーは，矯正移動中のブラケット脱落時の再装着を行う時に用いるため保存しておく

〔コアーシステムによるブラケットの装着〕

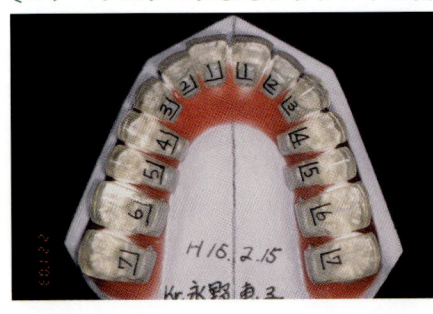

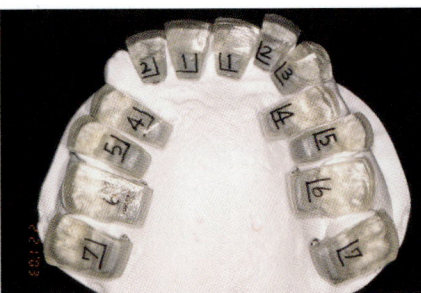

図11-55｜図11-56

図11-55　セットアップモデル上のコア．
図11-56　患者モデル上のコア

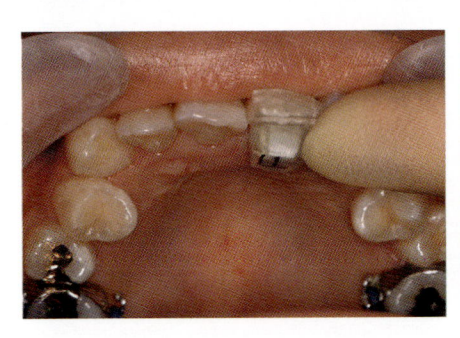

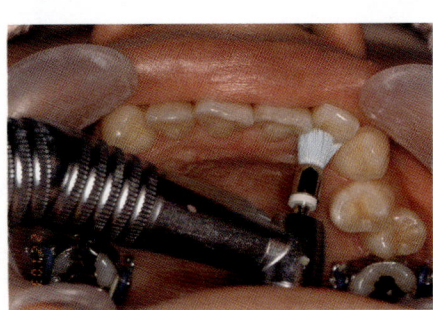

図11-57｜図11-58

図11-57　各歯コアの口腔内での適合性のチェック．
図11-58　舌側歯面の付着物除去．

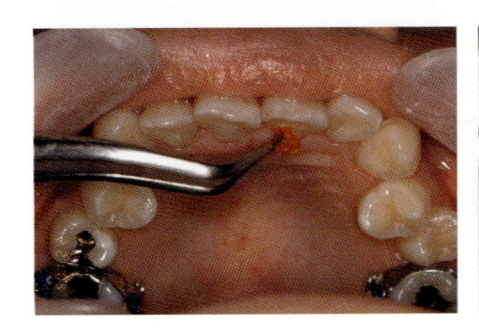

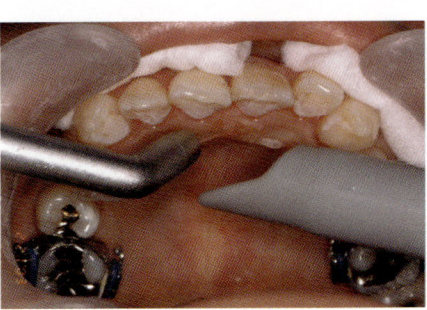

図11-59｜図11-60

図11-59　エッチング（脱灰）．
図11-60　水洗によるエッチング液の除去と歯面清掃．

技工プロセス

図11-61｜図11-62

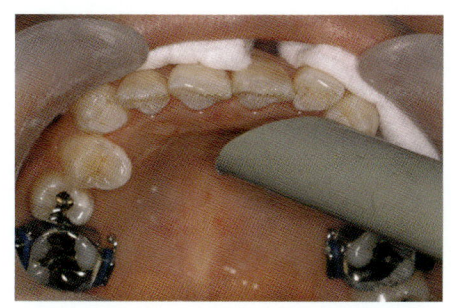

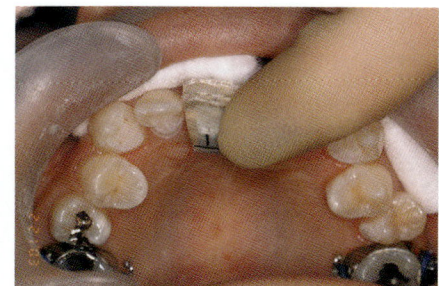

図11-61　ドライヤーによる歯面の乾燥.
図11-62　コアの口腔内装着.

図11-63｜図11-64

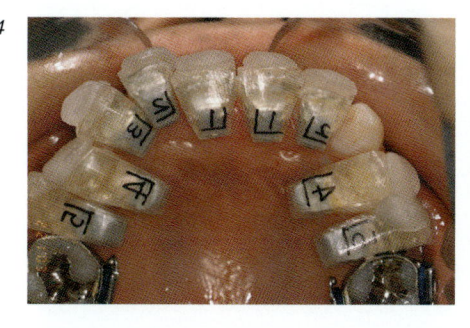

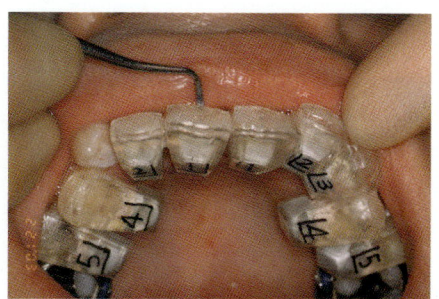

図11-63　口腔内に装着されたコア.
図11-64　コアを歯面より外す.

図11-65｜図11-66

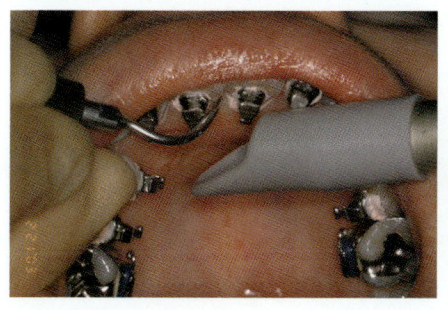

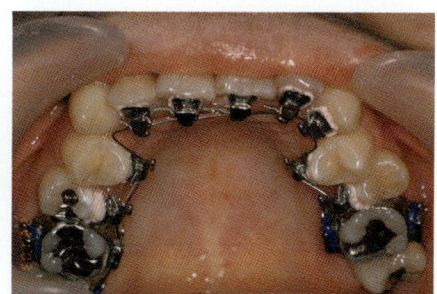

図11-65　超音波洗浄器による余剰接着剤の除去.
図11-66　アーチワイヤーの装着.

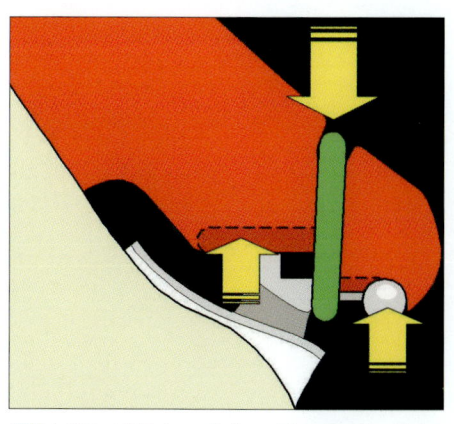

図11-67　ブラケットとコアのラバーリング（O-ring）による固定.
図11-68　ラバーリング（O-ring）の外し方.（Taewon Kim原図） 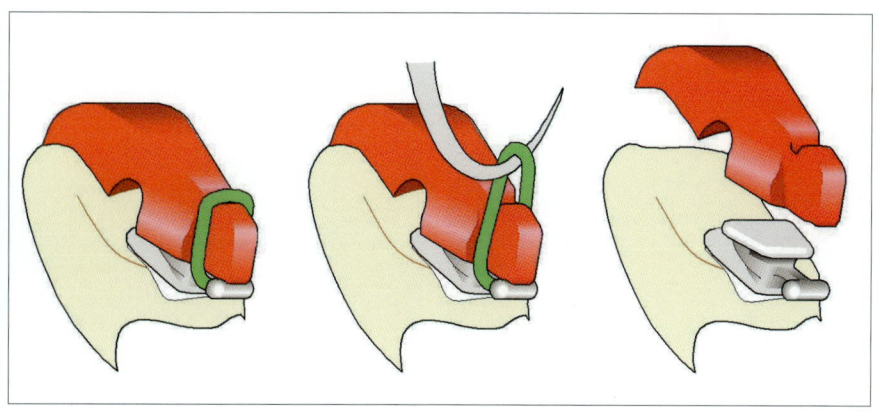

89

Chapter 11　コアーシステム

〔リンガルコアーシステムの臨床例〕

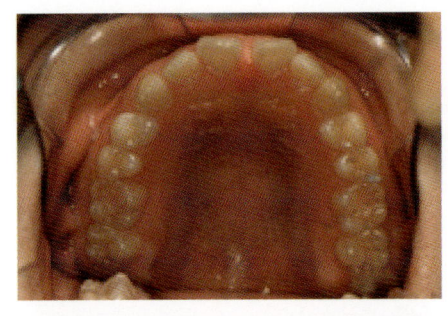

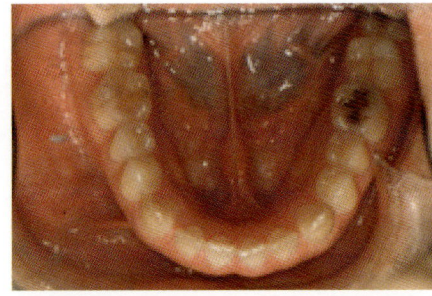

図11-69｜図11-70
図11-71｜図11-72

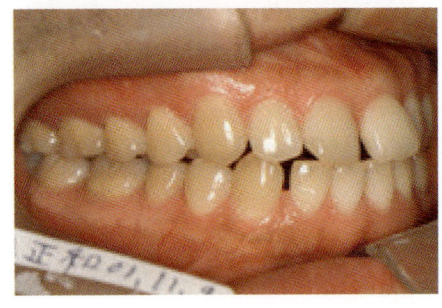

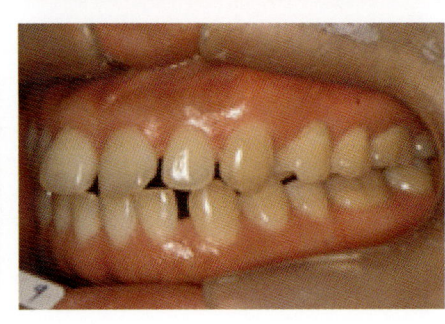

図11-69〜72　リンガル・コア・システム（CRC）の臨床例．前歯空隙歯列．臼歯部．Angle Class 1の症例．

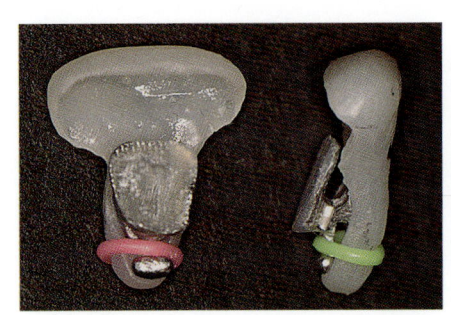

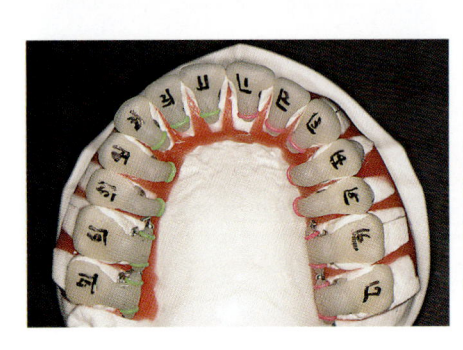

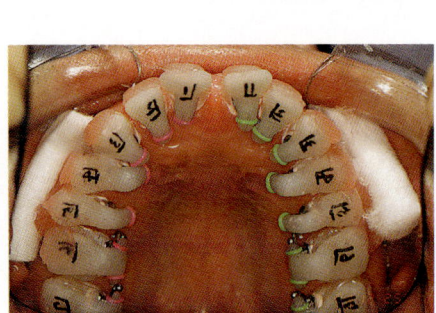

図11-73｜図11-74

図11-73　前歯部のコア．
図11-74　臼歯部のコア．

図11-75｜図11-76

図11-75,76　CRC（Convertible Resin Core）Systemによるブラケットの位置づけ．
前歯および臼歯のC.R.C.コア．
セットアップモデル上のコアの場合と症例へのコアの接着．

90

技工プロセス

図11-77 | 図11-78
図11-79 | 図11-80

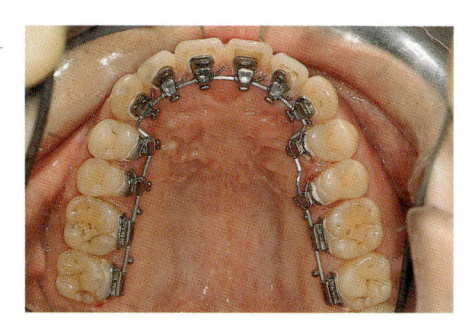

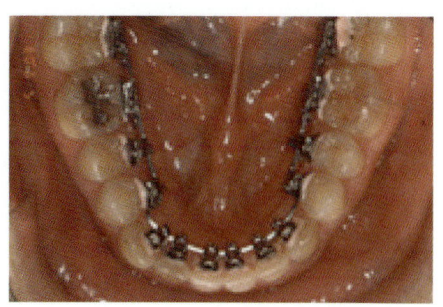

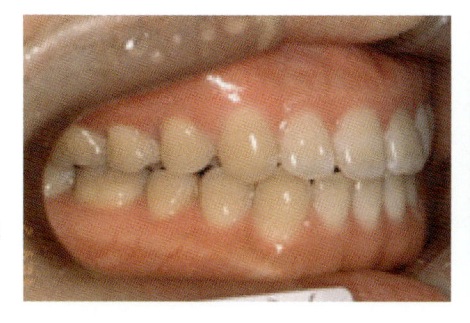

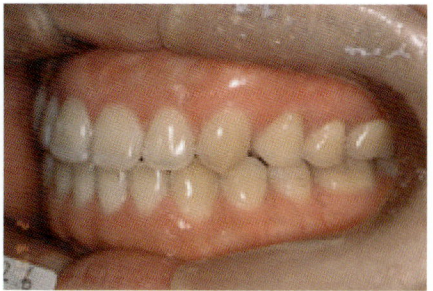

図11-77〜80 空隙閉鎖がほぼ完了した状態.
上下　017×025　Copper Ni-Ti装着.

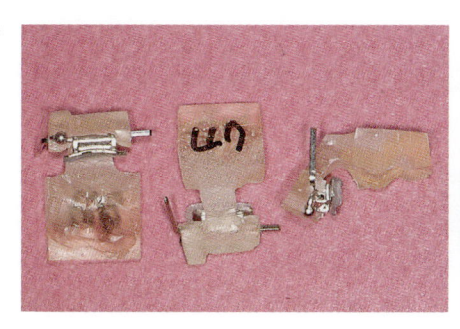

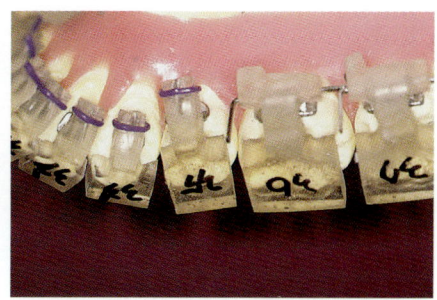

図11-81 | 図11-82

図11-81,82 臼歯部D.B.Sコアの臨床形態.

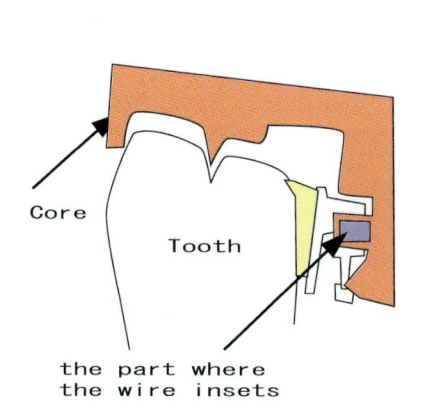

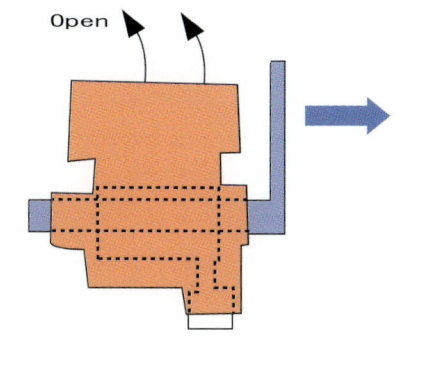

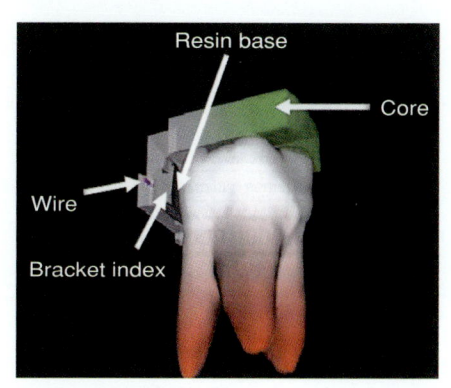

図11-83,84 臼歯部D.B.Sコアーの形態.（Seoul Orthodontics Int. Ltd.のTextより引用）

91

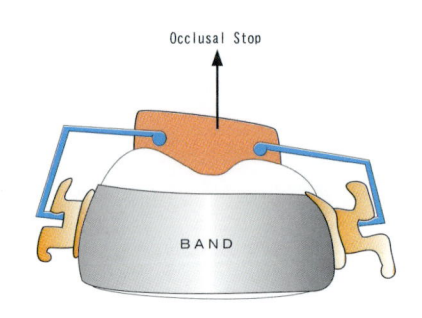

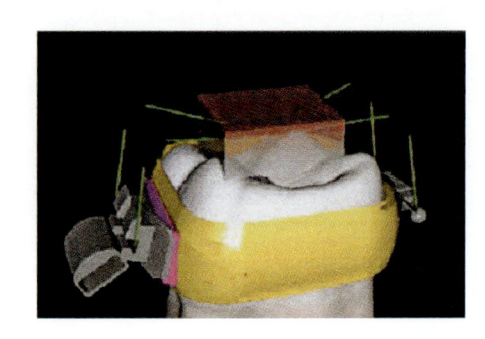

図11-85,86 臼歯部バンド用コアーの形態．補助ワイヤーで固定してブラケットをバンドにロウ着（SOLDERING）．

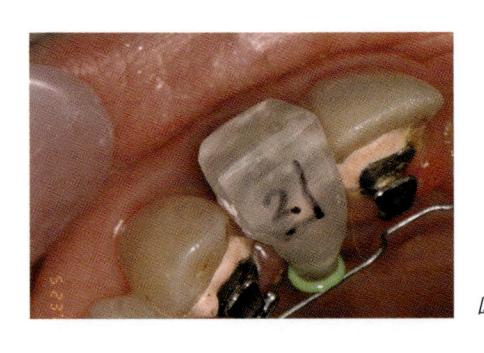

図11-87 ブラケット脱落時の各歯コアーによる再装着．

1985年9月
第44回　日本矯正歯科学会
学術大会発表抄録

Ⅱ-2-1137-12　いわゆる　マルチ　リンガル　アプライアンスのシステム化へのアプローチ

東京都　小谷田　仁

昨年の日本矯正歯科学会大会においてマルチ　リンガル　アプライアンス（FUJITA METHOD）のUNITEK, ORMCO, AMERICAN, G.A.C.その他LIGATURELESS BRACKET等の各装置を用いたおのおのの症例の完了ケースを提出した．

これらの症例を完了する過程における問題点はこの術式の持つ歯牙舌側形態の多様性等の臨床技術上の困難性を合理的に解決する治療システムをいかに作り出すかにあった．

この解決のためにはまず治療目標の鮮明化が必要となる．すなわちあらかじめ症例の完了時の理想的咬合状態をC.R.の位置でセットアップモデル等によって明確にし，それを基準としたアイデアルアーチの作製およびブラケットの正確な位置付けをし，そこから治療プロセスを割り出す．

具体的な術式としては，1．症例を中心位で咬合器にマウントし咬合状態をチェックする．2．咬合器上で診断用ナソロジカルセットアップモデルを製作する．3．この模型上でアイデアールアーチを製作しそれを基準にして各歯のブラケットポジションを設定する．4．間接法ボンディング用プラスチックトレーを加圧形成器で製作し分割して各歯トレーとする．5．各歯ごとに口腔内でブラケット装着する．

この術式の利点はブラケットの再装着が各歯ごと容易，正確にできること，またCrowdingやRotatiionのため治療開始時にブラケットの装着不可能な時や治療初期に上顎の側方拡大等の必要な場合に歯牙移動を開始した後でも適当な時期にブラケットを装着できることである．

以上の結果，結論の概要は次の通りである．この治療システムは特に新しい方式ではないが，舌側装置の特殊性に対応し質の高い完了ケースを均一に完成していくための合理的な一方式であると思われる．なぜならこのシステムは明確な咬合理論に基づいた診断用セットアップモデル等を中心位で製作し治療目標を鮮明化することによっていわゆる中心位に始まり中心位に終わる矯正治療の実践を試行しているからである．

Chapter 12

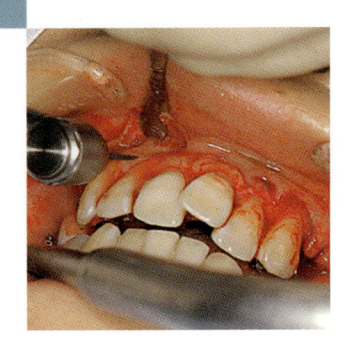

促進矯正法（コルチコトミー）

促進矯正法としてのコルチコトミーは，顎矯正（Orthopedic）と歯牙矯正（Orthodontics）の中間の位置に属する術式である．

この目的の主なものは次の3つである．
①矯正治療期間の短縮．
②歯槽骨を含めた歯牙移動範囲の増大．
③歯根膜を介した歯牙移動による歯根吸収（Root Resorption），後戻り（Relapse）の可能性の軽減．

コルチコトミーは成人症例に対して有効である．その理由として次の事項が挙げられる．
①加齢に伴って，歯槽骨の海綿状骨の容量は減少し，皮質骨層はより厚くなってくる．歯髄腔の減少と，これに伴う血液配給の減少は，歯牙移動の効率を下げ，結果的に治療期間が長くなる．
②成人はすでに成長，発育が完了しており，顎矯正力（Orthopedic Force）による顎骨の成長コントロールができない．
③加齢による生体としての活性の低下は，矯正力に対する適応能力の低下をまねき，歯根吸収，後戻り，歯槽骨吸収，および歯肉退縮など，主に歯根膜を介した歯牙移動によって生じる病理的変化を生じやすくなる．

コルチコトミーの長所としては次の事項が挙げられる．
①切開される部分が緻密骨（Cortical Bone）に限定されるため，海綿骨の血液循環が確保される．このため，歯牙支持組織への障害，壊死の可能性は低い．
②口腔外科処置，歯周処置および矯正処置の基本を理解していれば施行することができる．特別な器材を必要とせず，局所麻酔下で施術することができるので，一般臨床医が行うことができる．

1）症例1

(1) 患者（図12-1～10）
年齢・性別：21歳7か月（初診時），女性．
主訴：上顎前歯の叢生および前突感．
顔貌所見：上下唇の前突感あり．E-ラインに対して下唇は＋6.0mm．
口腔内所見：上顎前歯の叢生および唇側傾斜．オーバージェットは＋10.0mm，オーバーバイトは＋1.0mm．下顎3 incisors．
セファロ所見：上下顎の前後的位置関係は正常であるが，上顎前歯部の唇側傾斜が強い．ややDolico-facial typeの傾向を示す．
全身症状および既往症：とくに顎関節に関する自覚症状は認められないが，頭痛および首，肩などに疼痛が常時認められる．神経性胃炎の既往症がある．

(2) 治療方針
本症例においては，治療期間の短縮と装置の審美性に対して患者の強い要望があり，舌側装置（審美的矯正装置）装着後，促進矯正法としてコルチコトミーを行うことにした．基本方針は上顎第一小臼歯の抜歯で，上顎前歯部のコルチコトミー施術と同時に抜歯を行った．

症例1

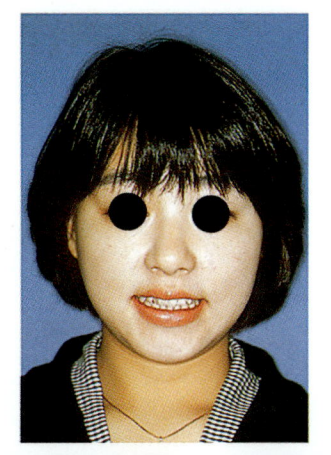

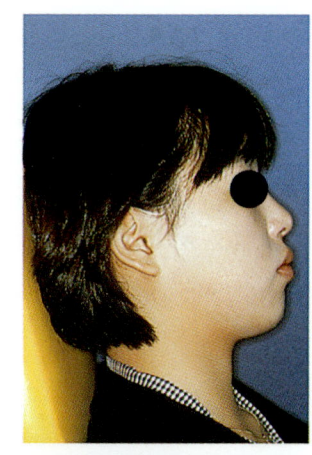

▶図12-1, 2　顔貌所見．21歳7か月．

図12-3｜図12-4

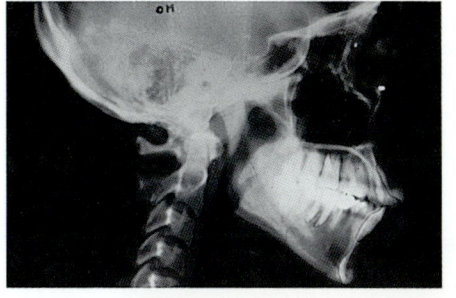

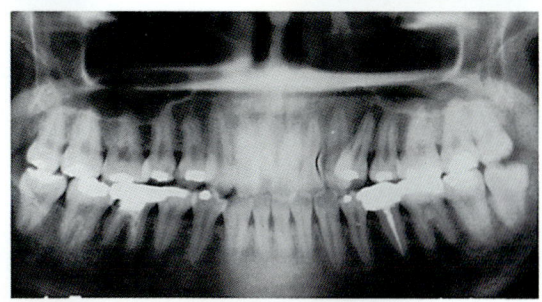

図12-3　頭部X線規格写真．
図12-4　パノラマX線写真．

| 図12-5 | 図12-6 |
|図12-7|図12-8|図12-9|
| 図12-10 |

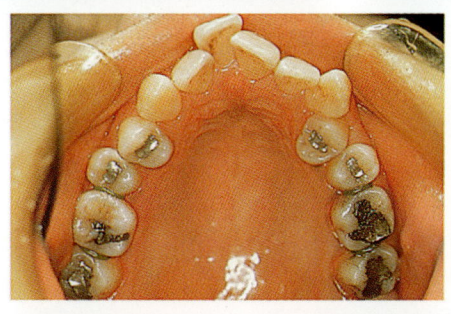

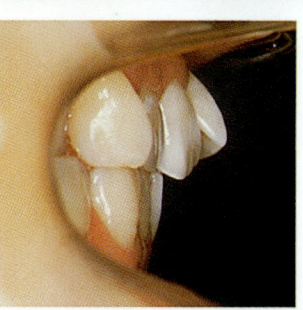

図12-5〜10　口腔内所見．21歳7か月．

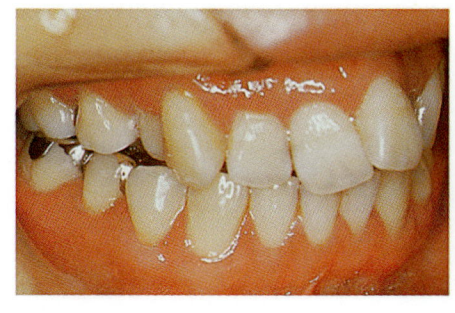

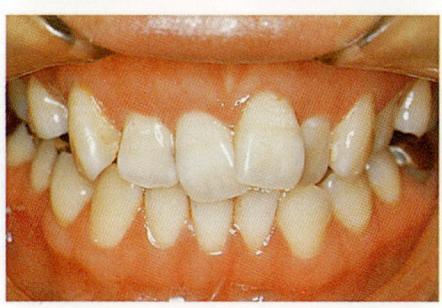

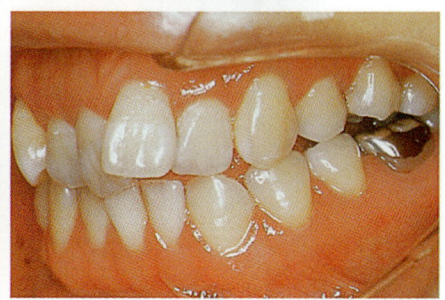

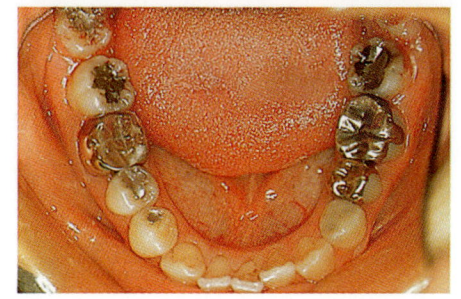

95

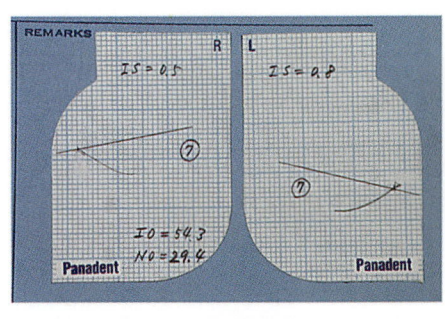

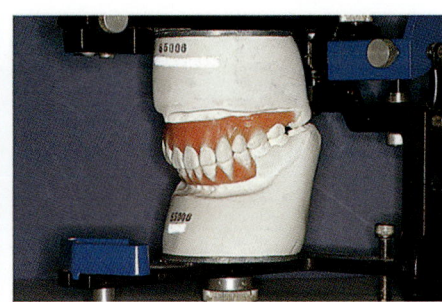

Chapter 12　促進矯正法（コルチコトミー）

図12-11｜図12-12

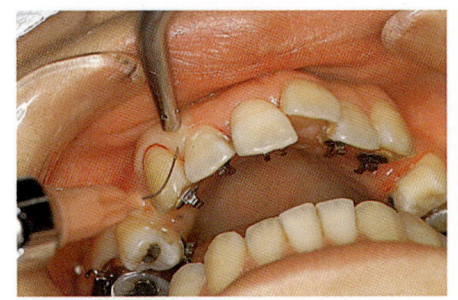

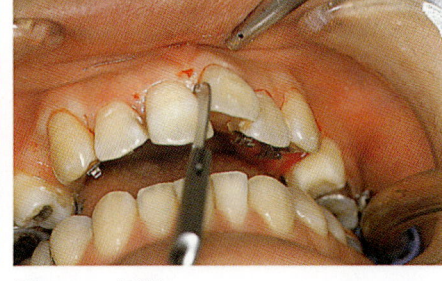

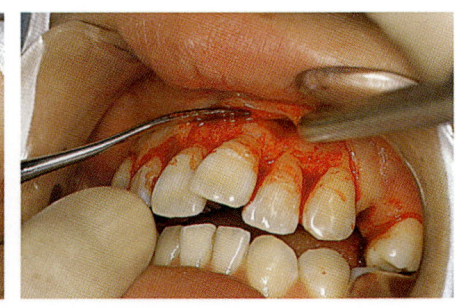

図12-13　局所麻酔．
図12-14　切開．
図12-15　歯肉弁剝離．

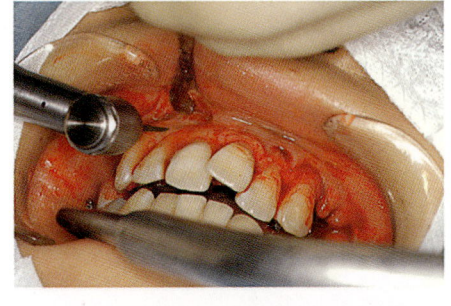

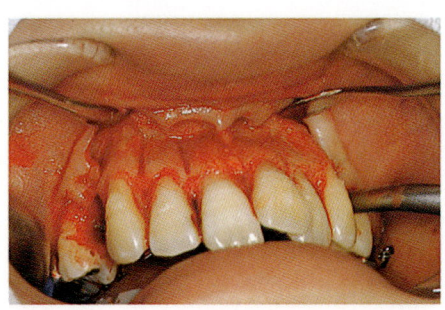

図12-16｜図12-17

図12-16　皮質骨切除．
図12-17　皮質骨切除の溝．

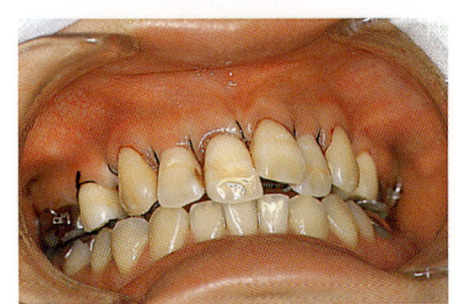

図12-18｜図12-19

図12-18　連続縫合．
図12-19　歯肉弁圧迫保持．

（3）治療経過および術式

　パナデントシステムのAxia-path Protractorを用いて顆頭運動を記録し，異常の有無を診断する（図12-11）．中心位で咬合器にマウントし，セットアップモデルを製作する（図12-12）．このセットアップモデルを基準として，ブラケットの位置を決定し，コアー・システムを用いて装置装着を行う．

　手術は次の術式に基づいて行う．麻酔は施術部位の局所麻酔で十分であるが，静脈内鎮痛剤を投与する場合もある（図12-13）．歯頸部に沿って切開線を入れる．歯肉弁剝離は歯牙の唇側，舌側両面の皮質骨が完全に露出するように行う（図12-14, 15）．皮質骨の切除は，十分洗浄しながら，ラウンドバーおよびハイスピード・フィッシャーバーを用いて行う（図12-16）．皮質骨の垂直方向の切除は歯肉骨頂（Alvelor Crest）から2～3mmのところから根尖相当部に達するまで行う．

96

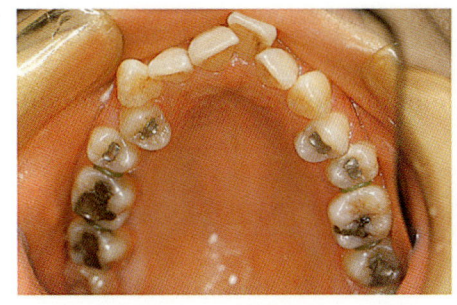

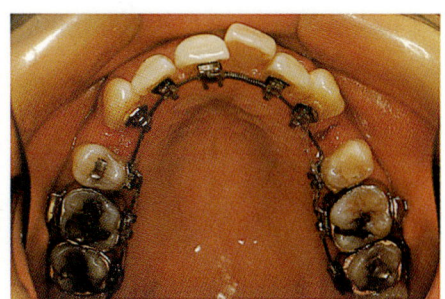

図12-20, 21　上顎咬合面.

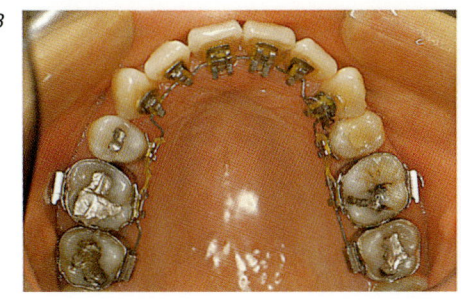

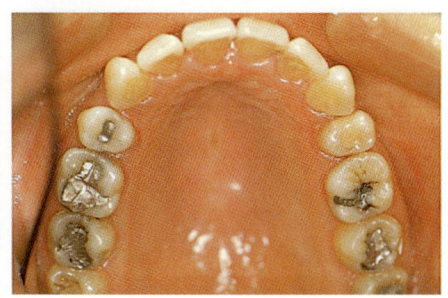

図12-22, 23　上顎咬合面.

切除の深さは海綿状骨に達すればよい（図12-17）．水平方向の切除は根尖相当部の上2～3mmのところで行い，垂直切除と連結させる．このように，歯牙周囲の皮質骨を切除することによって，歯牙移動に対する抵抗が著しく減少する．切開後は，歯肉弁は連続縫合（Continuous Matress Suture）によって元の位置に縫合される（図12-18）．歯肉弁の歯槽骨面への圧迫を十分に行い，術後疼痛の原因になる気泡の形成がないようにする．サージカルパックによって歯肉弁を歯槽骨に圧迫保持する（図12-19）．

抜糸，サージカルパックの除去は術後3～4日に行う．歯牙移動は通法に従って行うが，比較的に強い矯正力を用いて，調整の間隔を短くして行う（図12-20～23）．

（4）治療結果（図12-24～33）

①顔貌所見

側貌では頤部の位置的変化は認められたが，上下唇の前後的位置関係は上唇で2.0mm，下唇で1.0mmの後退が認められた．上下唇の前突度は改善された．

②口腔内所見

オーバージェットは＋2.5mm，オーバーバイトは＋2.0mmとなり，大臼歯の咬合関係は上顎だけの抜歯で終わったためアングルⅡ級で完了している．下顎切歯が1歯先天欠如のいわゆる3 incisorsのために，犬歯および臼歯関係は理想的なカスプ・フォッサ関係とは認められない．

③パノラマX線写真

歯牙および歯周硬組織にとくに異常は認められない．上下顎智歯は治療中に抜歯されている．

④頭部X線規格写真分析所見

骨格系では上下顎の前後的位置関係に変化はとくに認められない．上顎前歯部の舌側移動に伴う上顎歯槽部の舌側方向への形態的変化は大きい．下顎の後下方への開大がわずかに認められる．歯系では上顎切歯の舌側移動が認められ，下顎前歯と臼歯は遠心にやや直立している．

Chapter 12 促進矯正法（コルチコトミー）

図12-24	図12-25
図12-26	図12-27	図12-28
	図12-29	

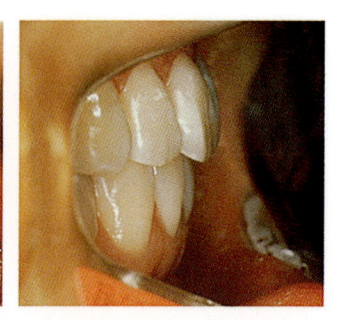

図12-24〜29 動的治療完了時，口腔内所見．22歳9か月．

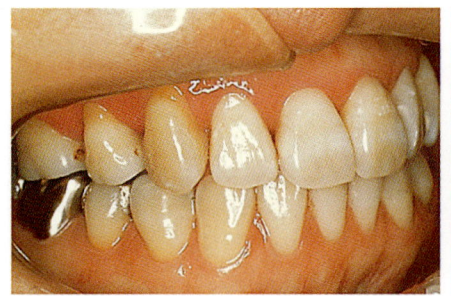

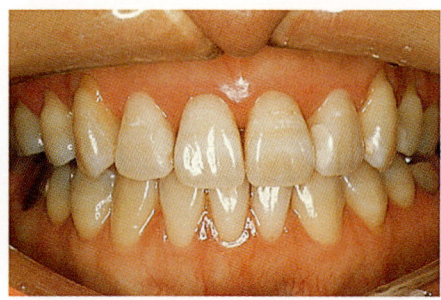

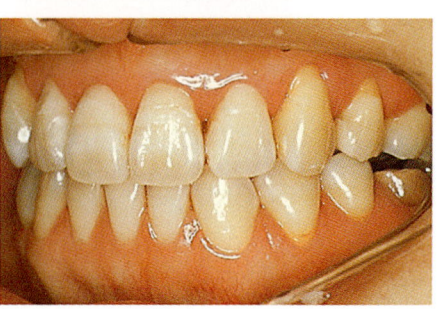

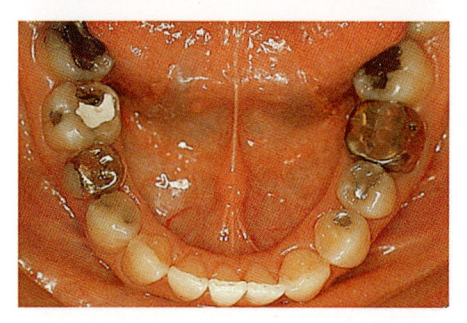

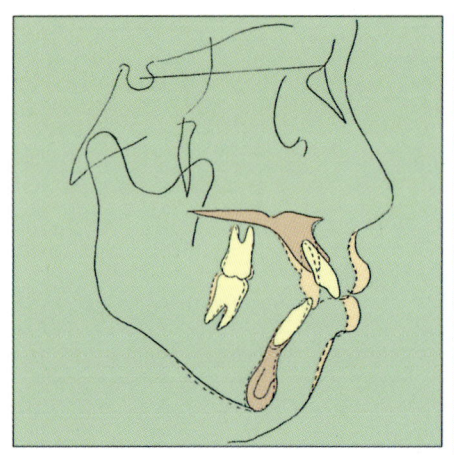

図12-30 治療前後の頭部X線規格写真の重ね合わせ．重ね合わせはS-N平面を基準とした．

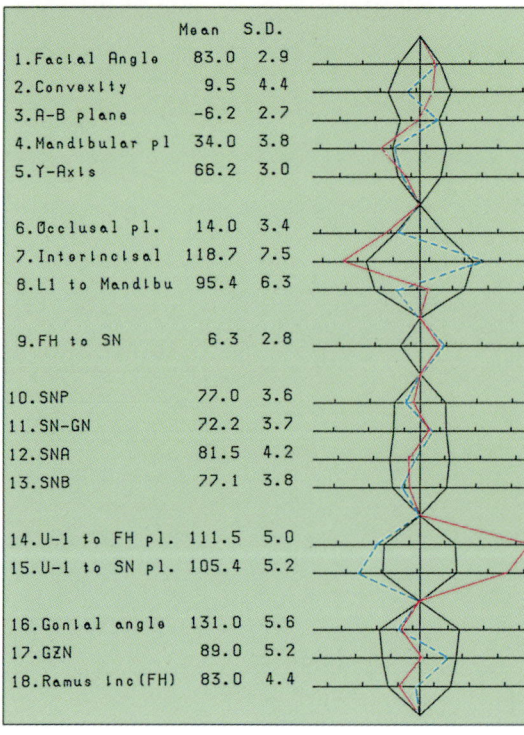

	Mean	S.D.
1. Facial Angle	83.0	2.9
2. Convexity	9.5	4.4
3. A-B plane	-6.2	2.7
4. Mandibular pl	34.0	3.8
5. Y-Axis	66.2	3.0
6. Occlusal pl.	14.0	3.4
7. Interincisal	118.7	7.5
8. L1 to Mandibu	95.4	6.3
9. FH to SN	6.3	2.8
10. SNP	77.0	3.6
11. SN-GN	72.2	3.7
12. SNA	81.5	4.2
13. SNB	77.1	3.8
14. U-1 to FH pl.	111.5	5.0
15. U-1 to SN pl.	105.4	5.2
16. Gonial angle	131.0	5.6
17. GZN	89.0	5.2
18. Ramus inc(FH)	83.0	4.4

図12-31 側貌頭部X線規格写真．飯塚，石川の方法により日本人成人の平均値をもとに分析した．
―――：術前　（21歳7か月）
-----：術後　（22歳9か月）

98

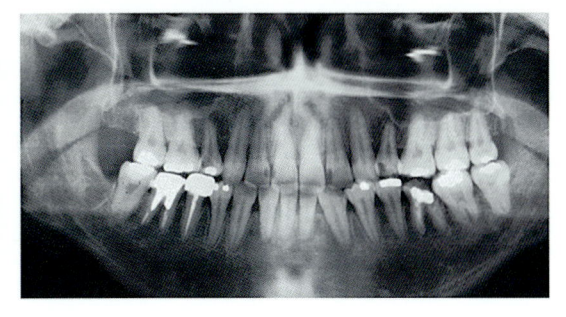

図12-32 頭部X線規格写真（動的治療完了時）.
図12-33 パノラマX線写真（動的治療完了時）.

2）症例2

(1) 患者（図12-34～36）
年齢・性別：26歳8か月（初診時），女性.
主訴：上顎前歯の前突感.
顔貌所見：頤部の後退が顕著で，いわゆるDolico-facial typeに属する．下唇とE-ラインとの距離は+3.4mmである．
口腔内所見：上顎前歯部の唇側傾斜，下顎左側第二小臼歯の舌側傾斜が認められる．オーバージェットは+14.4mm，オーバーバイトは−2.7mm.
セファロ所見：上下顎の前後的位置関係は後退位を示す（SNA：76.0°，SNB：72.0°）．上顎前歯は著しい唇側傾斜を示す（U1toNA：18.5mm，40.0°）．いわゆるハイアングルケースに属し，オープンバイト傾向を示す．

(2) 治療方針
骨格性不正咬合の傾向が強い症例であり，治療期間が限定されていたため，コルチコトミーを行った後に上顎第一小臼歯の抜歯を行う治療方針をとった．上顎前歯部歯槽部を一塊として移動させるために，この症例では唇側と舌側の両側から，溝形成は水平方向のみ行う．

(3) 治療経過および術式
コルチコトミーにおける溝形成は，上顎前歯部歯槽部を歯牙と一体として移動するために，唇側と舌側の両方向から水平方向のみ行った（図12-37, 38）．外科手術と同時に上顎第一小臼歯の抜歯を行い，前歯部舌側移動は上顎前歯部（3+3）を一体として，スペースクロージングループを曲げ込んだワイヤー（.017″×.025″S.S.）を用いて行った（図12-39～41）．

(4) 治療結果（図12-42～50）
①顔貌所見
上下唇の前突度は改善された．
②口腔内所見
オーバージェットは+2.0mm，オーバーバイトは+1.5mmに改善された．
③パノラマX線写真所見
歯牙および歯周組織にとくに異常は認められない．
④頭部X線規格写真分析所見
上顎前歯の舌側傾斜および上顎歯槽部の舌側方向への形態変化が認められる．

3）考察

(1) コルチコトミーの処置方法について
コルチコトミーの処置方法は，歯牙周囲の皮質骨（緻密骨）に水平的および垂直的な，海綿状骨に達する溝を形成する．これによって歯牙は海綿骨と一体化したブロックに分離されることになる．結果的に，矯正的歯牙移動は歯根膜を介した歯牙移動ではなく，完全ではないが，歯牙を介したブロックの動きになる．
このため，歯根膜を介した歯牙移動でみられる歯根吸収，歯槽骨吸収の危険性が比較的少ない．また，破骨細胞の活動による歯根膜靱帯の破壊が比較的少なく，骨の仮骨形成がより強い安定をもたらすために，治療後の後戻りは比較的起こりにくい．とくに，骨性強直（Ankylosed）した歯牙は，歯根膜を介した歯牙移動が不可能であるから，この術式の適応症といえる．

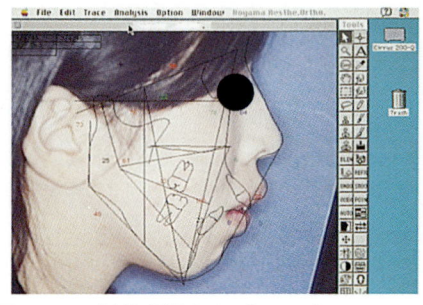

Chapter 12　促進矯正法（コルチコトミー）

図12-34　顔貌所見およびコンピューターセファロ分析．26歳8か月．

図12-35, 36　口腔内所見．26歳8か月．

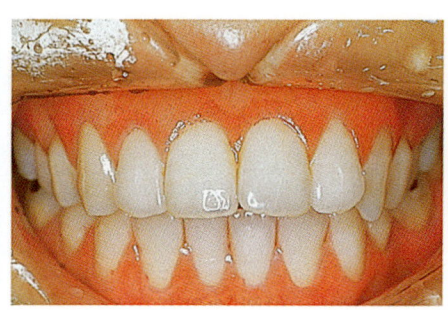

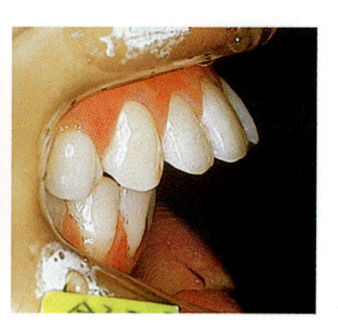

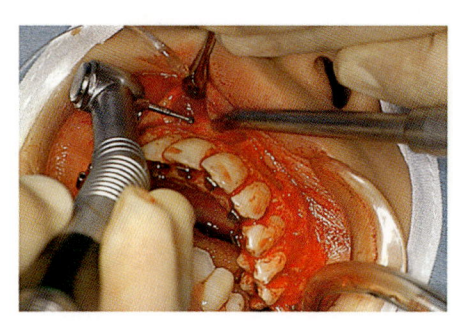

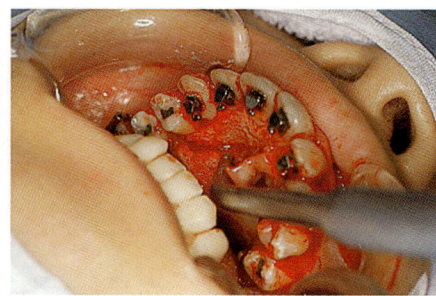

図12-37 | 図12-38

図12-37　コルチコトミー．皮質骨への溝形成．
図12-38　歯肉弁剝離された舌側面．

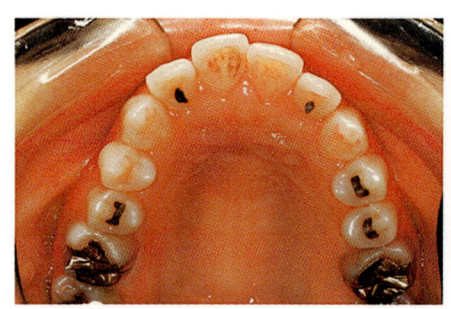

図12-39　初診時咬合面観．

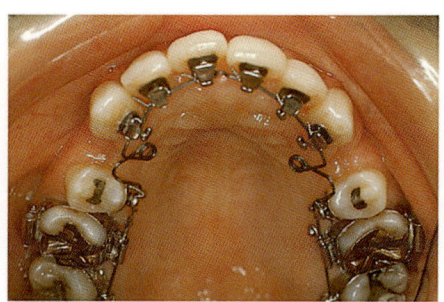

図12-40　前歯舌側移動．

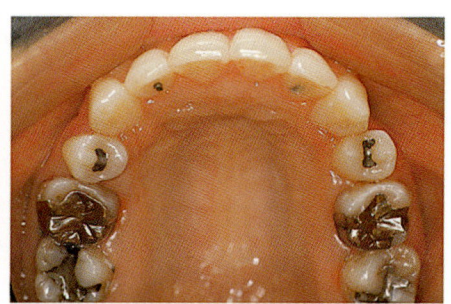

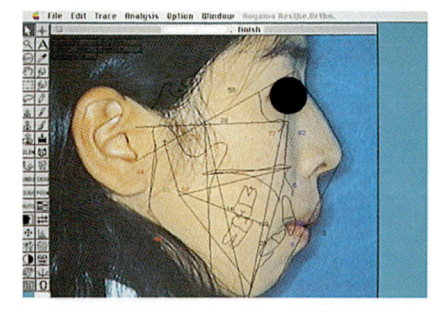

図12-41　空隙閉鎖後の口腔内所見．

図12-42　動的治療完了時．顔貌所見およびコンピューターセファロ分析．27歳7か月．

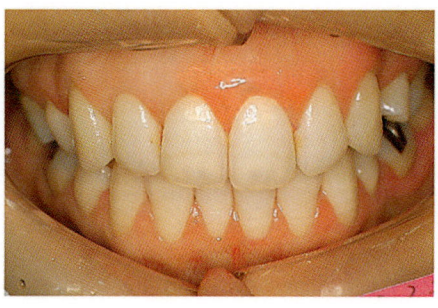

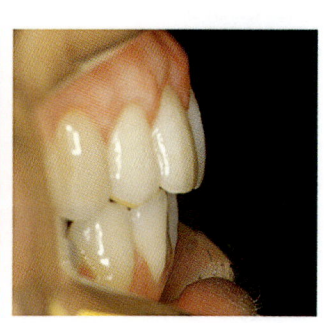

図12-43, 44　動的治療完了時口腔内写真．

100

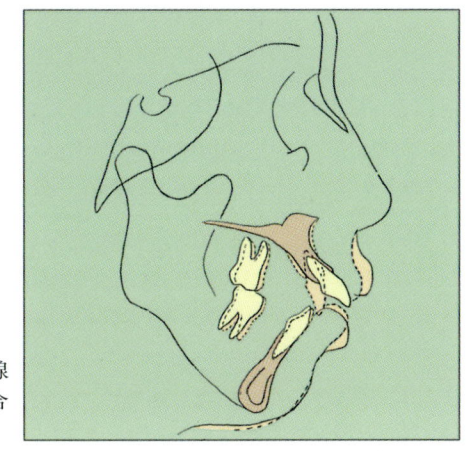

図12-45 治療前後の頭部X線規格写真の重ね合わせ．重ね合わせはS-N平面を基準とした．

▶図12-46 側貌頭部X線規格写真分析値．飯塚，石川の方法により日本人成人の平均値をもとに分析した．
―――：術前（26歳8か月）
――――：術後（27歳7か月）

	Mean	S.D.
1.Facial Angle	83.0	2.9
2.Convexity	9.5	4.4
3.A-B plane	-6.2	2.7
4.Mandibular pl	34.0	3.8
5.Y-Axis	66.2	3.0
6.Occlusal pl.	14.0	3.4
7.Interincisal	118.7	7.5
8.L1 to Mandibu	95.4	6.3
9.FH to SN	6.3	2.8
10.SNP	77.0	3.6
11.SN-GN	72.2	3.7
12.SNA	81.5	4.2
13.SNB	77.1	3.8
14.U-1 to FH pl.	111.5	5.0
15.U-1 to SN pl.	105.4	5.2
16.Gonial angle	131.0	5.6
17.GZN	89.0	5.2
18.Ramus Inc(FH)	83.0	4.4

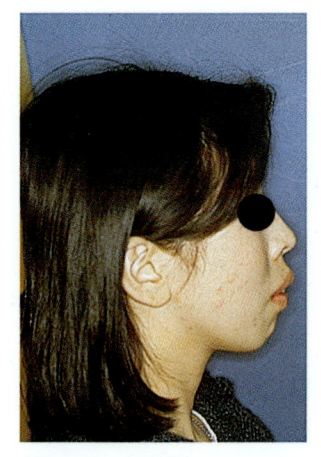

図12-47 初診時．

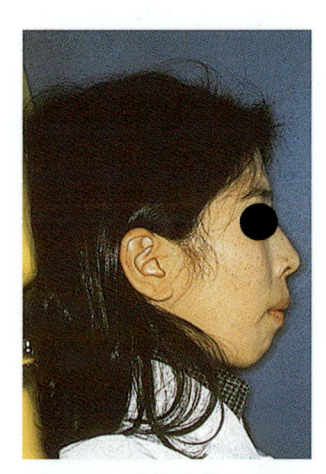

図12-48 動的治療完了後．

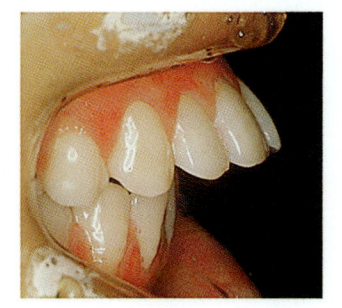

図12-49 初診時．

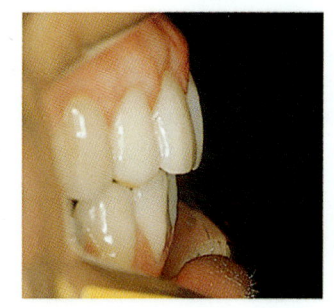

図12-50 動的治療完了後．

（2）症例の結果について

　促進矯正法としてコルチコトミーはとくに成人矯正における動的治療期間の短縮を主な目的として行うが，予後の安定と骨格系，とくに歯槽部の比較的大きな形態的変化を必要とする症例に適応される．

　第一症例においては，動的治療期間は約1年3か月で完了した．本来は比較実験によって証明すべきことであろうが，現在の矯正臨床の平均的データから比較したとき，比較的短期間に動的治療が完了した事実は容認されるであろう．術式によってはとくに促進矯正法を用いなくても短期間の動的治療の完了は可能かもしれないが，歯根膜を通した歯牙移動にはおのずから限界がある．生体としての活性が若年者に比較して低下してくる成人の症例においては，歯根吸収および歯槽骨吸収などは臨床的に常に問題になる点である．この症例においては，臨床的観点からすると歯根吸収は

比較的，小範囲である．

　また，上顎前歯部歯槽骨の形態的変化も短期間の動的治療としては比較的大きいことから，コルチコトミーの臨床的有効性が認められる．下顎切歯および下顎臼歯の遠心方向への直立が認められるが，これは舌側装置特有の歯牙移動メカニックスが作用したためと思われる．

　第二症例においては，皮質骨に対する溝形成は上顎左右犬歯にまたがり，根尖相当部の上2～3mmの部分に唇舌両側から水平方向のみ行った．基本的な考え方としては，上顎左右犬歯にまたがる部分を歯牙と歯槽骨を一体として舌側移動することである．

　治療結果としては上顎切歯に大きな舌側移動（U1-to SNp1が117.0°から87.0°へ変化）が認められた．切歯の移動形式は傾斜移動であり，A点は切歯の動きに伴ってやや唇側に移動した．本来，コルチコトミーを行う目的は動的治療期間の短縮であり，この目的は達成された（動的治療期間は約11か月）．しかし，同時に期待されたA点を含めた前歯歯槽部の舌側移動および上顎前歯部の歯体移動は目標を達成することができなかった．この原因は十分に皮質骨を分断する溝形成ができなかったこと，および強い矯正力は歯根膜を介して歯槽骨に伝達されるために，歯牙と歯槽骨の移動が必ずしも一体化されなかったためと考えられる．

Chapter 13

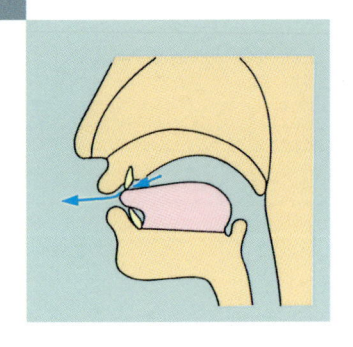

舌側矯正における発音障害

1）舌側装置装着によってとくに影響を受ける音声

基本的には，舌が発育時に主に上下顎の前歯にあたる音が影響を受ける．

例えば，日本語ではタ行（TA）ナ行（NA）ラ行（RA）ダ行（DA）などである．英語における〔t〕〔d〕は歯茎破裂音（Alveolar Plosive Sound）に属し，歯茎部に舌先を一度ぴったりと押し当てて閉鎖した状態からそこを一気に完全に開いて空気を放出させる音である．

このため，上顎前歯に装置があると正しい閉鎖が行われず，障害が生ずる．

〔s〕は歯茎摩擦音（Alveolar Fricative Sound）は歯茎と舌を使って，狭められた息の通り道から息を押し出す音である．また，〔ʃ〕は口蓋歯茎摩擦音（Palato-alveolar Fricative Sound）に属し〔s〕よりも広い範囲（歯茎から硬口蓋に至る）で摩擦が起きる．したがって〔s〕〔ʃ〕はかなり狭い隙間に息を通さなくてはならないのに，装置に厚み（凸凹）があるために発音時に適切な隙間ができないために，いわゆるもれたような音になってしまう．

同じく，摩擦音（Fricative）である〔θ〕（例：thing）〔ð〕（例：this）の両方とも歯と舌を使って摩擦を起こして作る音だが装置をつけていると，

①凸凹のある，したがって隙間だらけの装置が歯の代わりに舌に当たるため，適切な狭さの隙間ができない．

②歯と舌先を使って音を出すが，舌尖周辺の広範囲に上顎前歯舌面装置が乗ってしまう．

このため，いわゆるもれた音になったり，あるいは②の効果で破裂音が混合したような音に聞こえることがある．摩擦音と破裂音は原理上同時に出てくる音ではないが，唾液で舌と装置の間に膜ができて，この唾液の膜が破裂したとき，例えば〔p〕，プッ，のような破裂音がわずかに混ざったように聞こえるためと思われる．

2）舌側装置装着後，発音が正常になるのに要する期間（表13-1，図13-1）

一般に患者の反応から推定すると，個人差はかなり大きいが，平均すると3〜4週間で舌側装置にかなり順応してくるようである．米国，Eastman Dental Centerでの舌側装置装着後のスピーチに対する影響の研究では，次の結論が出されている．

①個人差はあるが，平均すると患者のほとんどが装置に順応してくる1か月後になってもs，sh，t，dの音については不明瞭さが認められる（ただし10％以下）．

②舌側装置を上顎だけに装着した場合は上下に装着した場合に比較して発音障害が小さく，早く順応する．

104

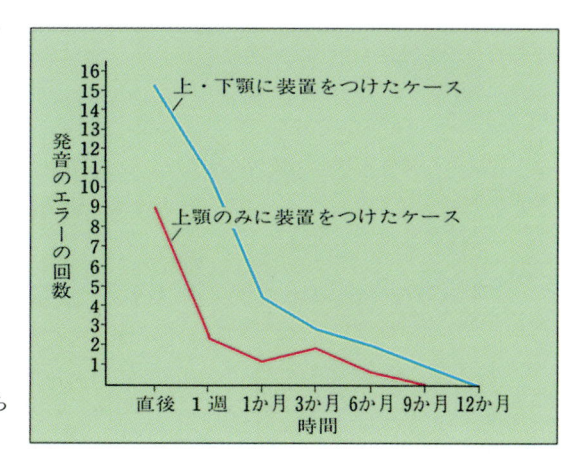

表13-1 舌側矯正患者の上下顎装着と上顎だけの装着の比較（J. Mariottiら のEastman Dental Center, Rochester, N.Y.でのデータより）．

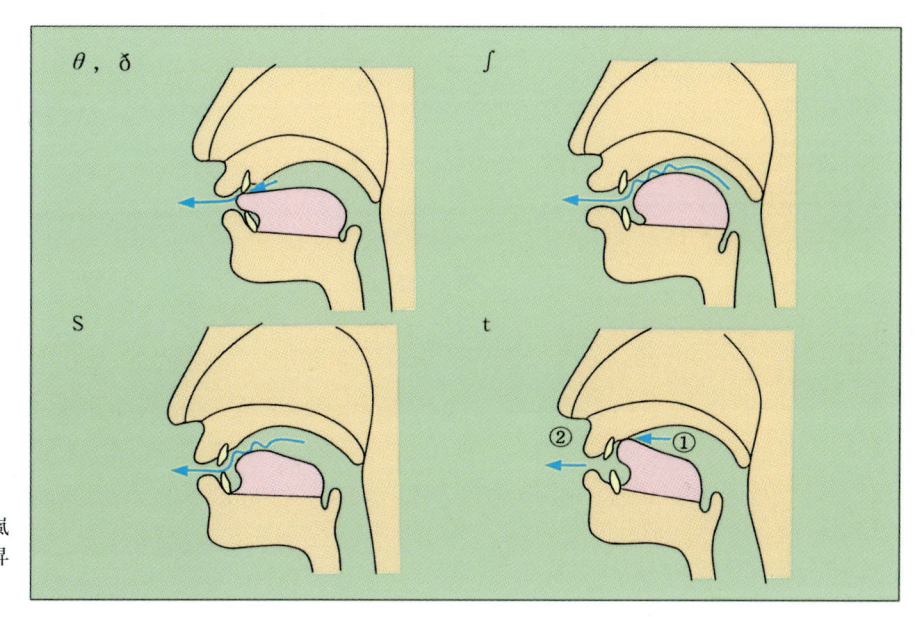

図13-1 発音するときの舌の状態（五十嵐康男，正しい英語の発音マスター90分，昇龍堂出版，東京，P33, 1989．より）．

Chapter 14

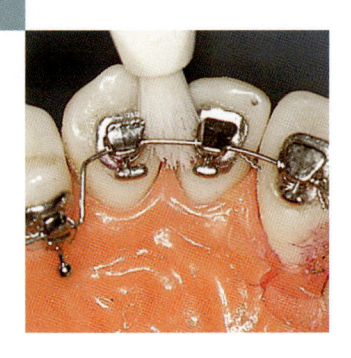

舌側矯正における歯周疾患と口腔衛生指導

1）舌側矯正における歯周疾患

舌側矯正の臨床で問題になるのは，歯肉の腫脹と歯肉退縮である．

（1）歯肉腫脹（Swearing）
とくに前歯部舌側歯頸部に腫脹が認められる（図14-1）．舌側矯正の場合，ブラッシングが困難である．この要因として次の事項が挙げられる．
① 直視することができない．
② 複雑なワイヤー形態（ループなど）や過剰な接着用レジンの残留（図14-2）．
③ ブラッシングテクニックの不足．

（2）歯肉退縮（Recession）
とくに第一大臼歯の近心頬側根歯頸部に発生しやすい（図14-3）．この原因としては大臼歯頬側の遠心への回転（図14-4）と，頬側への根の傾斜（Buccal Root Torque）が挙げられる．

2）舌側矯正治療における口腔衛生指導

唇側矯正治療に比較したとき，主な問題点としては次のものがある．
① 直視困難なため，患者自身刷掃状態を確認しにくい．
② 比較的高度なブラッシングテクニックが必要と思われる．

これらの問題を考慮し，舌側矯正治療患者に対して，歯科衛生士がT.B.I.を初診時および装置装着時に行う．また，来院ごとにアドバイスを与えている．

以下，（1）初診時のT.B.I.，（2）装置装着時のT.B.I.，（3）来院ごとのアドバイスについて説明する．

（1）初診時のT.B.I.
この段階では患者が実践するプラークコントロールを目的とする（図14-5）．
内容として次の2つがある．
① 患者とのコミュニケーションと動機づけ（モチベーション）

歯垢顕示薬による染色，顕微鏡によるプラーク中の細菌の確認をしながら，プラークとは何か，齲蝕，歯肉炎の原因および舌側矯正装置装着後の状態を具体的に説明する．さらに，プラークチャートで現在の患者自身の刷掃状態を確認する．
② ブラッシング指導

各患者に合わせたブラッシングを行うと同時に装置装着後も有効に使える毛先つっこみ磨きを指導する．

舌側矯正は，刷掃が難しく，齲蝕および歯肉炎になりやすいため，徹底したプラークコントロールが必要であることを認識させる．そして正常な歯肉状態でプラークスコアーが10％以下になるまで矯正装置を装着しないという説明をする．この方法は，歯科衛生士が患者の理解度，ブラッシングテクニックの熟練度を把握する目安となり，患者自身にも目標をもってブラッシングに取り組んでもらうのに大変役立つ．

舌側矯正治療における口腔衛生指導

図14-1 | *図14-2*

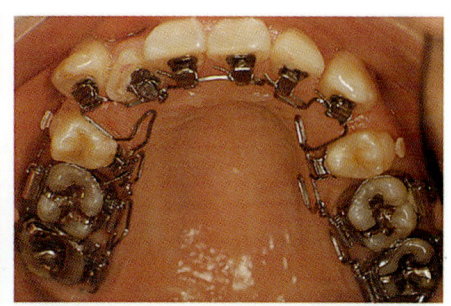

図14-1 前歯部舌側歯肉の腫脹.
図14-2 複雑なアーチ形態.

図14-3 | *図14-4*

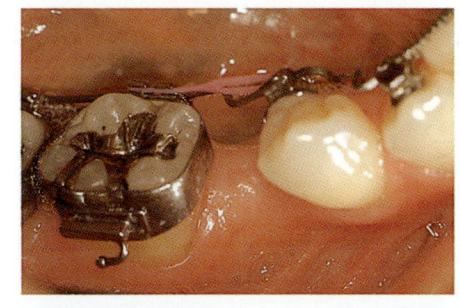

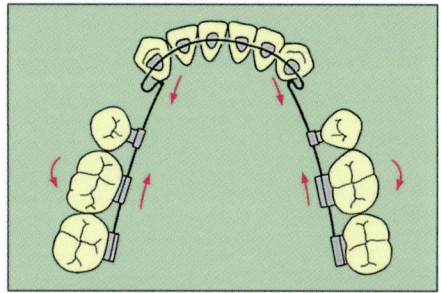

図14-3 下顎第一大臼歯の近心頬側根歯頸部に認められた歯肉退縮.
図14-4 大臼歯の遠心への回転.

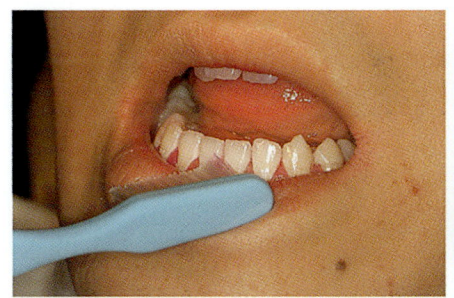

図14-5 装置装着前のT.B.I.患者自身が実践するプラークコントロールを目的とする.

図14-6 フッ素化合物.

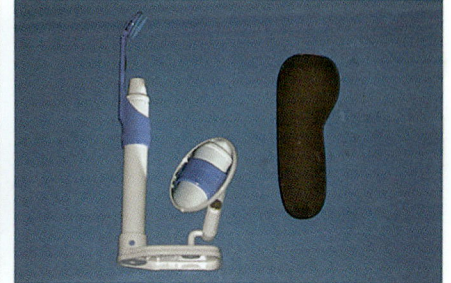

図14-7 舌側の口腔内確認のためのミラー.

(2) 装置装着時のT.B.I.

この段階では，次の目的でT.B.I.を行う．
①舌側矯正装置装着後の口腔内の認識．
②ブラッシングテクニックの向上と内容．
　a．再度の患者への動機づけ（モチベーション）．
　b．フッ素化合物（図14-6）の説明．
　c．ブラッシング指導．

装置について顎模型上で説明した後，患者に舌や指で自分自身の装置を触ってもらい，装置の形やどこにプラークが停滞しやすいかを確認してもらう（図14-7）．フッ素化合物はとくに，齲蝕罹患率の高い患者には強制的に使用させる．ブラッシング指導については，装置が入ったことによって今までどおりの磨きかたや，歯ブラシだけではプラークが除去できないことを説明して，新しい磨きかたを指導する．新しい磨きかたは，歯を4分割し，各部位に合った器具を使用する（図14-8～14）．

臼歯部の磨きづらいところには，エンドタフト（図14-15），また叢生の度合いが強い部位には，フロススレッダーを使ってフロスをしてもらう（図14-16）．ブラッシング指導のときには，患者が部位を直視できないので，感覚で覚えてもらうことも重要になってくる．歯ブラシの正しい位置と動かしかたを感覚で覚えてもらう（図14-17, 18）．初診時のT.B.I.でブラッシングテクニックは向上しているので，装置装着後の状態でも器用にブラッシングできる患者が多いようである．上

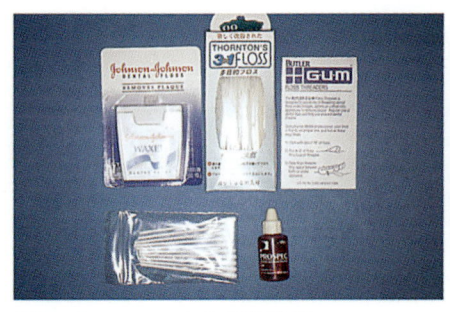

Chapter 14　舌側矯正における歯周疾患と口腔衛生指導

図14-8　フロスおよび染出液．

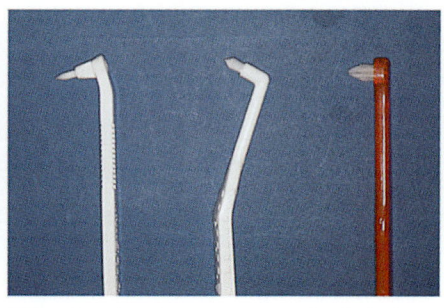

図14-9　インタースペースブラシおよびエンドタフト．

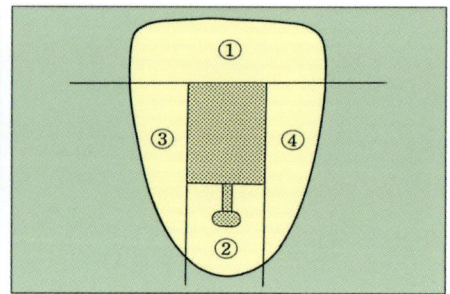

図14-10　歯を4分割し，各部位に適合した器具を用いる．

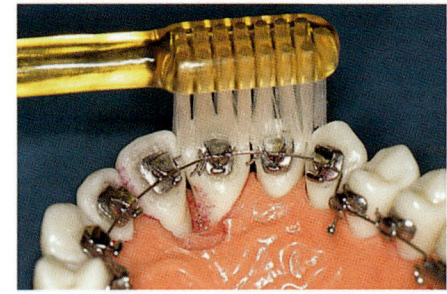

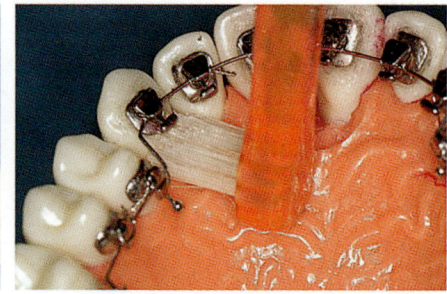

図14-11｜図14-12

図14-11　①の部分は歯ブラシの毛束を歯冠側から歯肉側へワイヤーに入れ込むようにして磨く．
図14-12　②の部分はエンドタフトを用い，歯肉側から歯冠側へ毛先を向け磨く．

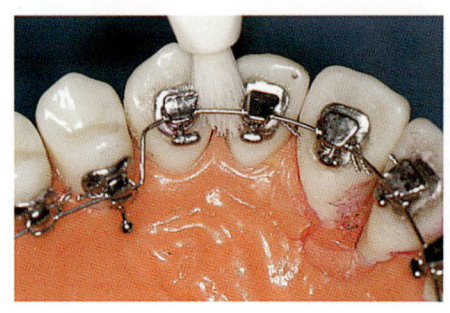

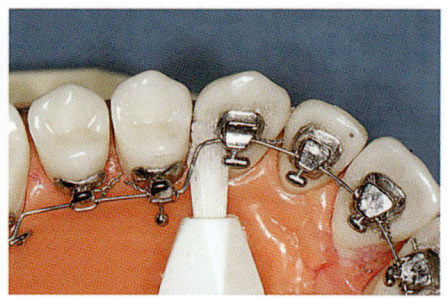

図14-13｜図14-14

図14-13,14　③，④の部分は，インタースペースブラシを使い歯冠側から歯肉側，歯肉側から歯冠側と2方向から磨く．

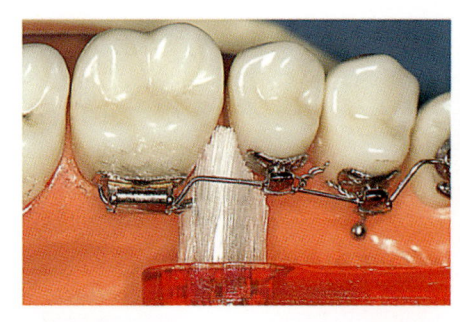

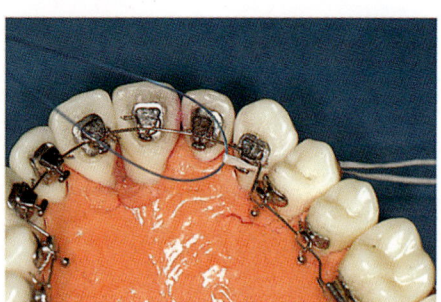

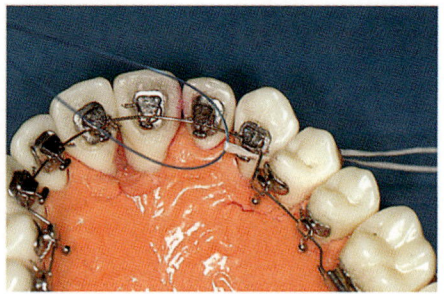

図14-15｜図14-16

図14-15　エンドタフトによる臼歯部のブラッシング．
図14-16　フロスを用いた歯間清掃．

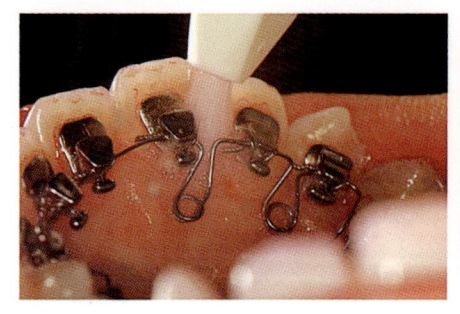

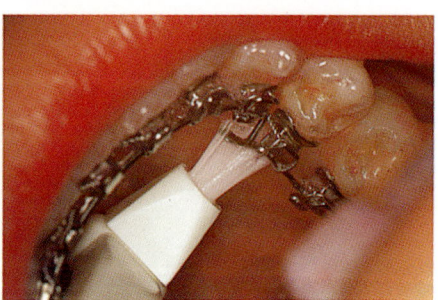

図14-17｜図14-18

図14-17　ループと歯肉の間の清掃．歯冠側と歯肉側の両方向から行う．
図14-18　歯肉側からのループ下面の清掃．

108

手にできない患者には歯垢顕示薬を渡して，自宅で練習してもらう．

(3) 来院ごとのアドバイス

来院ごとには，歯垢顕示薬による染色をし，磨けていない部位の指摘，歯ブラシ補助器具の使いかたのチェック，口腔内のチェックを行う．またアーチワイヤーセット後の口腔内も必ずチェックしてもらう．とくに，ループ，エラスティック，コイルなどの磨きにくい場所は，磨きかたのアドバイスをする．

舌側矯正治療患者のT.B.I.で重要と思われる事項には次の3つがある．

①装置装着前のプラークコントロールおよびモチベーション．
②舌側矯正装着後のブラッシング指導．
③舌側装置についての理解と口腔内環境の認識．

Chapter 15

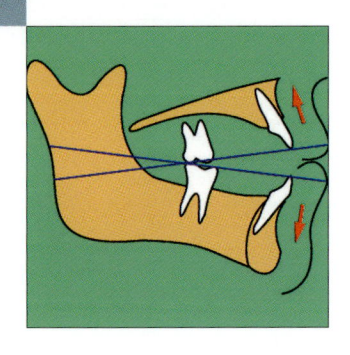

咬合平面と舌側矯正

1）咬合平面の定義

　一般に咬合平面は，上下顎第一大臼歯咬頭頂の中点と上下顎中切歯の中点を結んだ平面と定義される．（Downs, Steiner）
しかし，実際には上顎と下顎の2本の咬合平面が協調して機能している．
したがって，咬合平面は上下顎別々に設定すべきである．（Kim）

　この定義のために用いられる咬合平面は上・下顎各々の第一大臼歯の近心頬側咬頭と前歯切端を結んで得られる．開咬（Open bite）の状態とは，上下顎各々の咬合平面が前方位で重なり合わない状態を示し，過蓋咬合（Deep bite）はそれが過度に重なり合う状態を示す．

　上顎中切歯のlip lineに対する相対的位置関係は，セファロ上での正常値である4mm前後の範囲にある．（Kim）

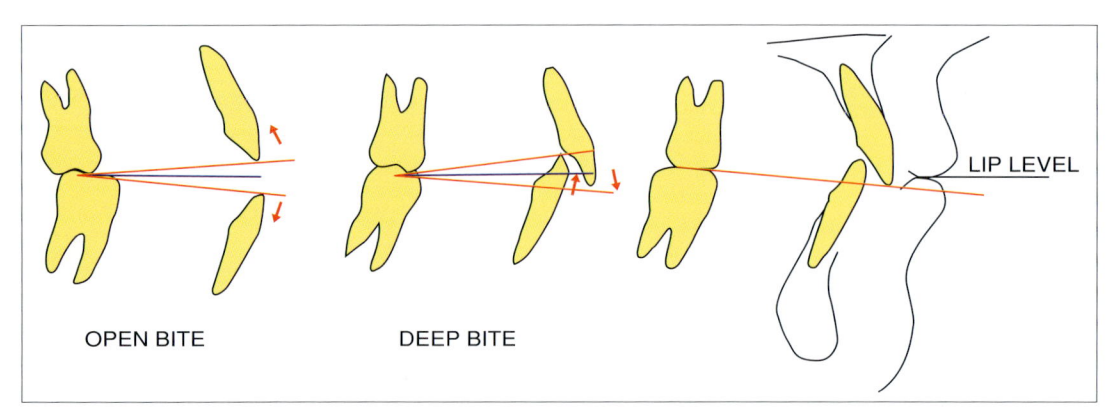

図15-1 Kim, Young H.: Anterior Openbite and its Treatment with Multiloop Edgewise Archwire, The Angle Ortho. October, 1987, 290〜321より引用

2）咬合平面を基準とした開咬症例の分類

開咬（Open Bite）の症例は咬合平面を基準として，基本的に3種類に分類される．咬合平面については，上顎と下顎の2本の咬合平面が強調して機能している分けであるから咬合平面は上下顎別々に設定すべきである．（Kim）

咬合平面を基準とすると，開咬（Open bite）の症例は基本的に3つの種類に分類される．

- （A）上顎咬合平面の位置，傾斜に問題がある症例
- （B）下顎咬合平面の位置，傾斜に問題がある症例
- （C）上下顎両方咬合平面の位置，傾斜に問題がある症例

各々の分類に該当すると思われる3症例を以下に示す．

（A）上顎咬合平面の位置，傾斜に主な問題がある症例

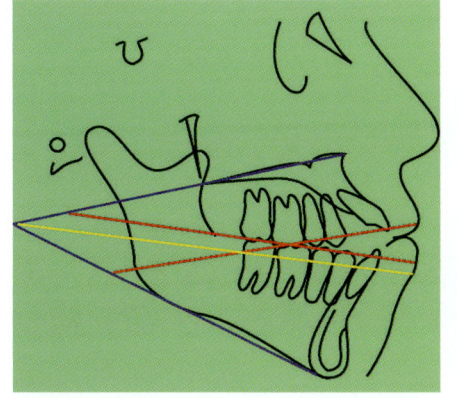

図15-2

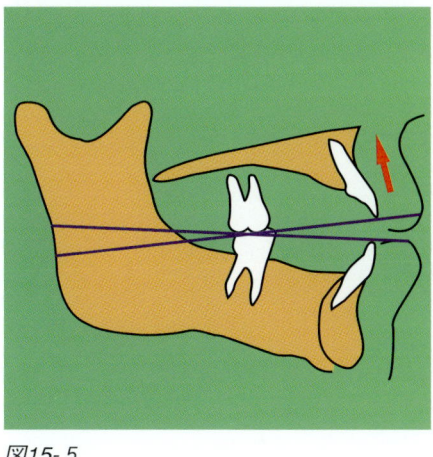

図15-5

（B）下顎咬合平面の位置，傾斜に主な問題がある症例

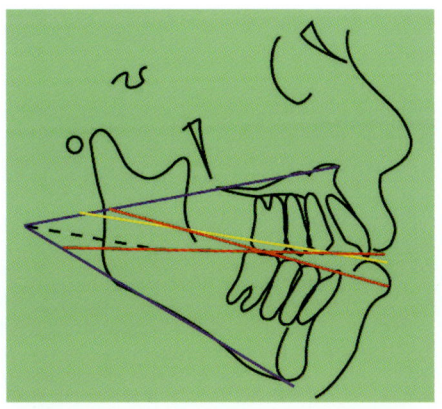

図15-3

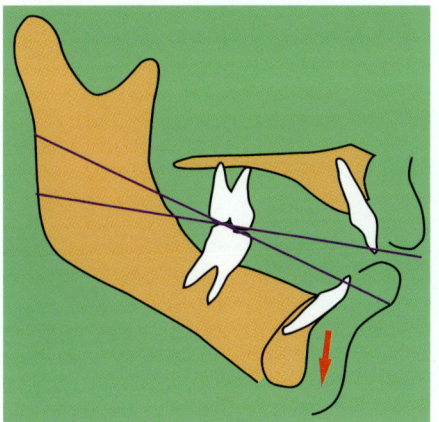

図15-6

（C）上下顎両方咬合平面の位置，傾斜に主な問題がある症例

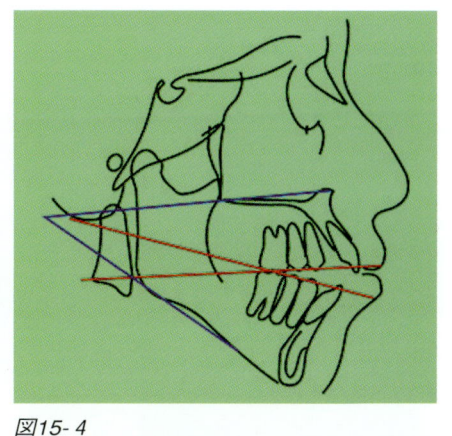

図15-4

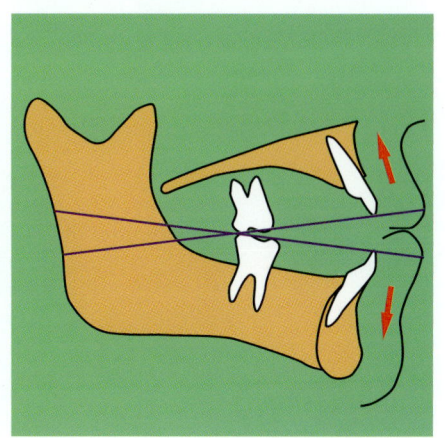

図15-7

Chapter 15 咬合平面と舌側矯正

A）上顎咬合平面の位置，傾斜に問題がある症例

症例A（図15-8〜52）

患者：23歳1か月，男性
主訴：前歯部開咬および前突
治療方針：$\frac{4}{6}|\frac{5}{6}$ 抜歯，上下第1小臼歯が一般的ではあるが，下顎右側第1大臼歯が歯冠崩壊および下顎左側第1大臼歯，上顎左側第2小臼歯の保存状態が不良のため，これを抜歯．
使用装置：Kurzタイプブラケット

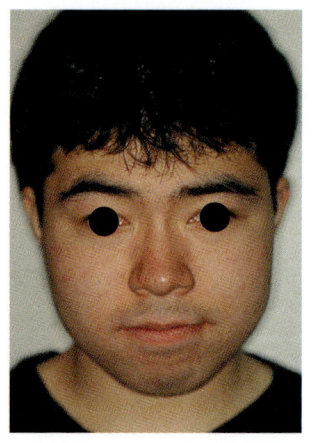

図15-8 初診時，顔面正面観．23歳1か月の男性．

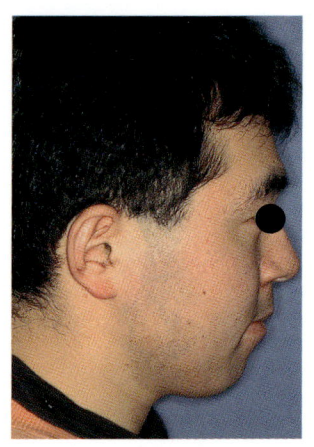

図15-9 顔面側面観．

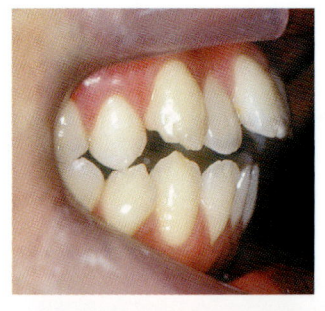

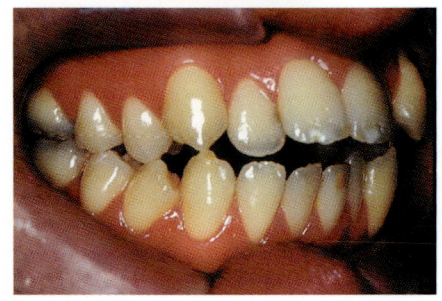

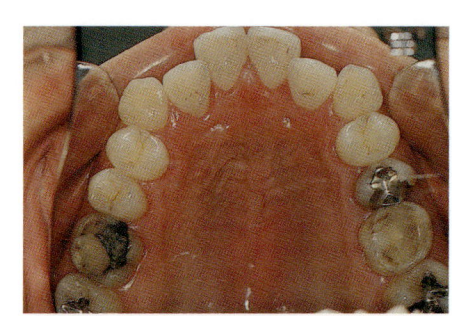

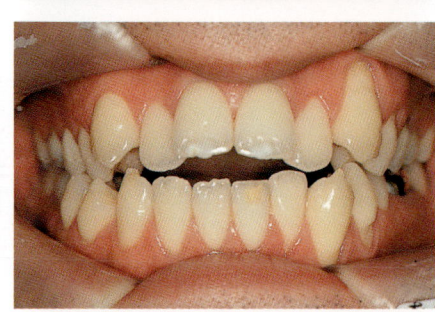

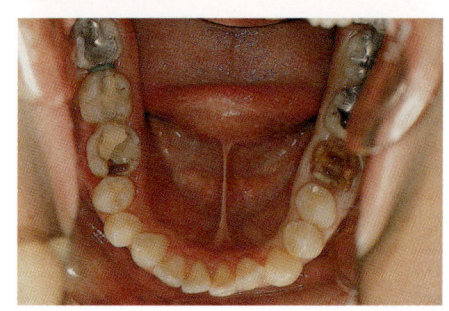

図15-10｜図15-11
図15-12｜図15-13｜図15-14
　　　　｜図15-15｜

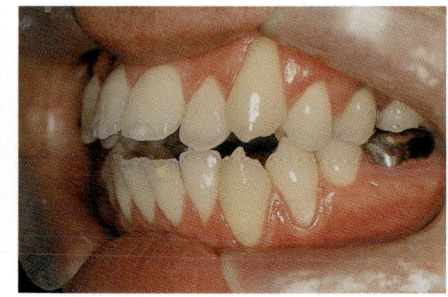

図15-11〜15 初診時口腔内所見．

症例A

図15-16｜図15-17

図15-16　顔面のタイプは，ドリゴフェイシャルタイプで骨格性開咬である．（FMA=35.4°，O.D.I=58.2）

図15-17　上顎は前方位をとる．（SNA＝87.0°）上下顎前歯は唇側傾斜し前突している．（U1-SN=128.0°　L1-MP＝95.0°）

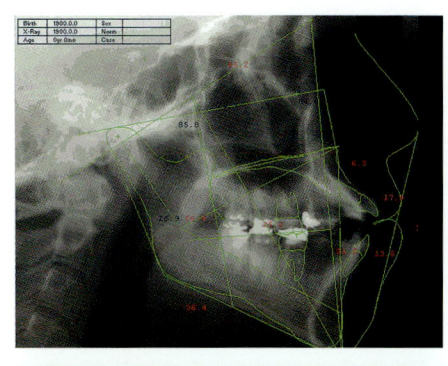

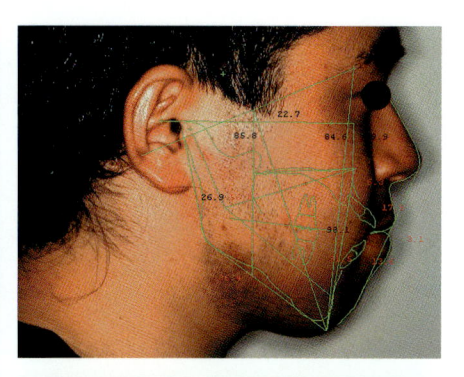

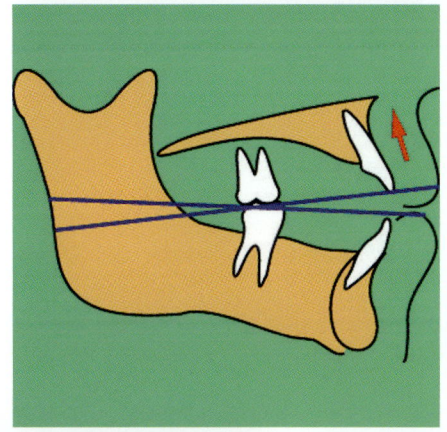

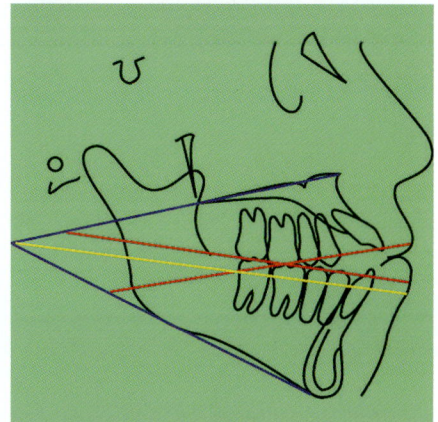

図15-18｜図15-19

図15-18,19　上顎中切歯のLipLineに対する相対的な位置関係はセファロ上での正常値では4mm前後の範囲にある．（KIM）この症例では上顎咬合平面が反時計回りに強く傾斜しているためこの症例では主に上顎咬合平面の位置傾斜に問題がある．上顎機能的咬合面の改善が必要である．

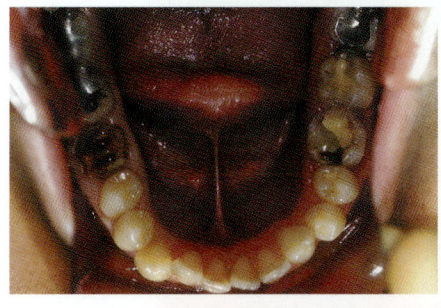

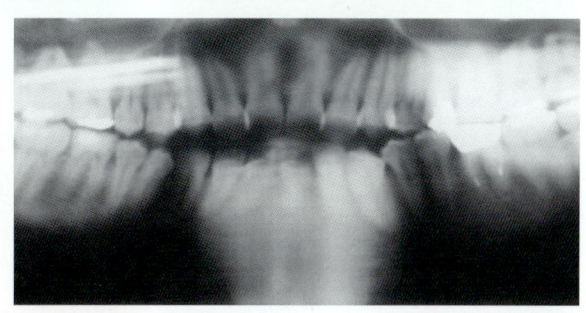

図15-20｜図15-21

図15-20,21　下顎第一臼歯の保存状態の不良．パントモX線写真．

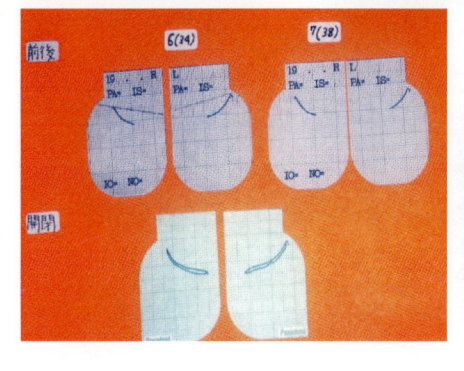

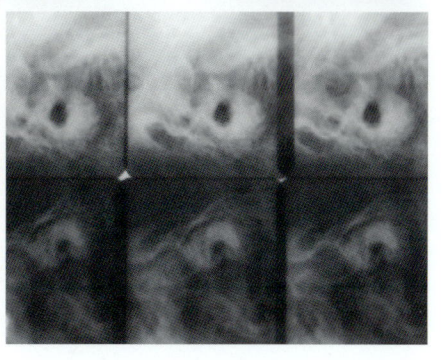

図15-22｜図15-23

図15-22,23　顆頭運動のレコーディング及び顎関節規格X線写真（モンジーニ）運動の制限及び顆頭の変形（扁平低）が認められる．

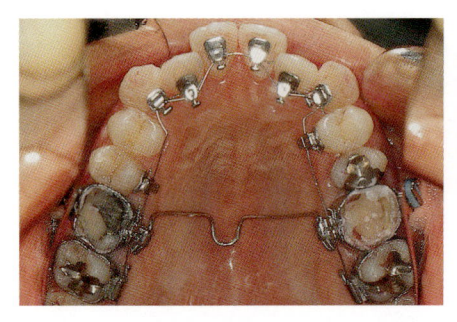

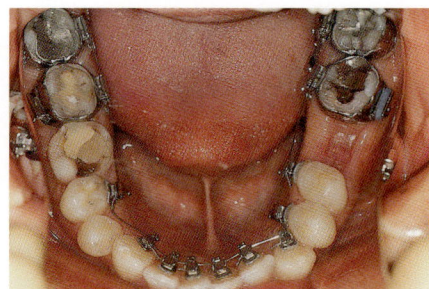

Chapter 15　咬合平面と舌側矯正

図15-24｜図15-25
図15-26｜図15-27

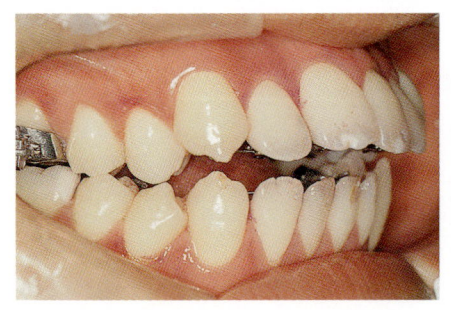

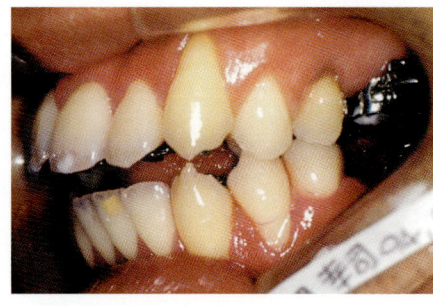

図15-24〜27　レベリング（アライメント）．
.014″　NI-TI．下顎左側大臼歯抜歯．

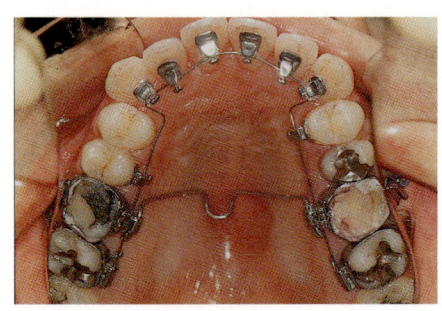

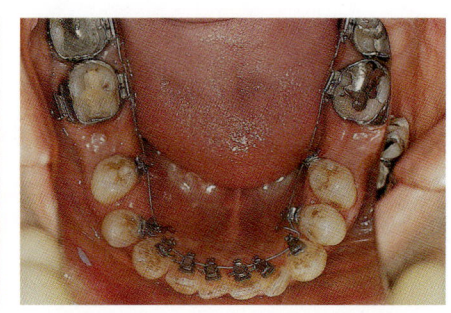

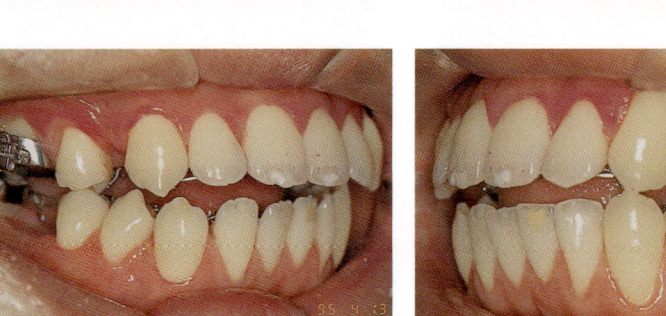

図15-28｜図15-29

図15-28,29　レベリング．.016″ NI-TI．

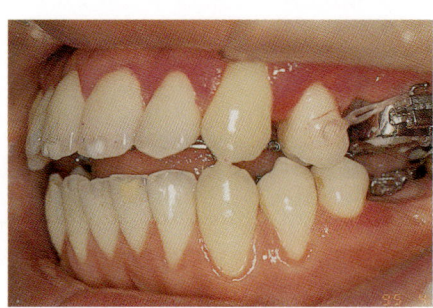

図15-30｜図15-31

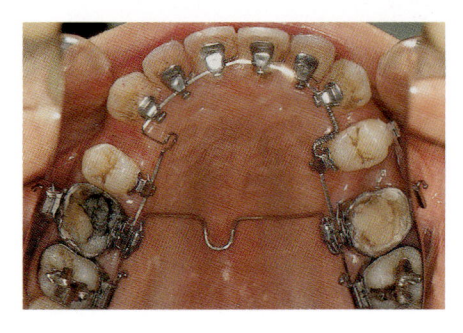

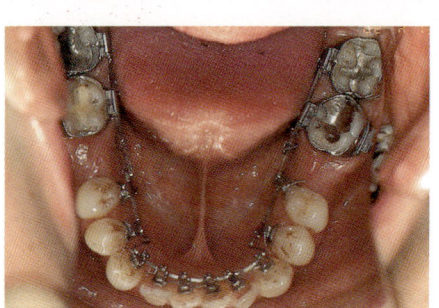

図15-32｜図15-33

図15-32,33　PRE-TORQUEおよび左側第1小臼歯遠心移動．.017″×.025″ TMA．

114

症例A

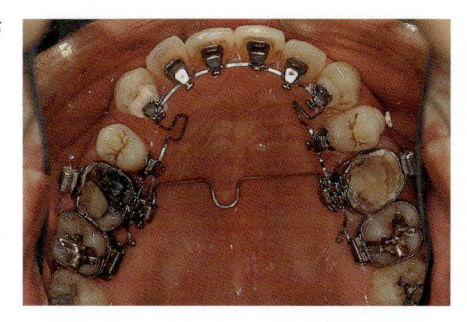

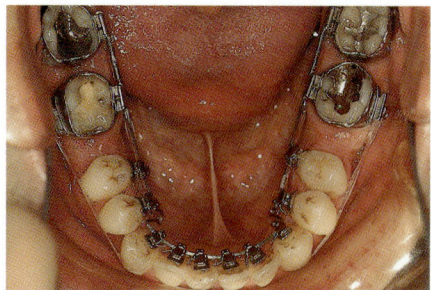

図15-34,35　前歯部舌側移動（3+3）．上下 .017″×.025″ TMA．下顎第2大臼歯近心移動．

図15-34 | 図15-35

図15-36 | 図15-37

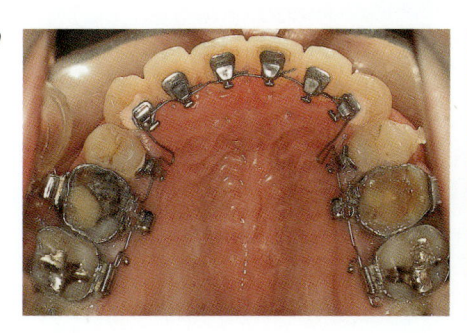

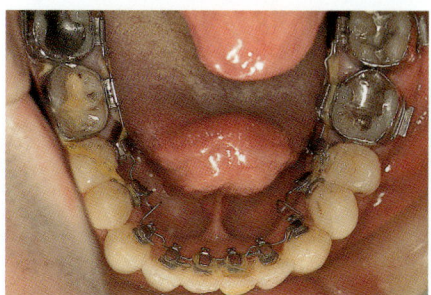

図15-38,39　ディテーリング．.014″ S.S.

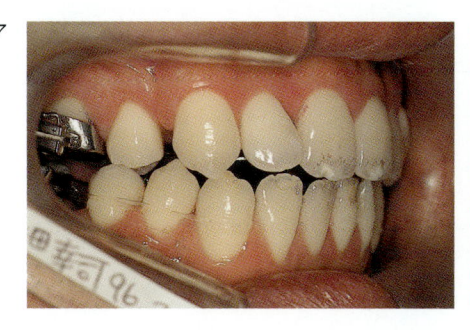

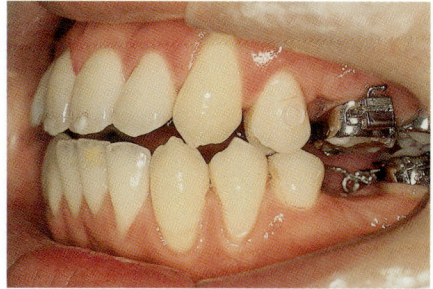

図15-38 | 図15-39

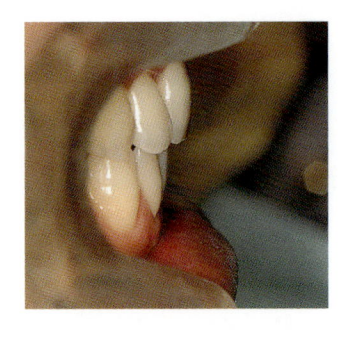

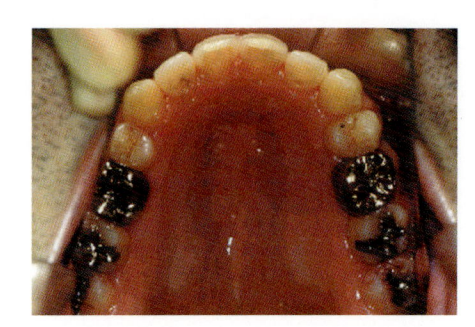

Chapter 15 咬合平面と舌側矯正

図15-40 | 図15-41
図15-42 | 図15-43 | 図15-44
図15-45

図15-40〜45 完了時．口腔内．

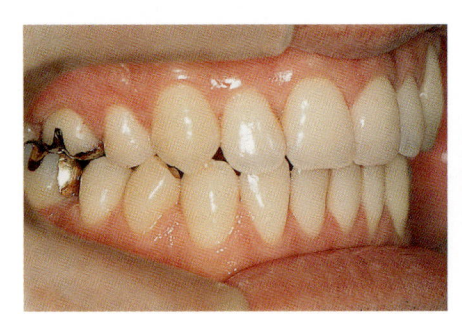

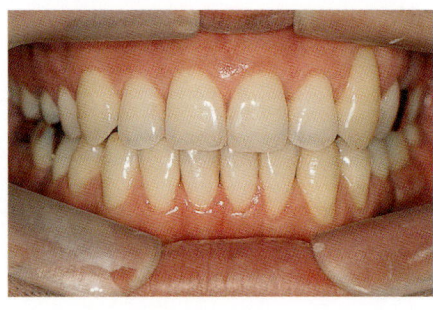

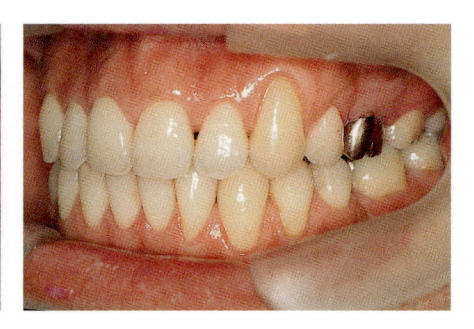

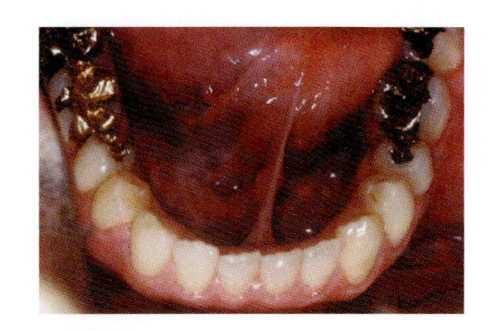

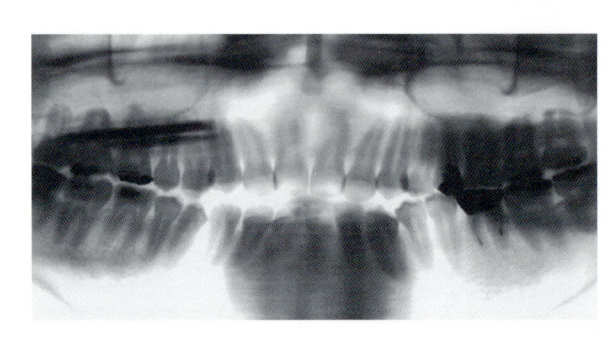

図15-46 口腔内パントモレントゲン写真．治療前．

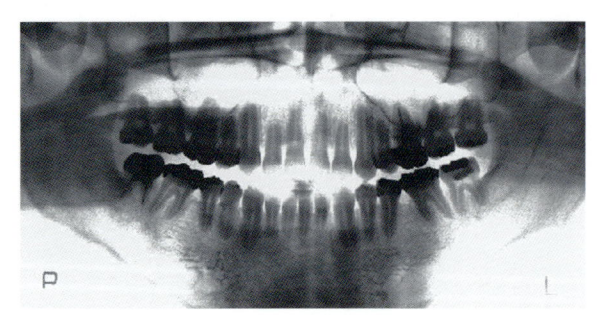

図15-47 治療後の口腔内パントモレントゲン写真．治療後．

症例A

◀図15-48

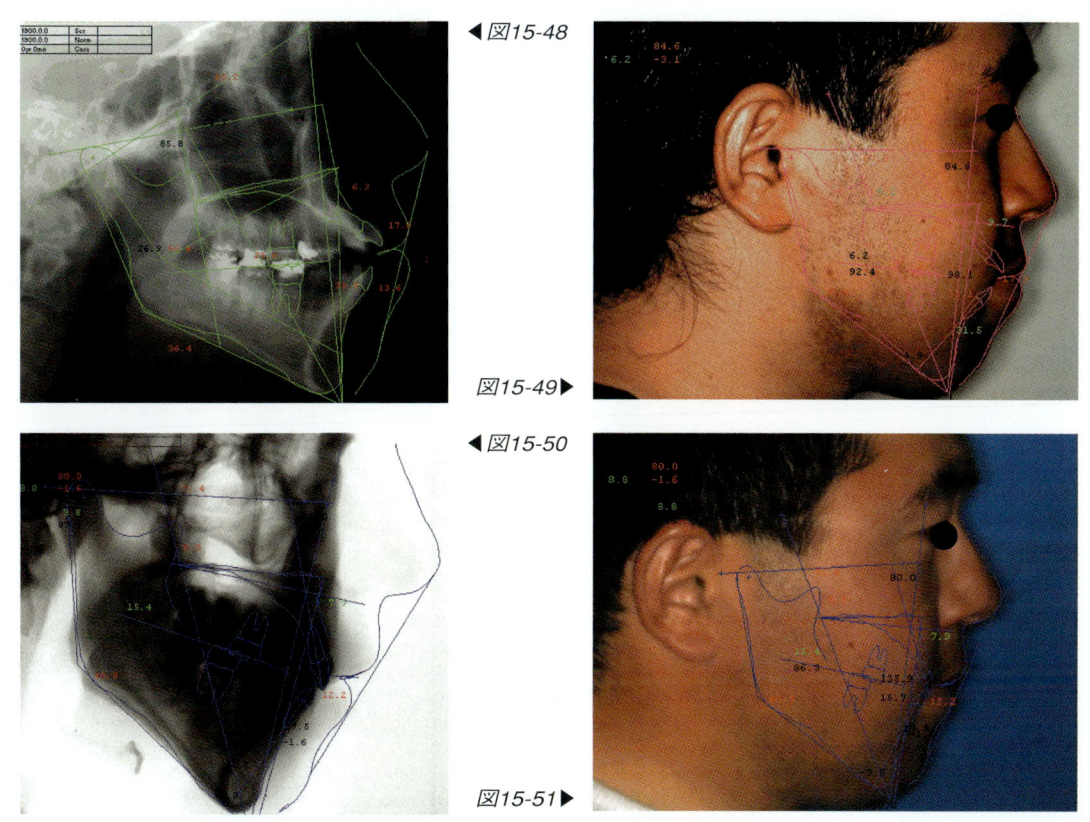

図15-49▶

◀図15-50

図15-51▶

図15-48〜51　頭部X線規格写真の前後比較.

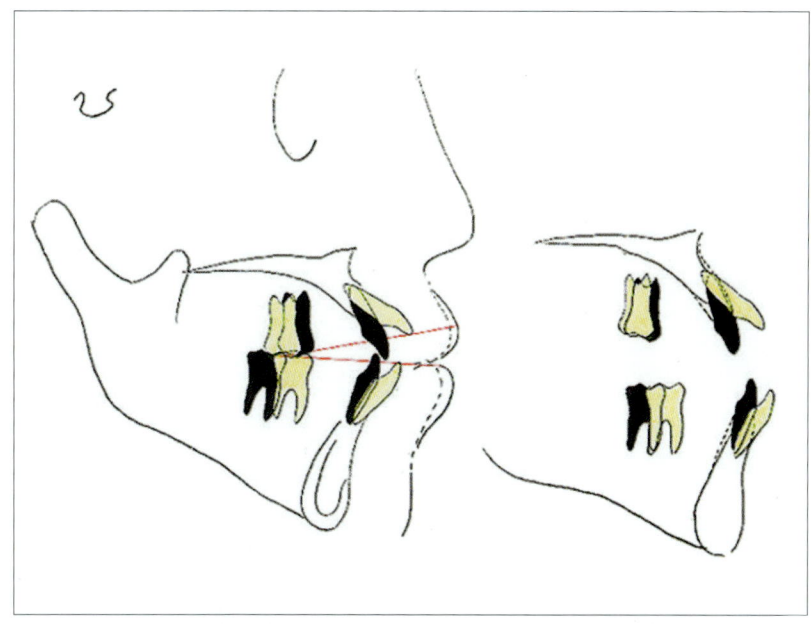

図15-52　治療前後の重ね合わせ．主に上顎の咬合平面の位置が改善され，上下の咬合平面は調和している．

Chapter 15 咬合平面と舌側矯正

B）下顎咬合平面の位置、傾斜に問題がある症例

症例B（図15-53〜89）

患者：33歳3か月，女性
主訴：前歯部叢生，開咬
治療方針：上顎第1小臼歯（4|4）
　　　　　下顎第2小臼歯抜歯（5|5）
使用装置：Kurzタイプブラケット

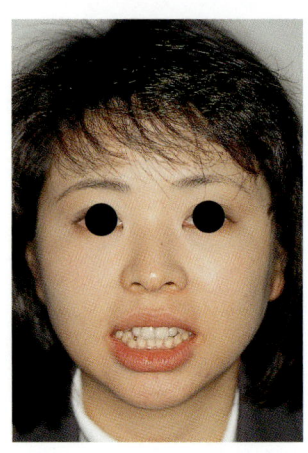

図15-53 初診時，顔面正面観．33歳3か月の女性

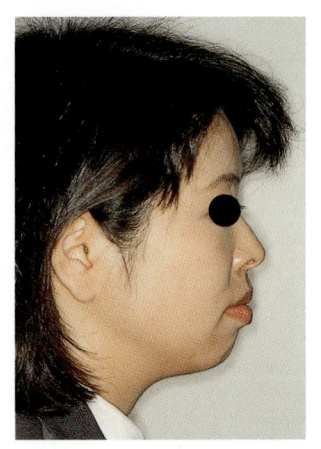

図15-54 顔側面観．

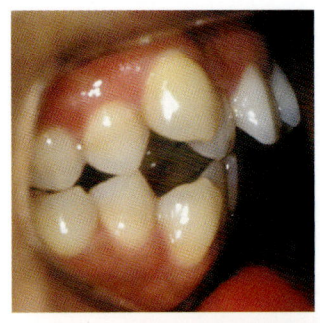

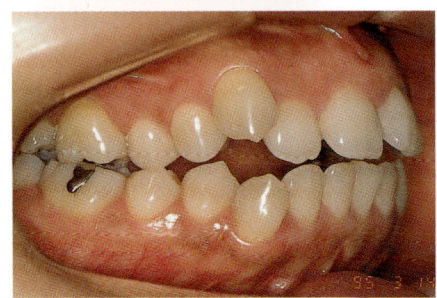

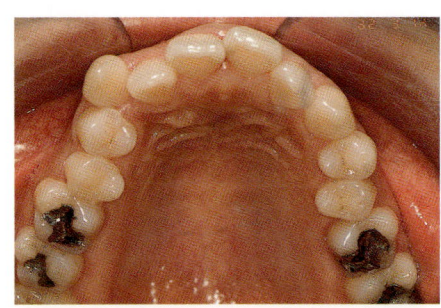

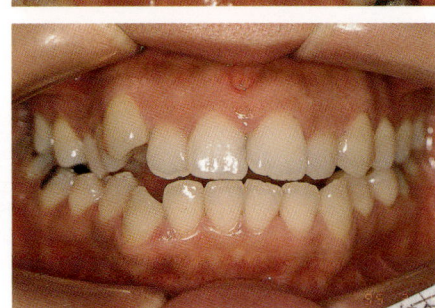

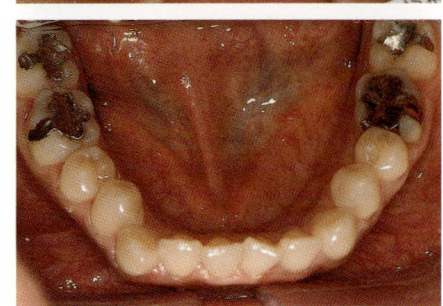

図15-55	図15-56	
図15-57	図15-58	図15-59
	図15-60	

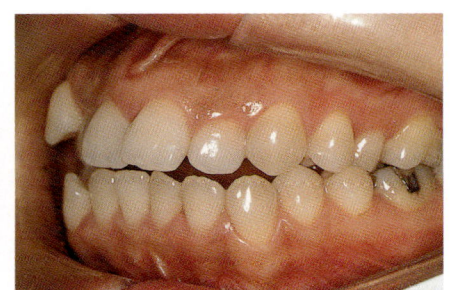

図15-55〜60 大臼歯上顎右側アングルⅡ．

118

症例B

図15-61｜図15-62

図15-61,62 顔面タイプはドリュフェイシャルタイプ（GoGn to SN=41.5）．上顎が前方位をとり（SNA=84.0），上下顎前後位置の差が大き（ANB=9.0）．下顎前歯は唇側傾斜している（L1 to NB=10.0mm，37.0）．A.P.D.I＝70.4でアングルⅡ級タイプ．O.D.I＝68.2でOpenBite傾斜を示す．

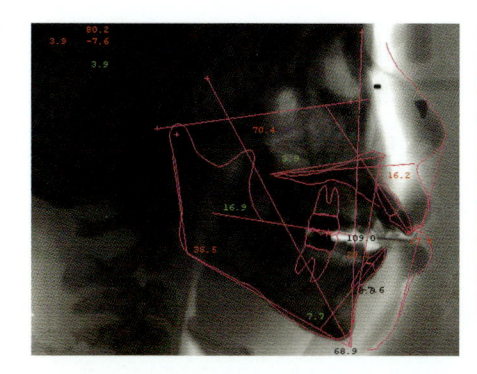

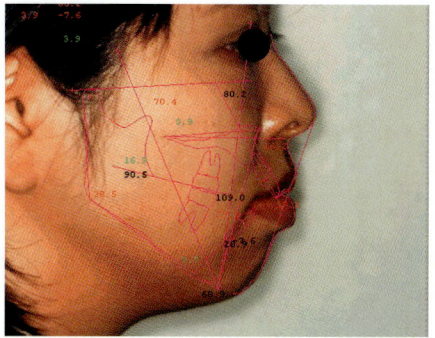

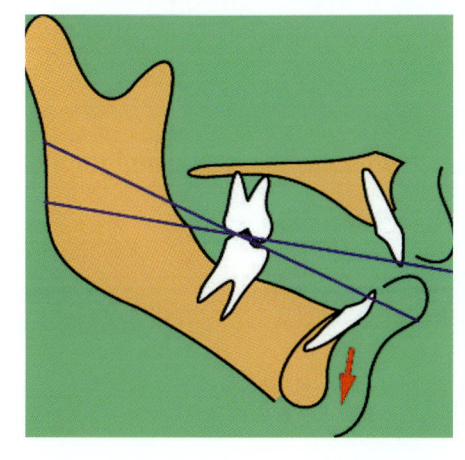

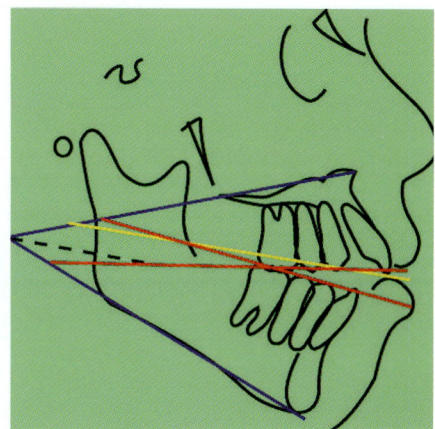

図15-63｜図15-64

図15-63,64 上，下顎の咬合平面をそれぞれ設定してみると，上顎前歯を上唇との位置関係は正常である．下顎の咬合平面は近心方向に強く，傾斜していて，この症例では下顎咬合平面に主な問題点があると思われる．

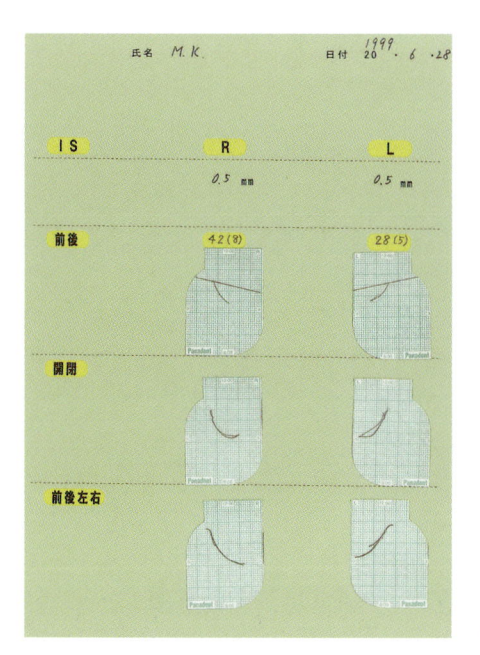

図15-66 初診時パントモレントゲン写真．

図15-65 初診時顎関節レコーディング．

119

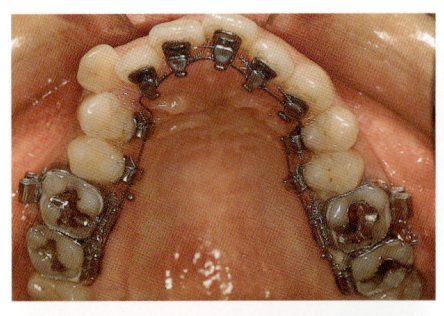

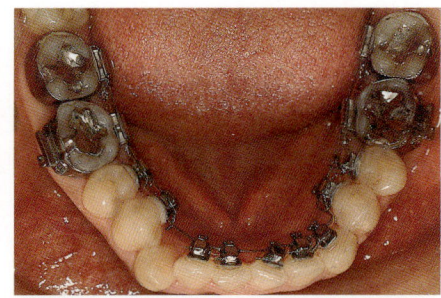

Chapter 15 咬合平面と舌側矯正

図15-67 | 図15-68
図15-69 | 図15-70

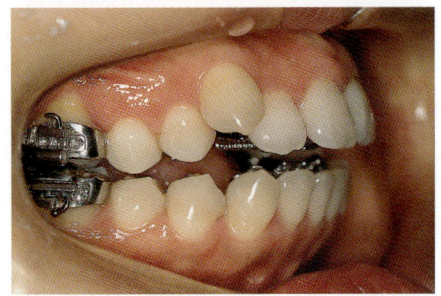

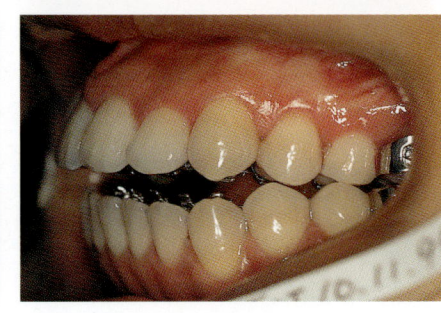

図15-67〜70 上下顎レベリング．.014″〜.016″ NI-TI.

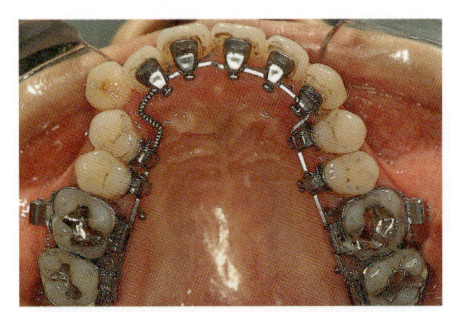

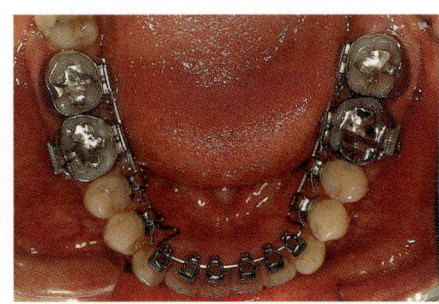

図15-71 | 図15-72

図15-71,72 レベリングがほぼ完了し，歯牙が整直された状態．上顎.017″×.025″ TMA．下顎.016″×.022″ S.S.

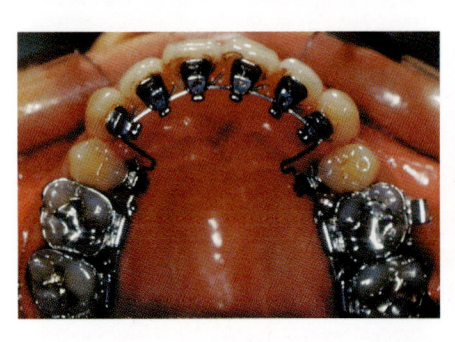

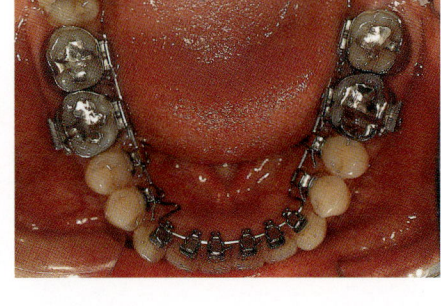

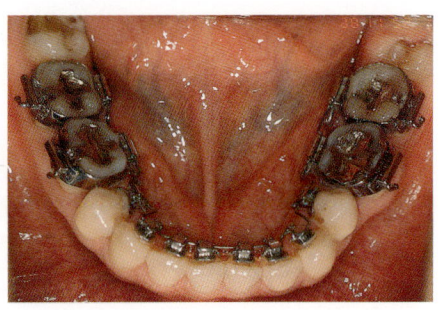

図15-73 | 図15-74

図15-73,74 上下顎空隙閉鎖がほぼ完了した状態．

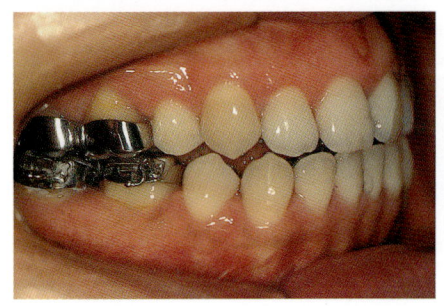

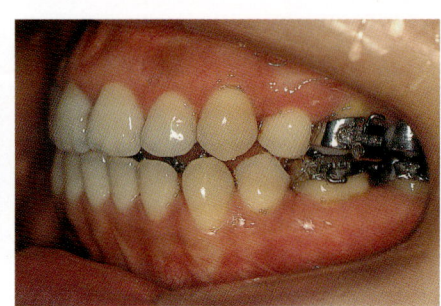

図15-75 | 図15-76

症例B

図15-77	図15-78
図15-79	図15-80	図15-81
図15-82

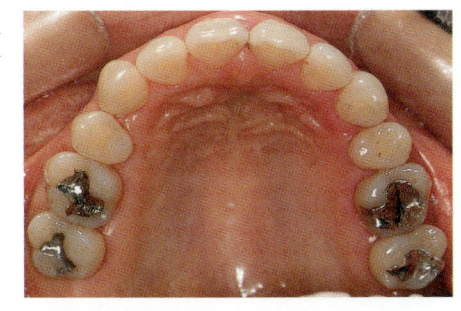

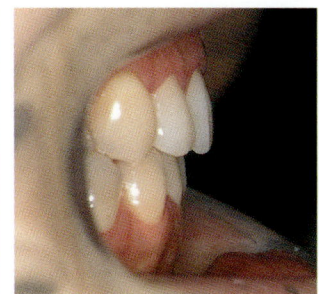

図15-77〜82　完了時の口腔内写真.

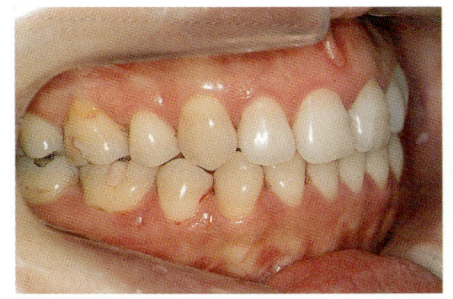

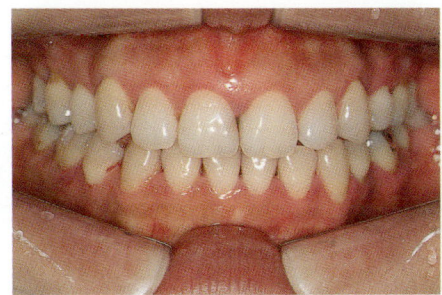

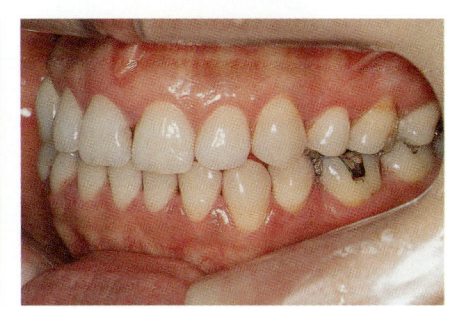

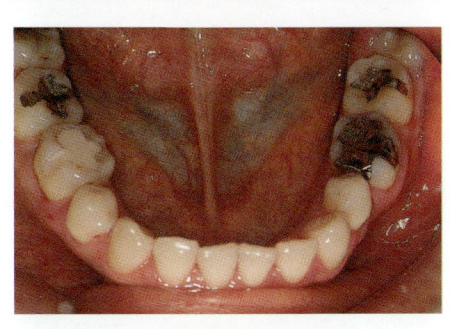

図15-83	図15-84
図15-85	図15-86

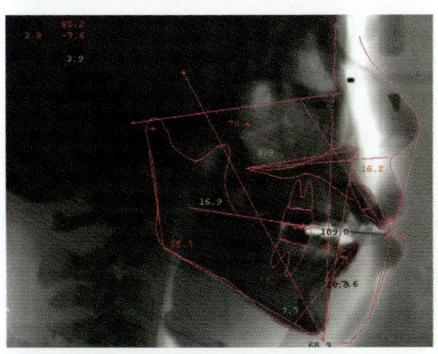

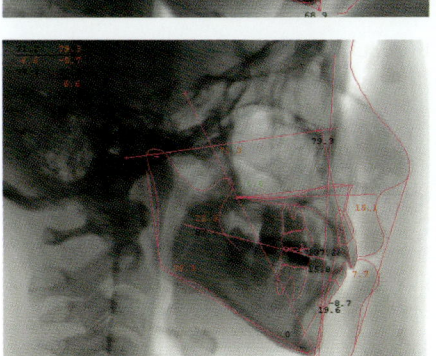

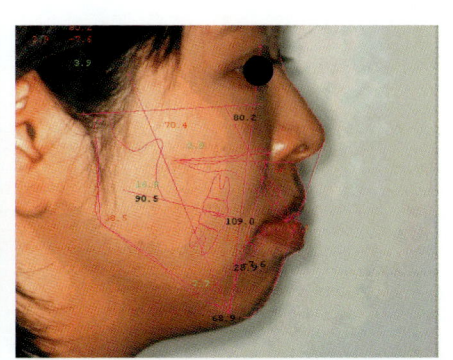

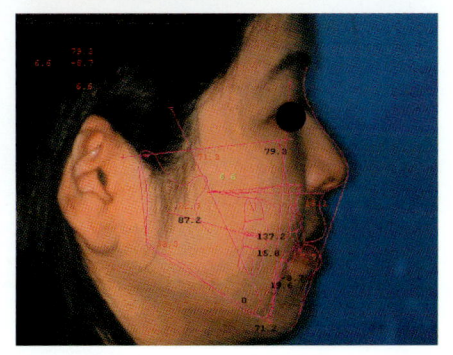

図15-83〜86　治療後の頭部X線規格写真で顔面写真との重ね合わせ.

121

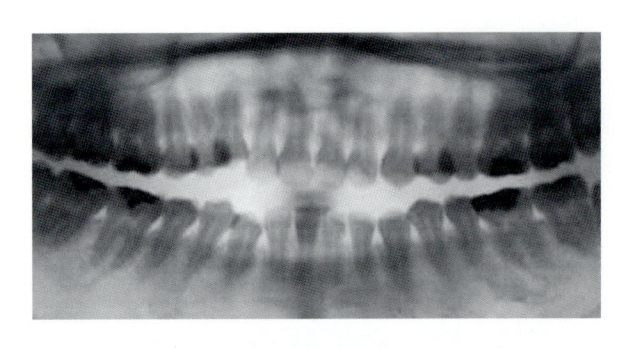

Chapter 15 咬合平面と舌側矯正

図15-87 治療前の口腔内レントゲン写真.

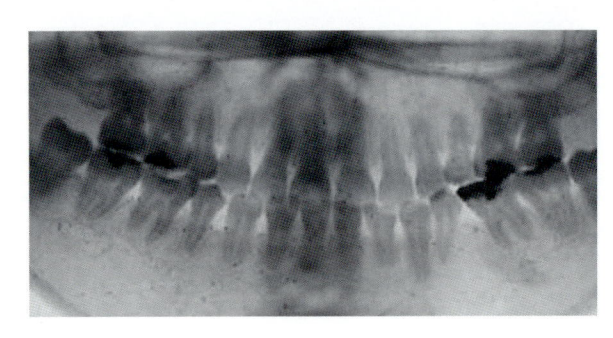

図15-88 治療後の口腔内レントゲン写真. 治療前後の比較. 上下咬合平面の調和がみられる.

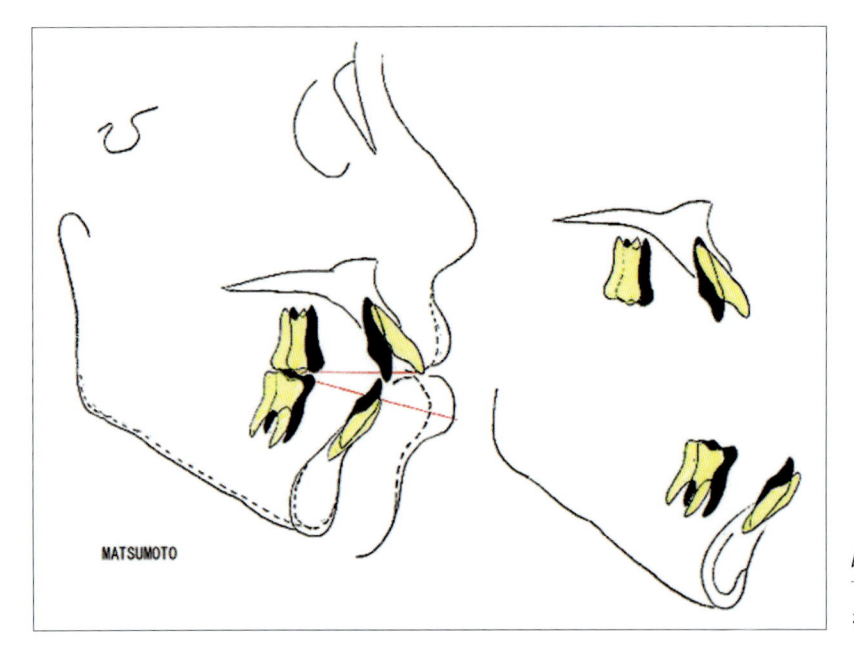

図15-89 治療前後のトレース重ね合わせ. 下顎咬合平面の変化(スピー・カーブの調整)が主な咬合改善の要因と思われる.

C) 上下顎両方咬合平面の位置、傾斜に問題がある症例

症例C（図15-90〜148）

患者：28歳9か月，女性
主訴：前歯部開咬
治療方針：上顎第2臼歯．下顎右側第2小臼歯抜歯，および下顎左側大臼歯へのヘミセクション近心根部のダミーの除去．

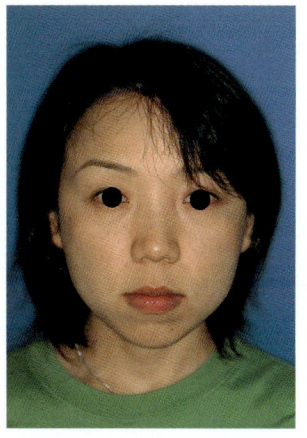

図15-90 初診時，顔面正面観．28歳9か月の女性．

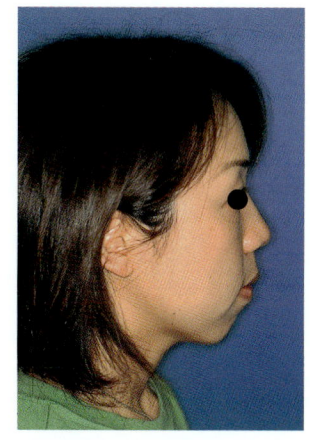

図15-91 顔面側面観．

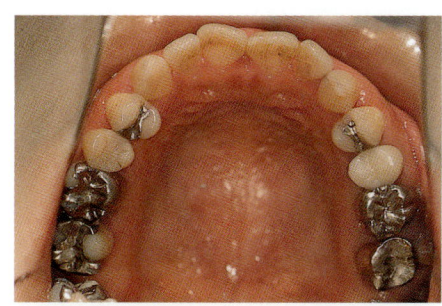

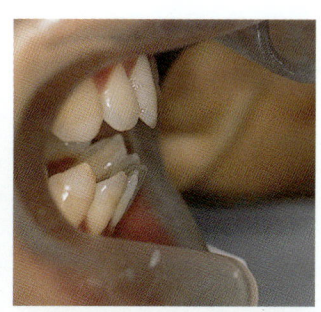

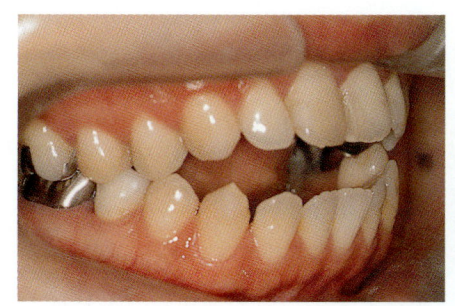

	図15-92	図15-93
図15-94	図15-95	図15-96
	図15-97	

図15-92〜97 大臼歯上顎右側アングルⅡ．

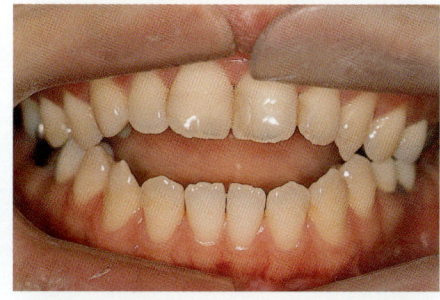

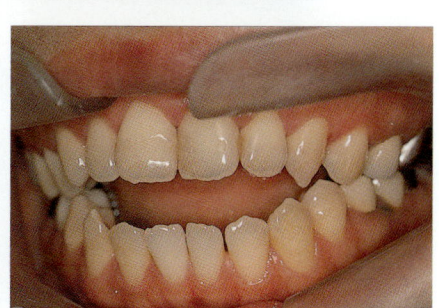

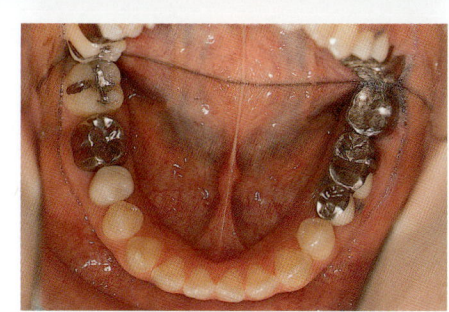

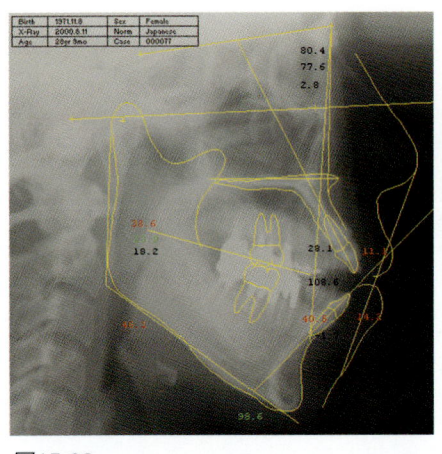

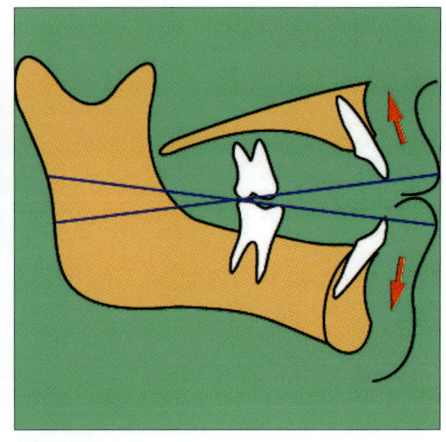

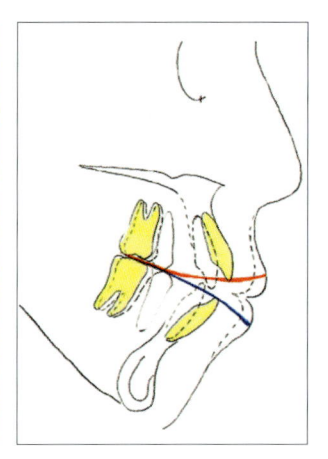

Chapter 15 咬合平面と舌側矯正

図15-98

図15-99

図15-100

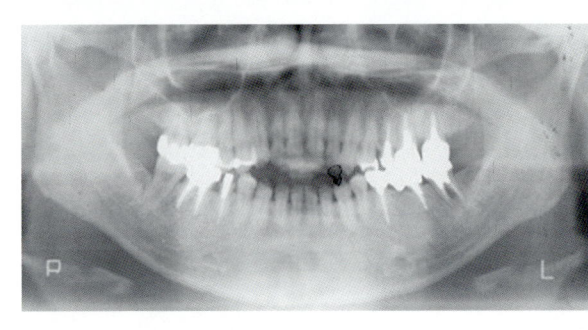

図15-101

図15-98〜101　顔面タイプはドリコ・フェイシャルタイプ．
骨格性開咬症例（O.D.I.＝77.1°，Go-Gn to SN＝46.2°）．
上下顎前歯は唇側傾斜．
（U1 to NA＝41.5°，L1 to NB＝43.3°）．
上顎咬合平面は強いスピー湾曲，下顎咬合平面はやや遅いスピー湾曲に近い形態を示し前方で開大している．
咬合面からみると上下とも問題のある症例である．

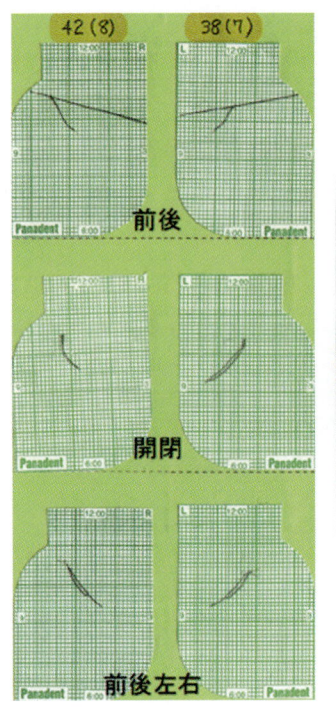

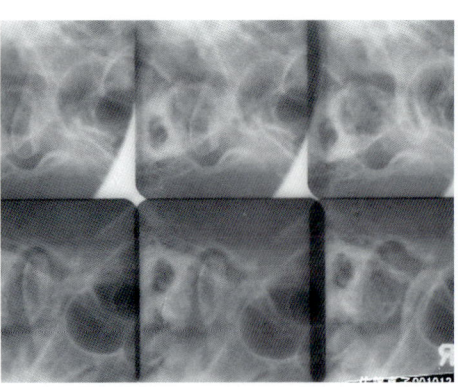

図15-102｜図15-103

図15-102,103　顆頭運動のレコーディングおよび顎関節規格X線写真（モンジーニ）運動経路の長さが短く，運動の制限および顆頭の変形（扁平化）が認められる．

124

症例C

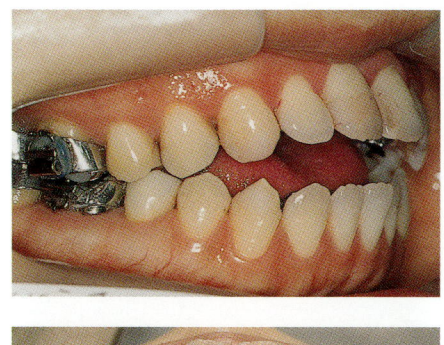

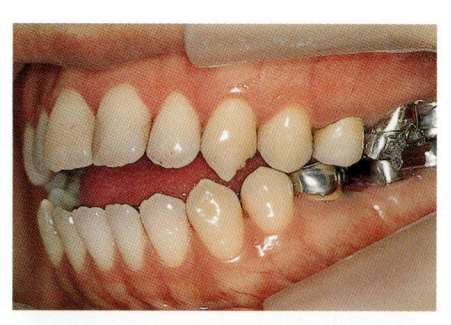

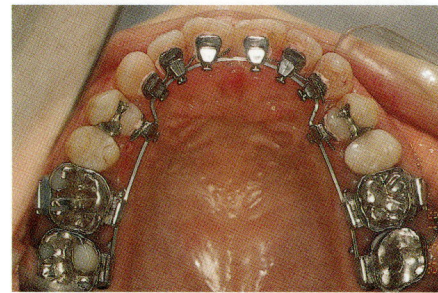

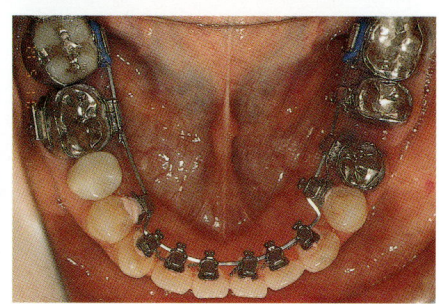

図15-104〜107　レベリング．
.017″×.017″ Copper Bl-TI．

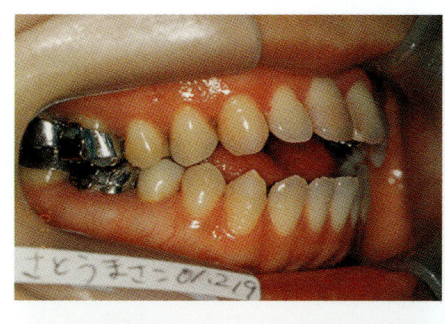

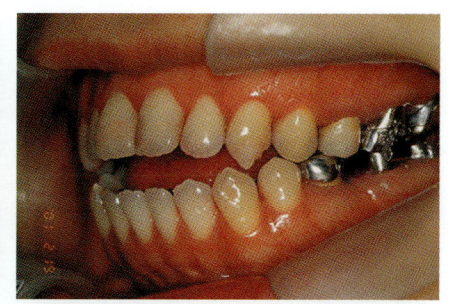

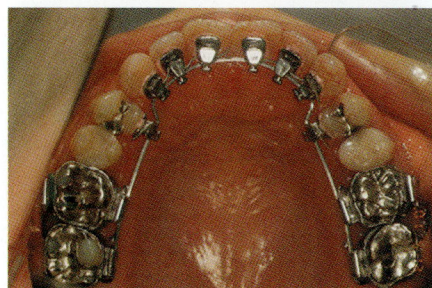

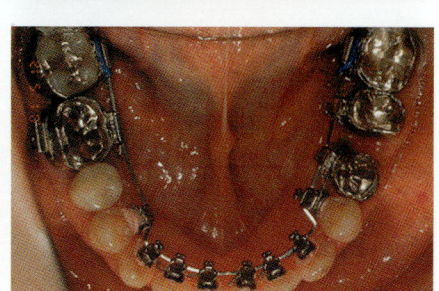

図15-108〜111　PRE-TORQUE．
.017″×.025″ Copper NI-TI．

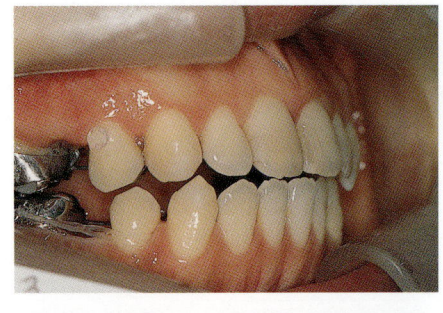

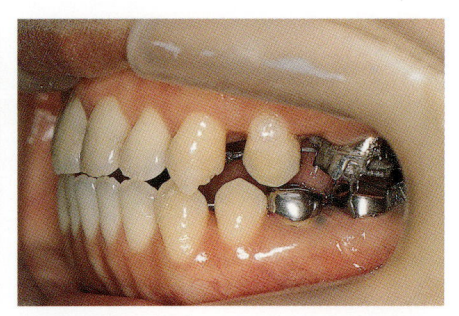

Chapter 15 咬合平面と舌側矯正

図15-112 | 図15-113
図15-114 | 図15-115

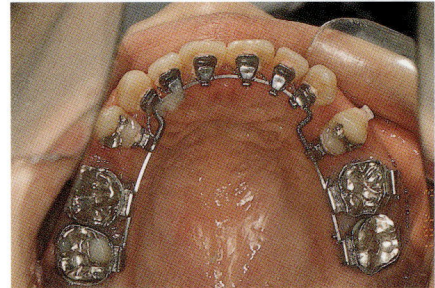

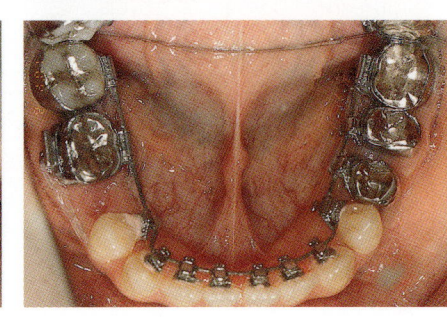

図15-112〜115 上顎前歯舌側移動．
.017″×.025″ TMA．

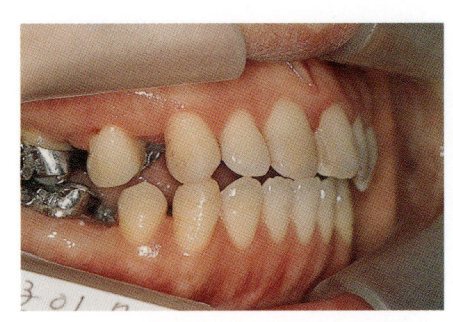

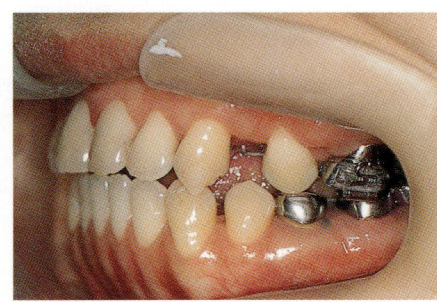

図15-116 | 図15-117
図15-118 | 図15-119

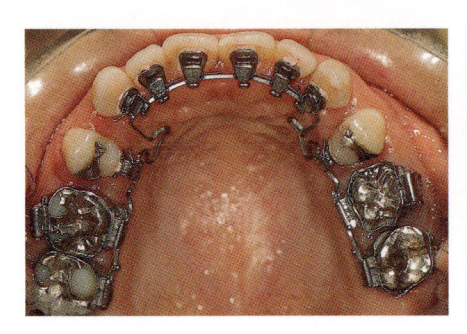

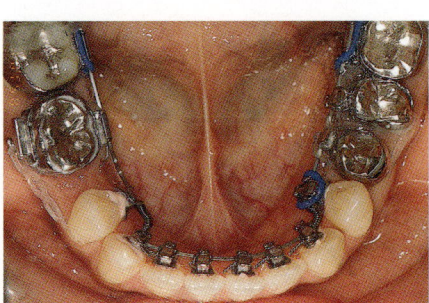

図15-116〜119 上顎両側，下顎右側第1小臼歯および下顎左側第2小臼歯の遠心移動．.017″×.025″ TMA．

症例C

図15-120｜図15-121
図15-122｜図15-123

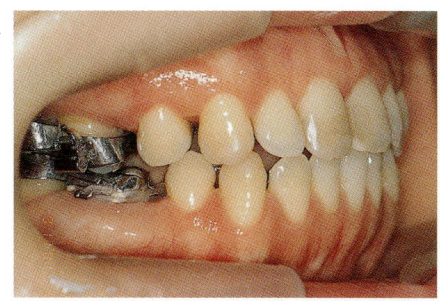

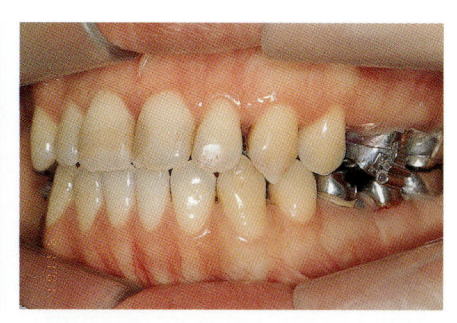

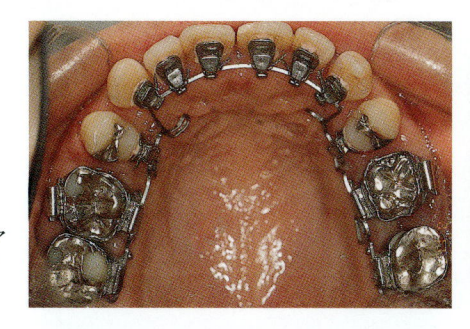

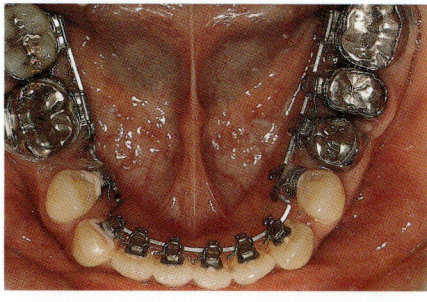

図15-120～123　臼歯部の整直．上顎にマルチループワイヤー使用．.016″×.022″ S.S.

図15-124｜図15-125

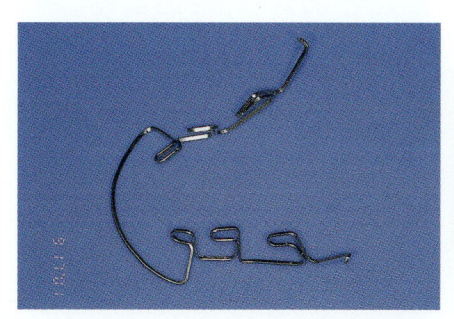

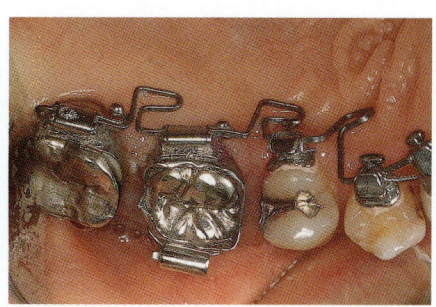

図15-126｜図15-127
図15-128｜図15-129

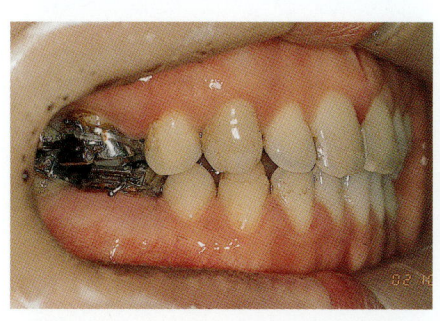

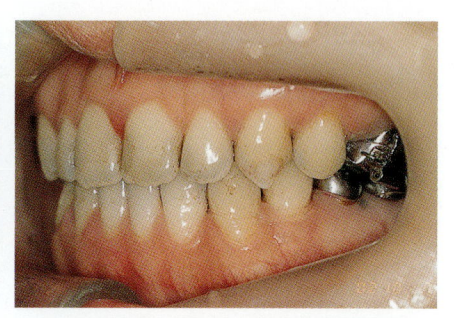

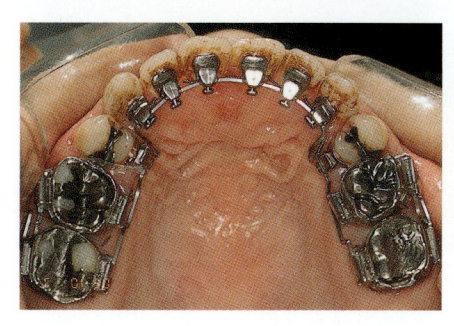

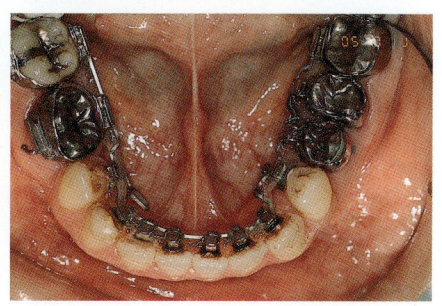

図15-126～129　フィニッシング．.017″×.025″ TM.

127

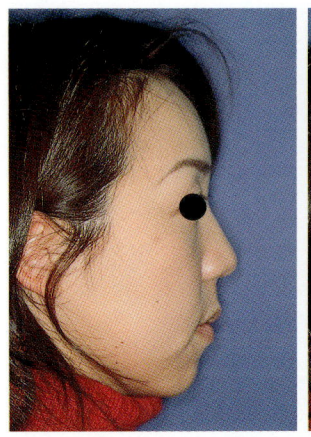

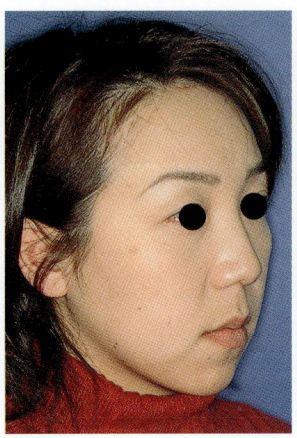

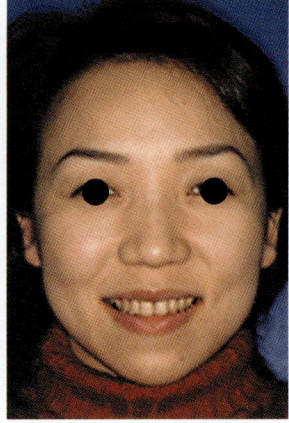

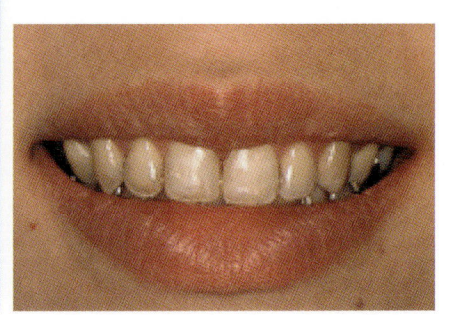

Chapter 15 咬合平面と舌側矯正

図15-130〜133 完了時の口腔内所見.

	図15-134	図15-135
図15-136	図15-137	図15-138
	図15-139	

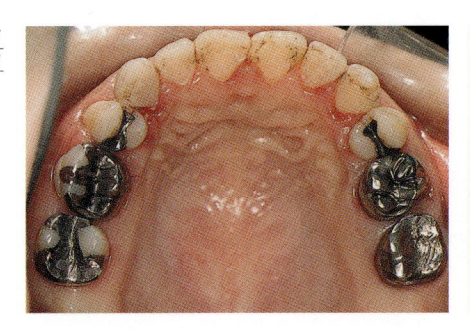

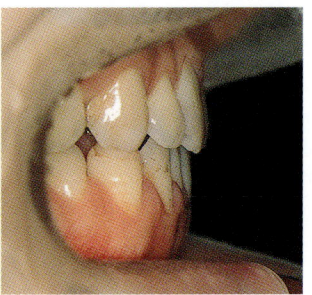

図15-134〜139 完了時の口腔内所見.

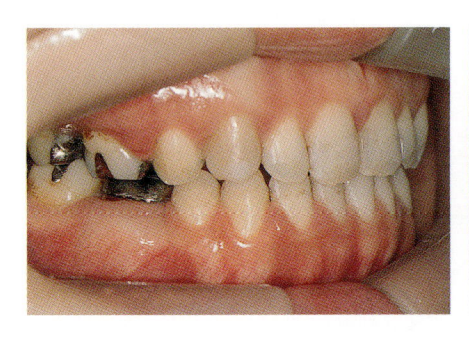

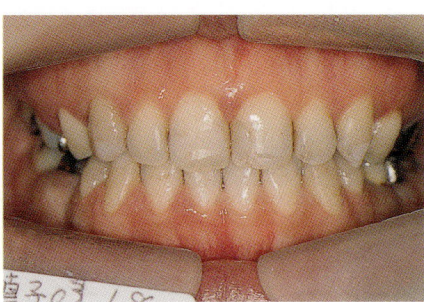

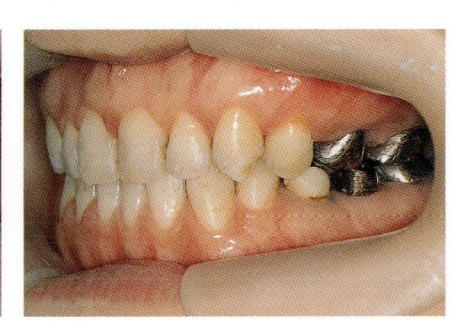

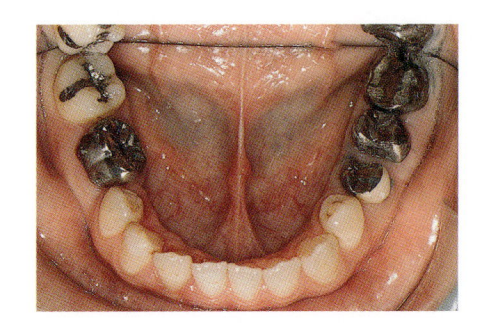

128

症例C

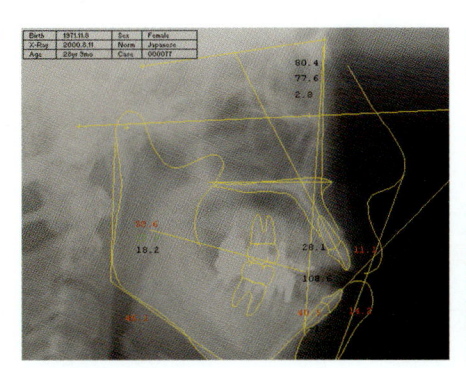

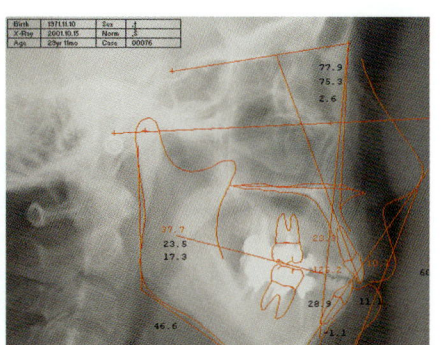

図15-140,141 治療前後の頭部X線規格写真（セファロ）．

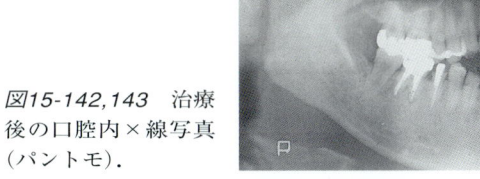

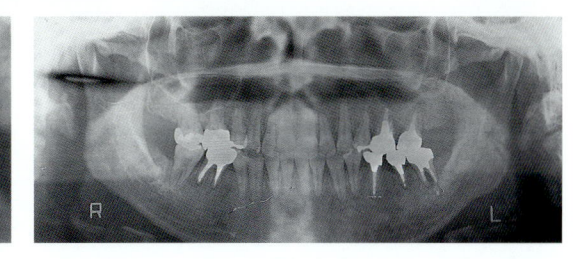

図15-142,143 治療後の口腔内X線写真（パントモ）．

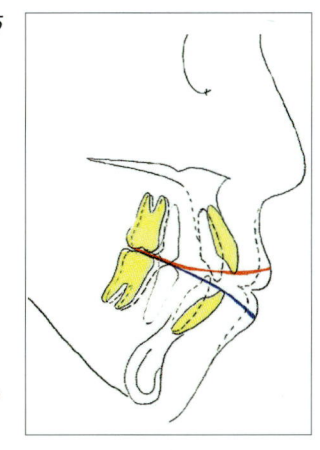

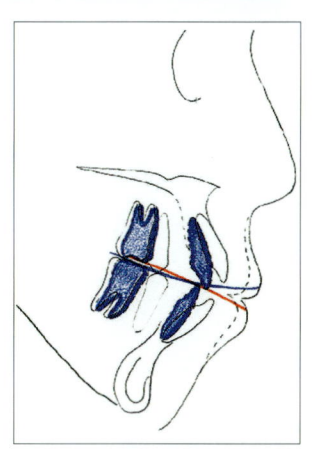

図15-144,145 治療前後の歯牙移動の比較．上下両方の咬合平面の調整によって，治療後 上下の咬合平面が調和して咬合している．

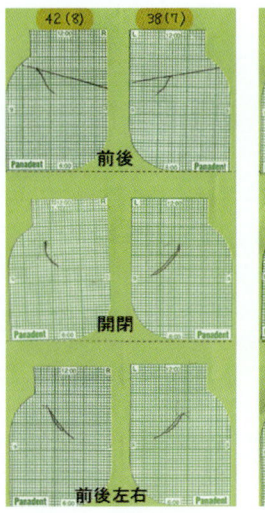

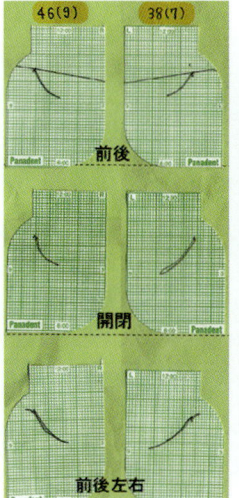

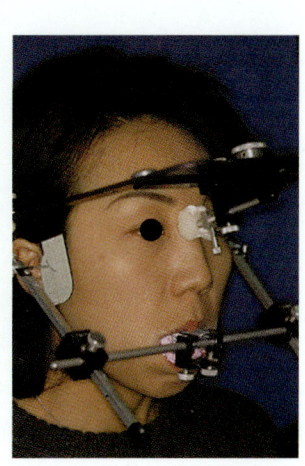

図15-146〜148 顆頭運動レコーディングの前後の比較（左，治療前 右，治療後）．治療後は運動経路の長さが長くなり運動の制限が緩和されている．

129

3）舌側矯正における下顎咬合平面

非抜歯症例で下顎スピー・カーブの強い症例においては、下顎前歯の圧下と臼歯の整直（Uprighting）が唇側メカニックスに比例して、より効果的に起こる．

前歯部過蓋咬合症例（アングルCL. 1）
O. J. =10.0mm　O.B. = 9.0mm
下顎非抜歯，上顎第一小臼歯抜歯症例
臼歯部にバイト・プレーンは用いていない．

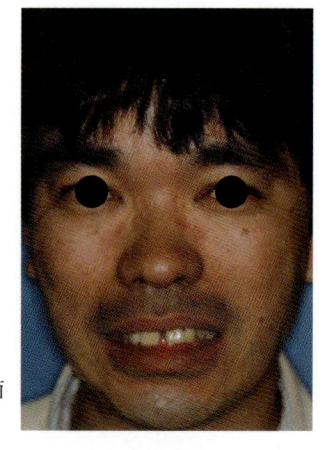

▶図15-149　初診時，顔面正面観．

図15-150　顔側面観．

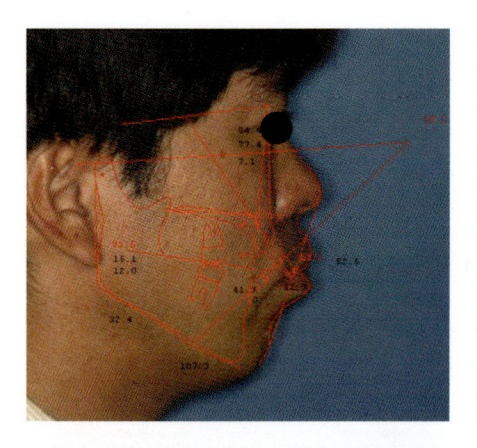

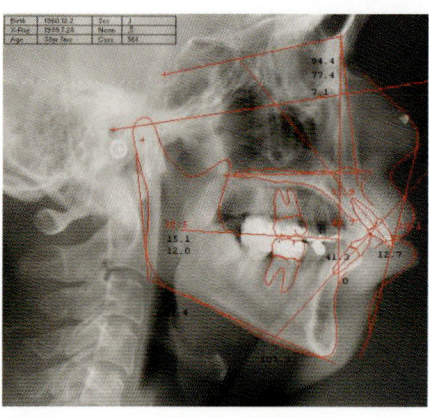

図15-151｜図15-152

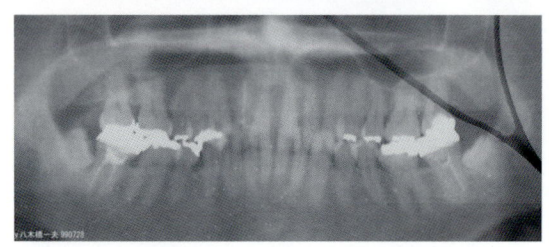

図15-153　初診時のパントモレントゲン写真．

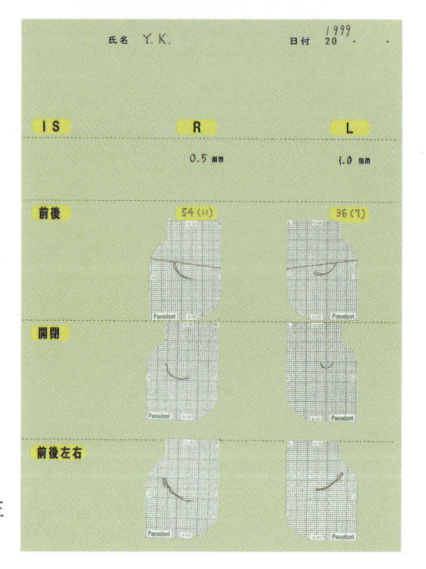

図15-154　初診時の顎関節運動レコーディング左側顆頭運動制限が認められる．

舌側矯正における下顎咬合平面

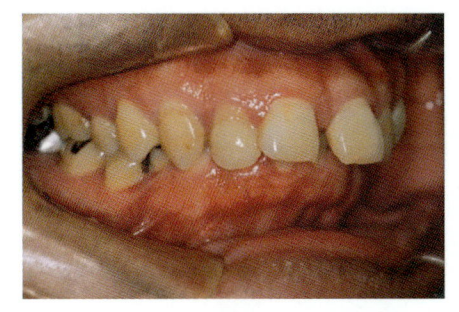

図15-155〜157 口腔内　前・左右観

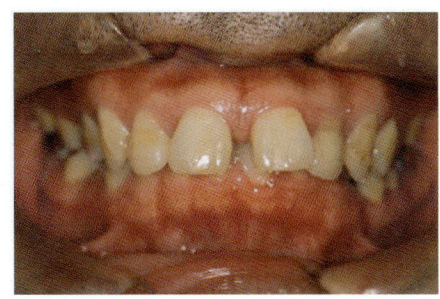

図15-155 | 図15-156 | 図15-157

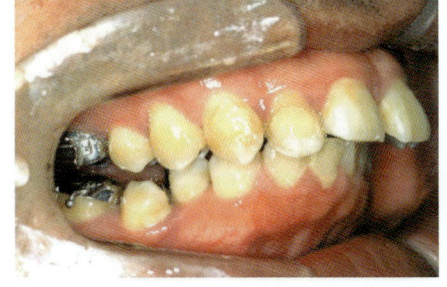

図15-158〜160 上下　.017"×.017"　Copper Ni-Ti 装着

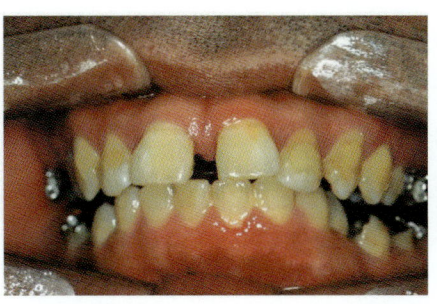

図15-158 | 図15-159 | 図15-160

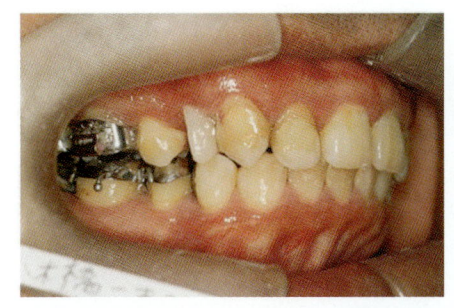

図15-161〜163 上下　.017"×.025"　Copper Ni-Ti 装着

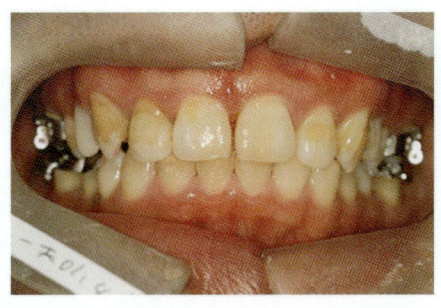

図15-161 | 図15-162 | 図15-163

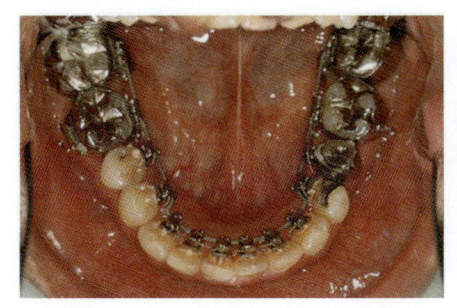

図15-164〜166 口腔内　前・左右観．下顎歯列整直後，上顎小臼歯抜歯．上下.017"×.025" TMA装着

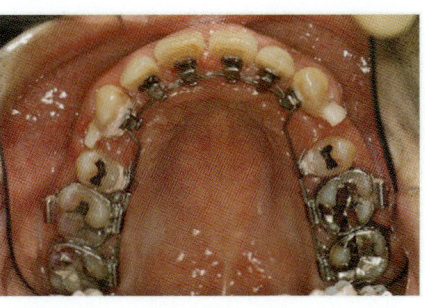

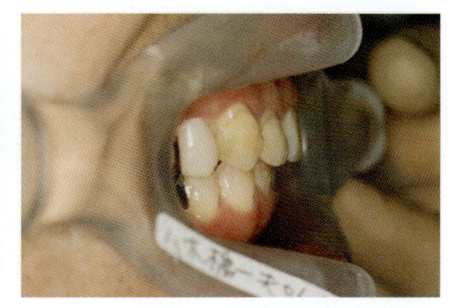

図15-164 | 図15-165 | 図15-166

131

Chapter 15 咬合平面と舌側矯正

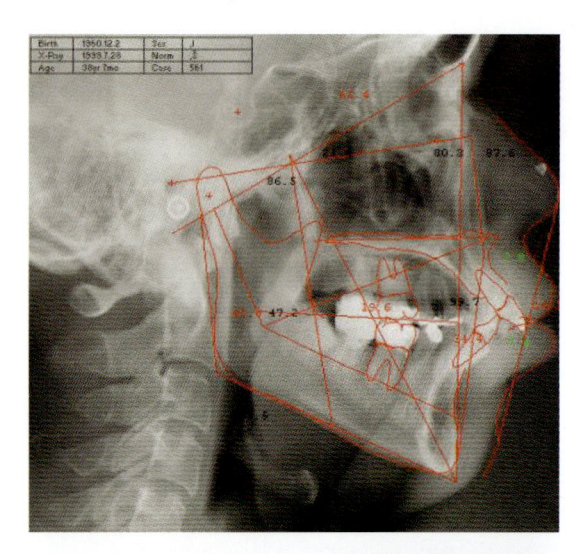

図15-167│図15-168
図15-169│図15-170

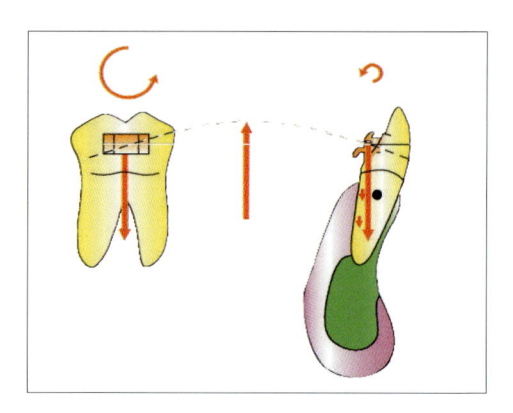

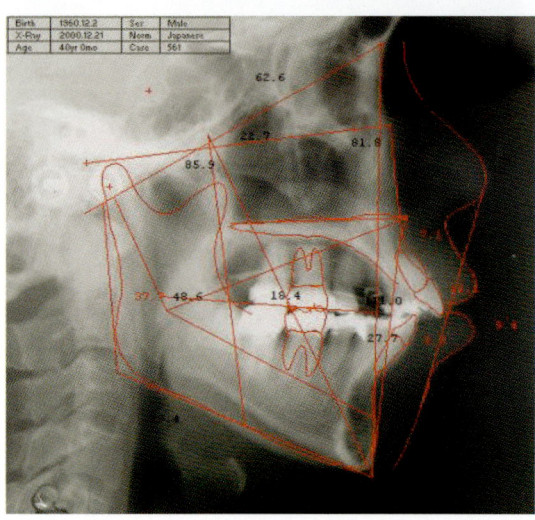

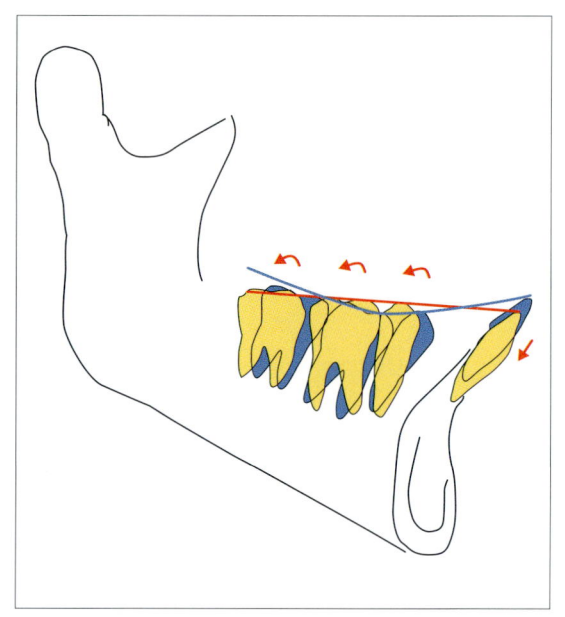

図15-169〜170 スピー彎曲の強い下顎歯列における非抜歯矯正．臼歯部バイトプレーンを使用しなかったため，舌側矯正特有の歯牙移動，すなわち，歯軸方向の前歯の圧下および臼歯の効果的な整直が認められる．

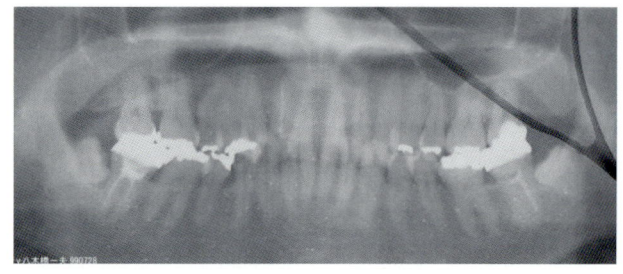

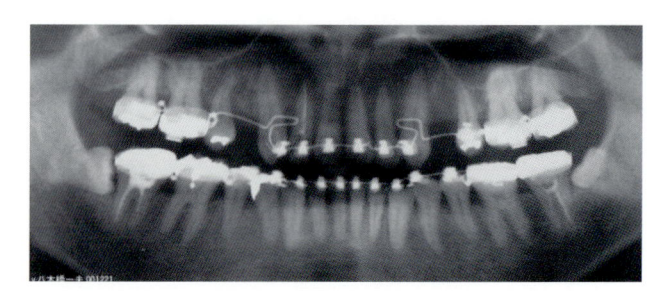

図15-171,172 下顎歯列レベリング前後のパントモレントゲン写真．（患者の意向によって智歯は抜歯されなかった。）

図15-171│図15-172

132

Chapter 16

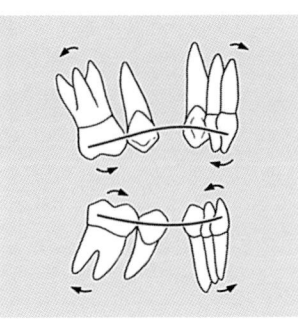

アングルⅠ級症例

症例1(図16-1〜32)

患者:40歳4か月,女性
主訴:上下空隙歯列
治療方針:非抜歯
使用器具:上下顎・Kurzタイプ舌側装置

図16-1 初診時,顔面正面観.40歳4か月の女性.前歯部空隙を主訴に来院.

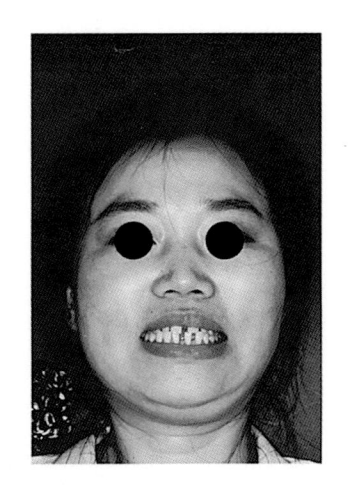

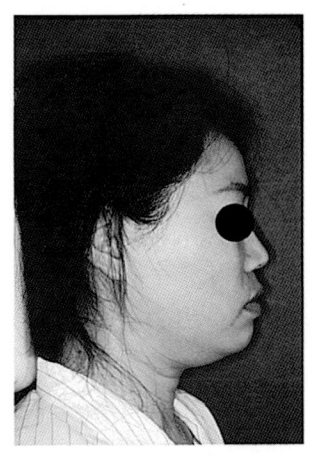

図16-2 顔面側面観.

図16-3│図16-4

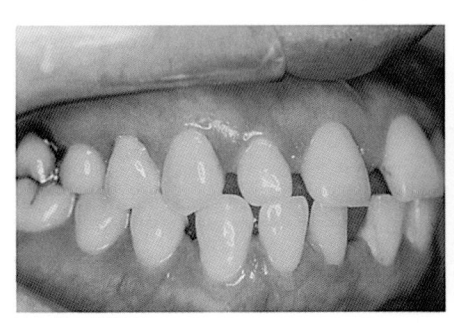

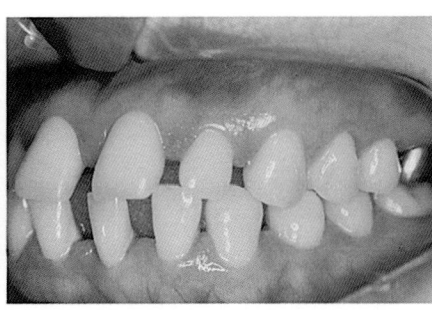

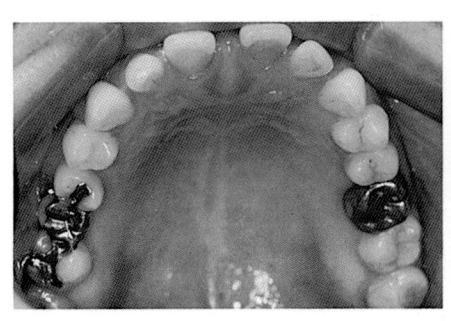

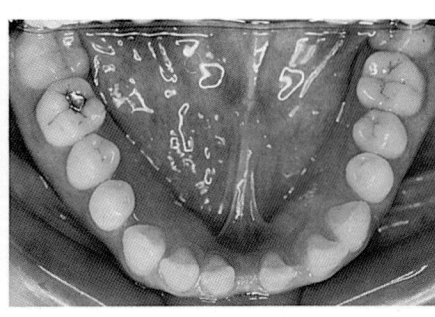

図16-3 アングルⅠ級症例.前歯部空隙歯列弓.口腔内右側面観.
図16-4 口腔内左側面観.

図16-5│図16-6

図16-5 咬合面観(上顎). 6│は抜歯されており,ブリッジが装着されている(7⑥5│).
図16-6 咬合面観(下顎).

134

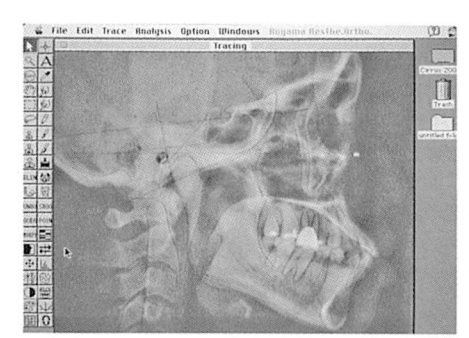

症例1

図16-7 頭部X線規格写真．上下顎前歯唇側傾斜．

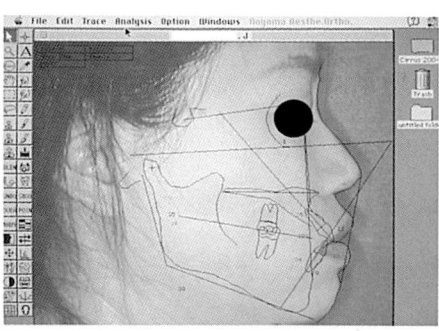

図16-8 プロフィールとセファロ分析との重ね合わせ．上下顎口唇の前突感の強いいわゆる凸型（Convex）プロフィールを示す．

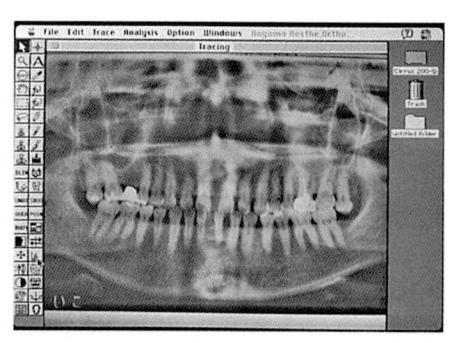

図16-9 パノラマX線写真．

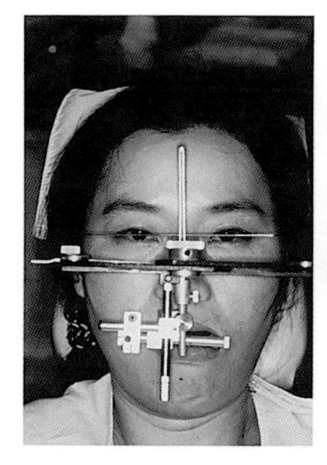

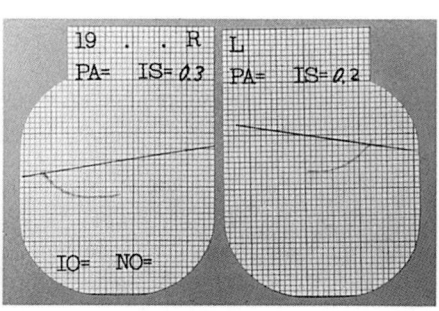

図16-11 顆頭運動レコーディングの記録．とくに異常が認められない．

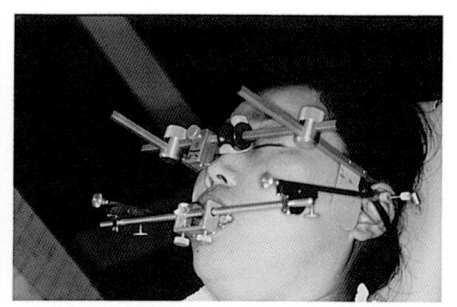

図16-12 パナデントシステム（Axi-path Protractor）による下顎運動の記録．

◀図16-10 フェイスボートランスファーと正中伝達装置．

図16-13｜図16-14

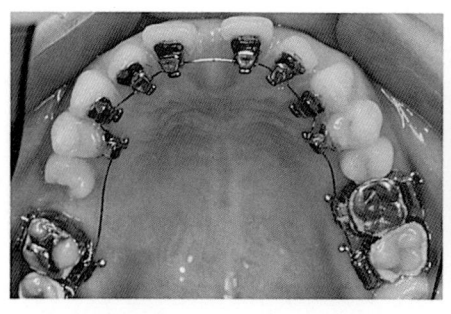

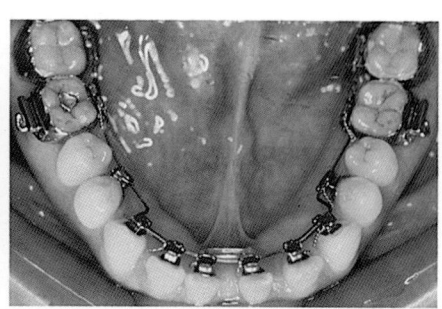

図16-13 レベリング（上顎）．使用ワイヤーは.014" NI-TI，.016" NI-TI，.016" S.S.
図16-14 レベリングと空隙調整（下顎）．

図16-15｜図16-16 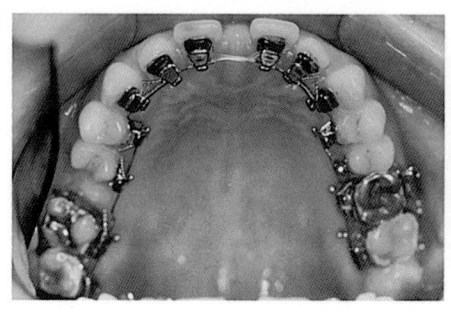 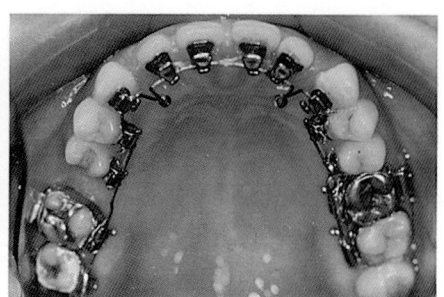
図16-15 空隙を側切歯と犬歯の間に集める．このためオープンコイルスプリングとエラスティックを用いる．この段階では剛性の高い.016"×.016" S.S.または.016"×.022" S.S.を用いる．
図16-16 空隙を側切歯と犬歯の間に集束した後，前歯部の舌側移動を行う．ループによるスペースクローズ．使用ワイヤーは.016"×.022" S.S.

135

Chapter 16　アングルⅠ級症例

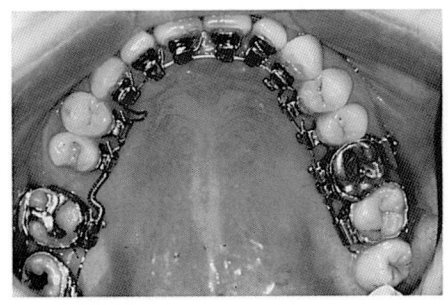

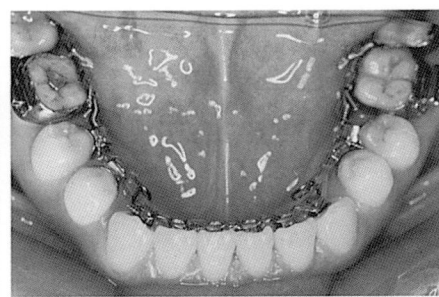

図16-17│図16-18

図16-17　空隙の閉鎖．治療後ブリッジを装着するため大臼歯（7|）の整直後を図る．
図16-18　下顎は空隙を犬歯と第一大臼歯の間に集め，前歯（3+3）の舌側移動を行う．使用ワイヤーはL字ループを挿入した.016"×.022" S.S.

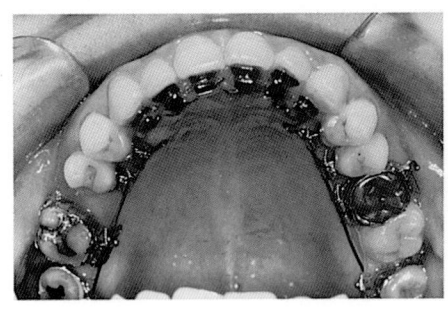

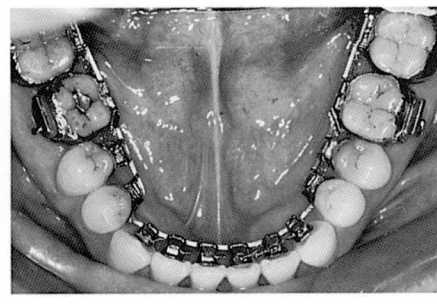

図16-19│図16-20

図16-19　最終的空隙閉鎖およびトルクの確立．使用ワイヤーは.016"×.022" S.S.
図16-20　最終的空隙閉鎖およびトルクの確立．使用ワイヤーは.016"×.022" S.S.

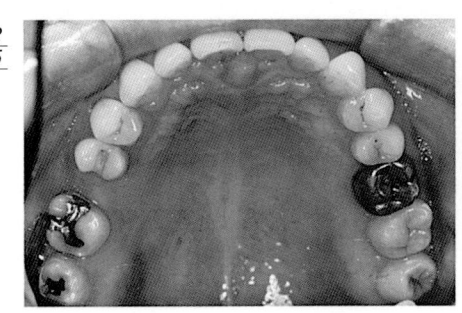

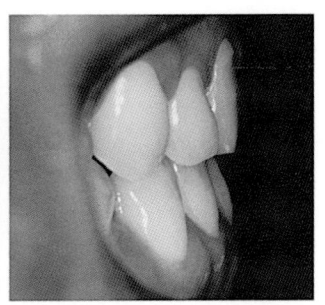

図16-21	図16-22
図16-23	図16-24	図16-25
	図16-26

図16-21〜26　完了時口腔内所見．

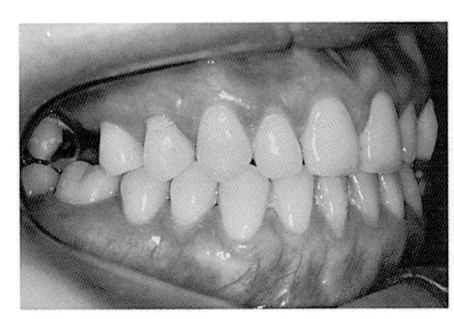

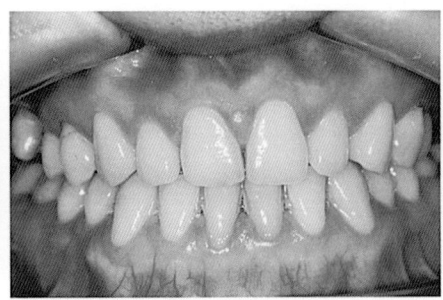

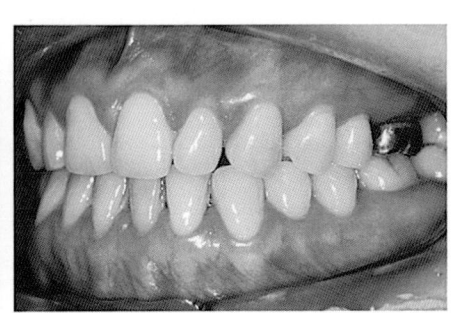

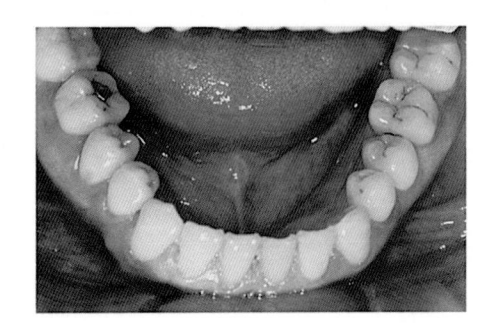

136

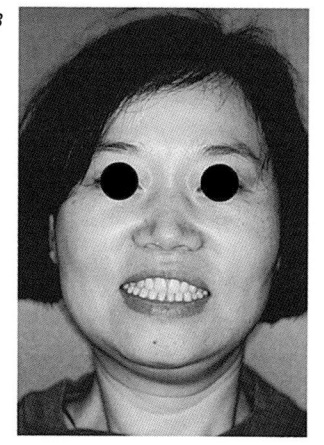

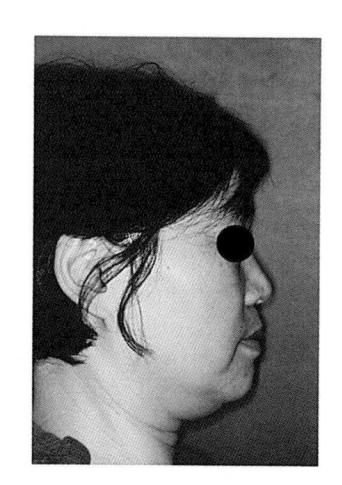

図16-27 完了時，顔貌前面観．
図16-28 完了時，顔貌側面観．

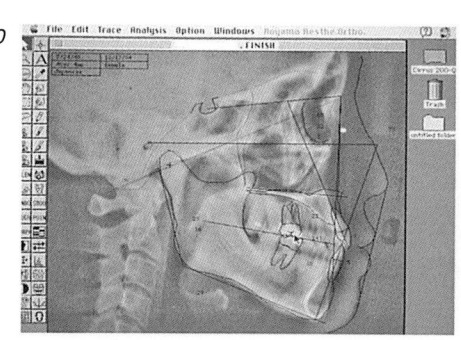

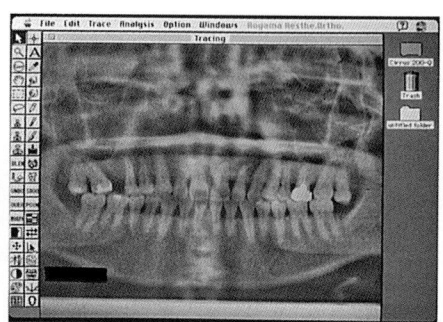

図16-29 完了時，セファロ分析．
図16-30 パノラマX線写真．

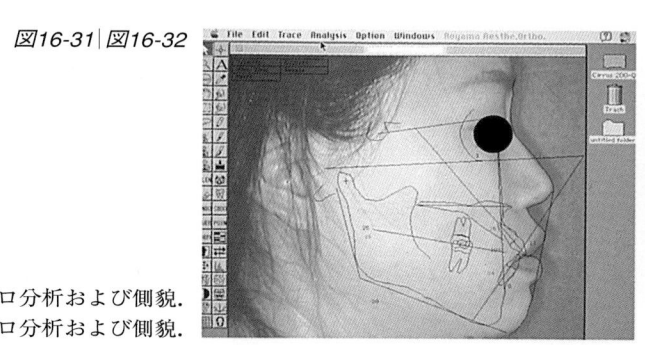

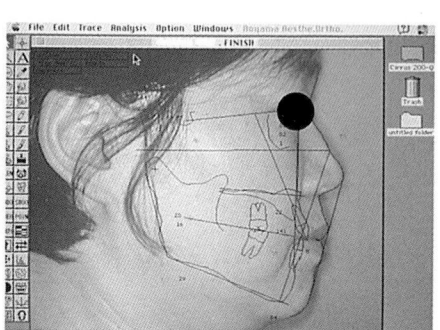

図16-31 治療前セファロ分析および側貌．
図16-32 治療後セファロ分析および側貌．

Chapter 16 アングルⅠ級症例

症例2（図16-33〜80）

患者：23歳2か月，女性
主訴：上下前歯前突症例
治療方針：上下第一小臼歯 $\frac{4|4}{4|4}$
使用器具：上下顎・Kurzタイプ舌側装置

▶図16-33 初診時．23歳2か月の女性．

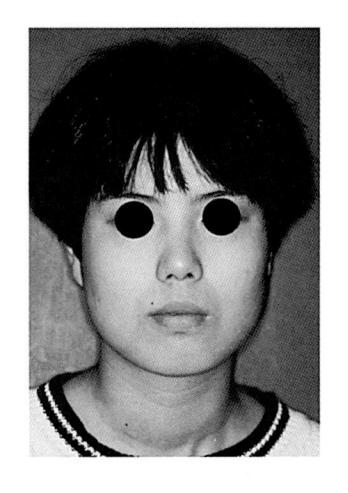

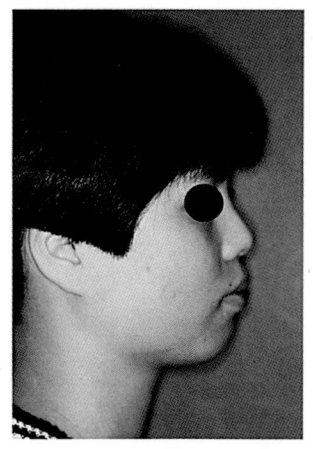

図16-34 上下顎前歯の前突感および叢生を主訴して来院．

	図16-35	図16-36
図16-37	図16-38	図16-39
	図16-40	

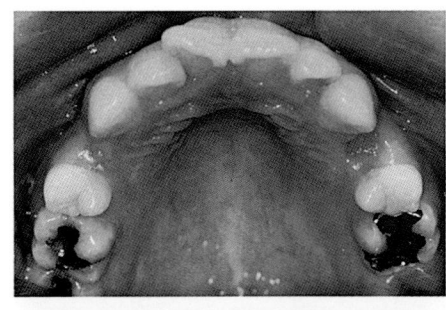

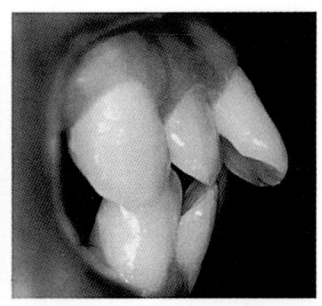

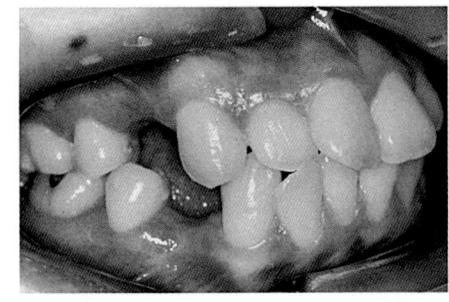

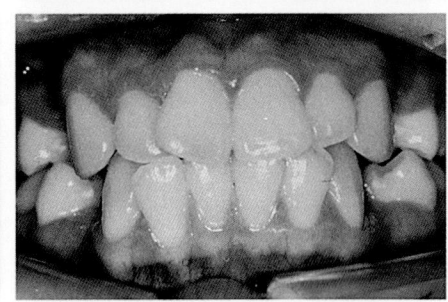

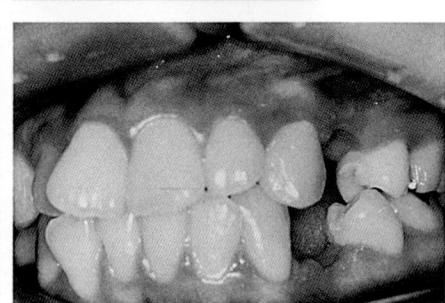

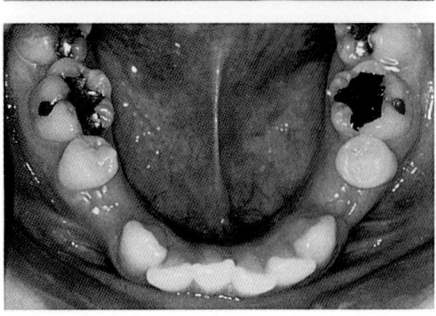

図16-35 咬合面観（上顎）．当院来院時には，すでに第一小臼歯が抜歯されていた．
図16-36 口腔内側面観．アングルⅠ級．上下顎前歯の唇側傾斜が認められる．オーバージェットは4.5mm，オーバーバイトは0.5mm．
図16-37 当院来院時には，ほかの矯正専門医院にはすでに上下顎第一小臼歯の抜歯が行われていた．口腔内右側面観．
図16-38 口腔内前面観．
図16-39 本人が便宜抜歯の後，舌側矯正の存在を知り，当院にトランスファーされてきた．口腔内左側面観．
図16-40 咬合面観（下顎）．当院来院時にはすでに第一小臼歯が抜去されていた．歯冠幅径と歯列弓長との不調和（A.L.D）は5.0mm．

症例2

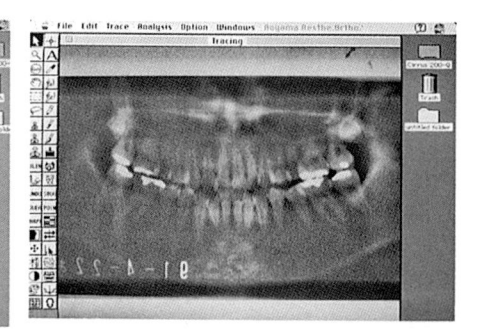

図16-41｜図16-42

図16-41 中等度のDolico-facialタイプ．上下顎ともやや後退位をとる（Retrognathia）．
図16-42 口腔内．パノラマX線所見．

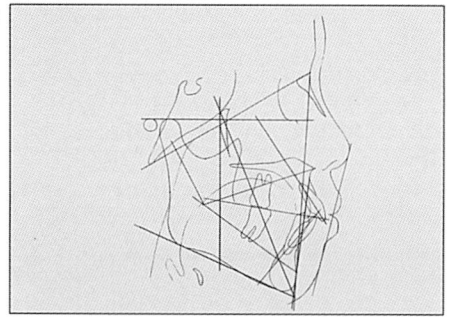

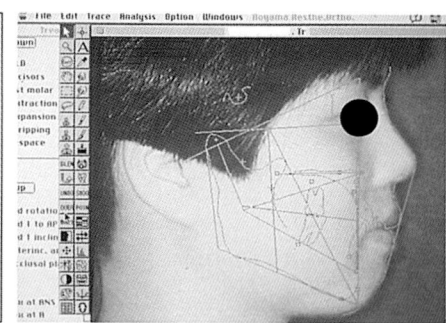

図16-43｜図16-44

図16-43 セファロ分析（Rikett's）．
図16-44 コンピュータによる治療完了時のプロフィール予測．

図16-45｜図16-46

図16-45 レベリングの後，.016"S.S.ワイヤー挿入後犬歯の部分的遠心運動を行う．第二臼歯には頰側にチューブが装着され，第一大臼歯とセクショナルワイヤーで結合する（クロスオーバーテクニック）．
図16-46 レベリングの後，犬歯部分的遠心移動．

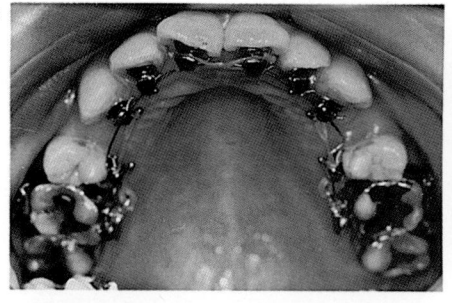

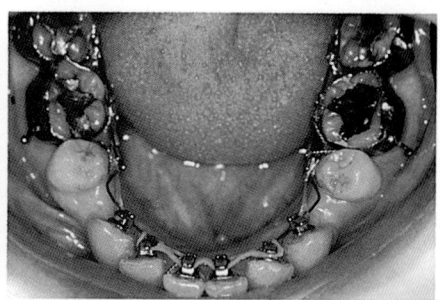

図16-47｜図16-48

図16-47 犬歯部分的遠心移動の後，前歯部（$\overline{3+3}$）の舌側移動に移行．スライディングメカニックスを用いてエン・マス方式で行う．使用ワイヤーは，.016"×.022"S.S.
図16-48 下顎前歯（$\overline{3+3}$）の舌側移動．ループ（L字ループ）を用いた空隙閉鎖．使用ワイヤーは.016"×.022"S.S.

図16-49,50 前歯部舌側移動の途中で上下顎前歯の舌側への傾斜および臼歯の近心傾斜が認められた．この理由として
①抜歯が完了した状態で来院したため，レベリングが効果的に行われず，臼歯の整直が十分でなかった．
②舌側移動前の前歯部へのトルクのかけかた（Pre Torque）が十分でなかった．
③リトラクションアーチの前歯へのトルクおよびスピー彎曲のコントロールが不十分であった．

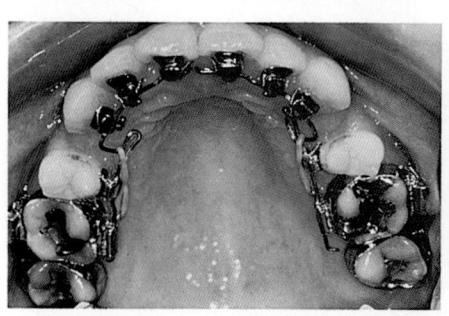

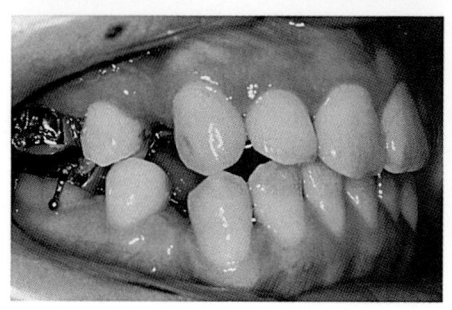

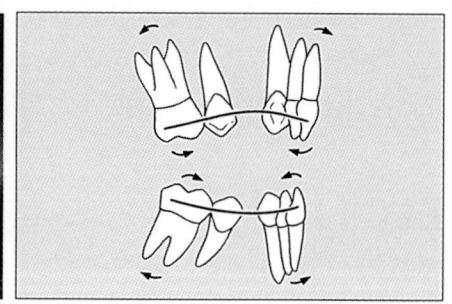

図16-49　　　　　　　　図16-50

139

Chapter 16　アングルI級症例

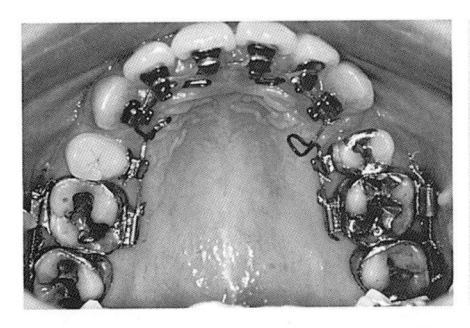

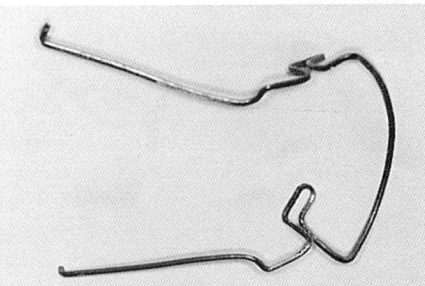

図16-51｜図16-52

図16-51　トルキングアンドリトラクションアーチワイヤー（Torquing and Retraction Arch Wire）の挿入．使用ワイヤーは.016"×.022"S.S.
図16-52　Torquing and Retraction Arch Wire の形態．前歯部へルートリンガルトルク．強いスピー彎曲を特徴とする．

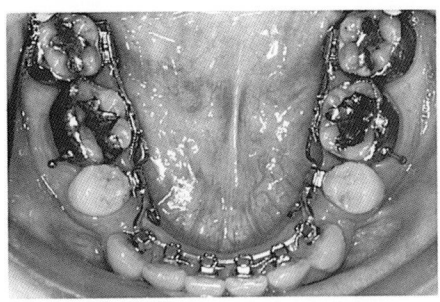

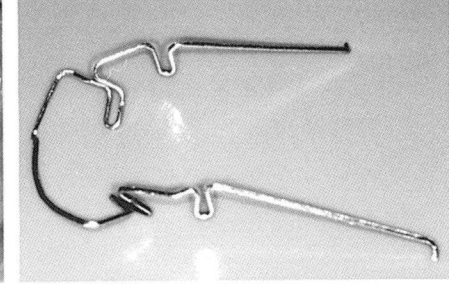

図16-53｜図16-54

図16-53　下顎に挿入された，トルキングアンドリトラクションアーチワイヤー．
図16-54　下顎に用いられる，トルキングアンドリトラクションアーチワイヤー（Torquing and Retraction Arch Wire）の形態．前歯部へのトルクコントロールおよび反対（リバース）のスピー彎曲を特徴とする．

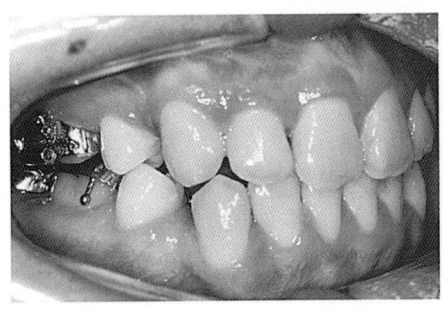

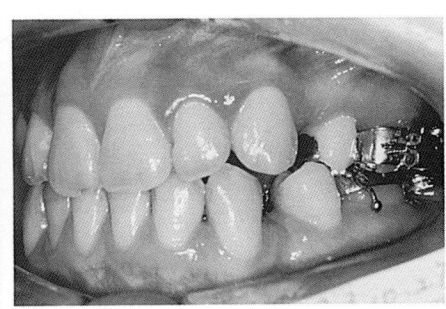

図16-55｜図16-56

図16-55　前歯部の舌側移動中の咬合状態（右側面）．
図16-56　前歯部の舌側移動中の咬合状態（左側面）．

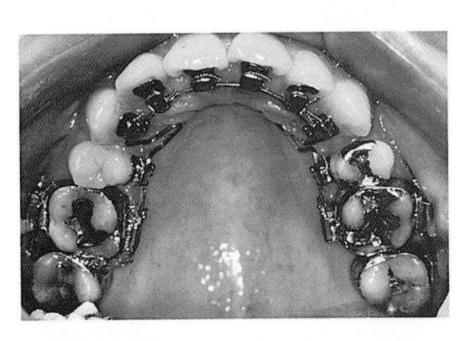

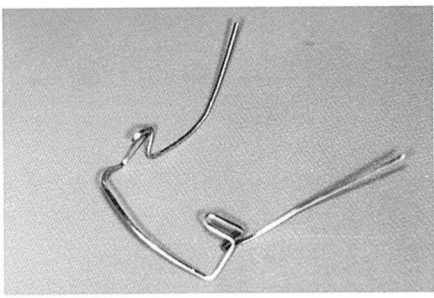

図16-57｜図16-58

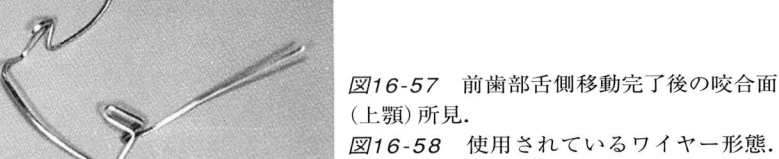

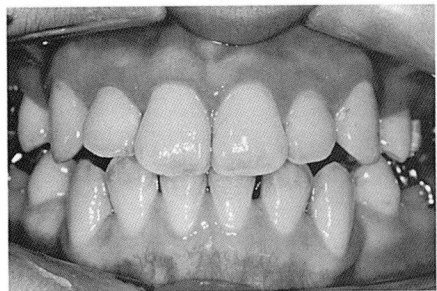

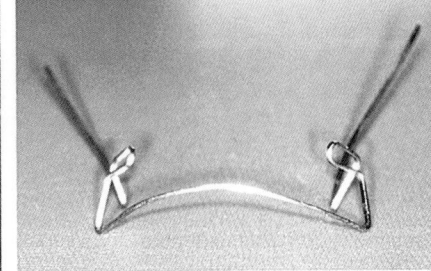

図16-57　前歯部舌側移動完了後の咬合面（上顎）所見．
図16-58　使用されているワイヤー形態．使用ワイヤーは.016"×.022"S.S.

図16-59　ルートリンガル・トルクおよびクラウンラビアル・トルクが前歯に加えられると，前歯の歯根は近心に傾斜する．このため側切歯が圧下された形のアーチが上顎前歯に作られやすい．
図16-60　前歯歯根の近心傾斜を防ぐ必要のある場合は，①アーチワイヤーの前歯部に写真のようなカーブを入れる．②セットアップの段階で前歯部に多めの傾斜（アンギュレーション）を入れるよにする．

図16-59　　　　　図16-60

140

症例 2

図16-61｜図16-62

図16-61　トルキングワイヤーによる，最終的なトルクコントロールとスピー彎曲の調整．
図16-62　最終的な空隙閉鎖．

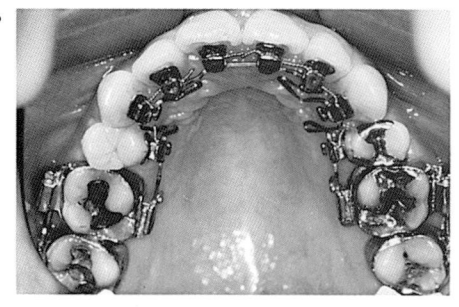

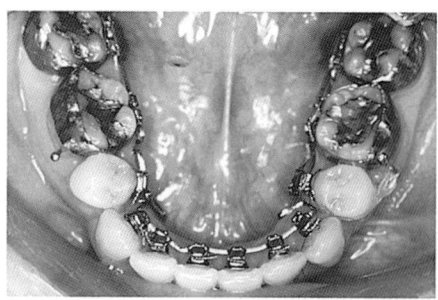

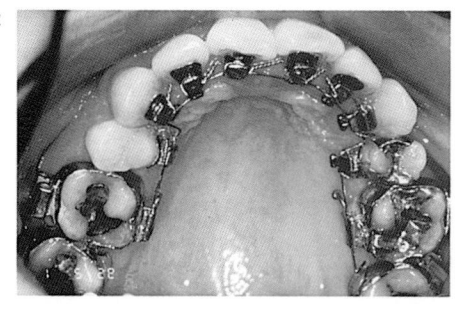

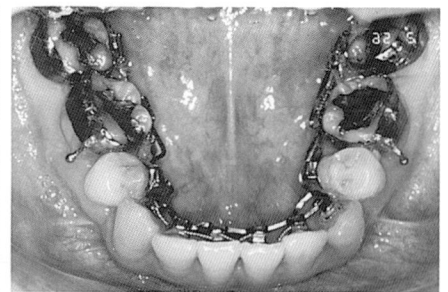

図16-63｜図16-64

図16-63　ディテーリング(Detailing)．使用ワイヤーは，.014"S.S.または.016"TMA．
図16-64　最終的トルクコントロール．

|図16-65｜図16-66|
|図16-67｜図16-68｜図16-69|
|図16-70|

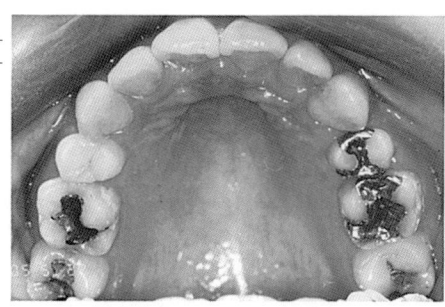

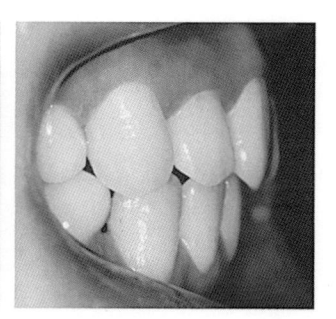

図16-65～70　完了時，口腔内所見．

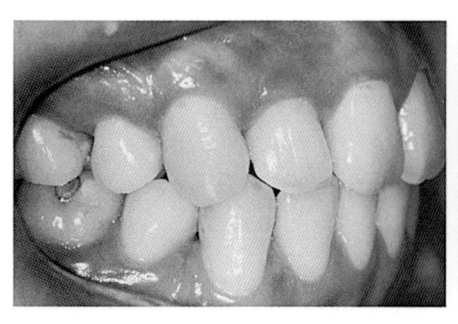

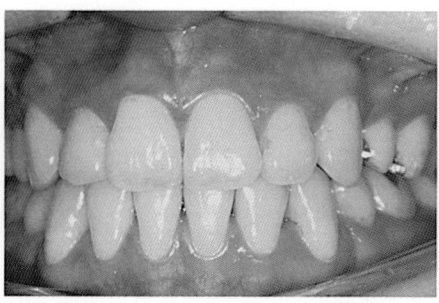

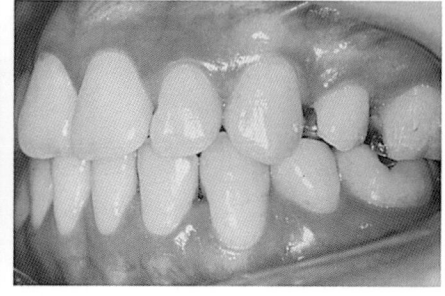

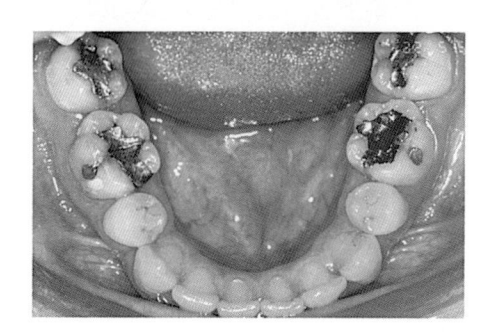

141

Chapter 16 アングルI級症例

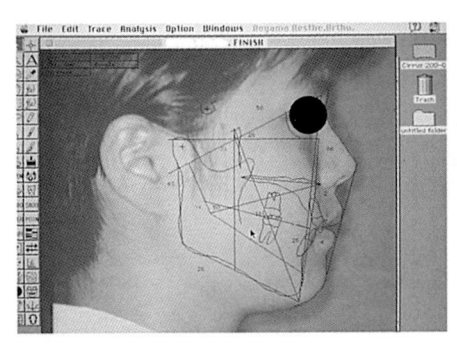

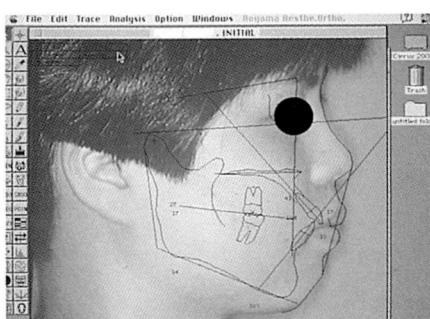

図16-71 | 図16-72

図16-71 完了時,プロフィールとセファロの重ね合わせ.
図16-72 治療開始時のプロフィールとセファロ分析.

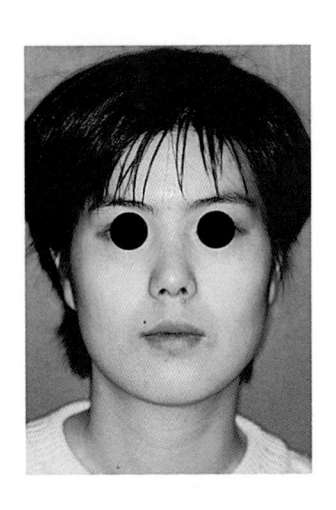

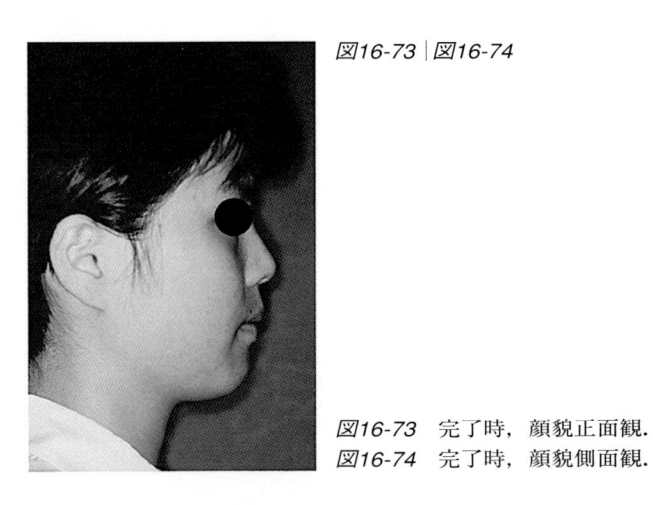

図16-73 | 図16-74

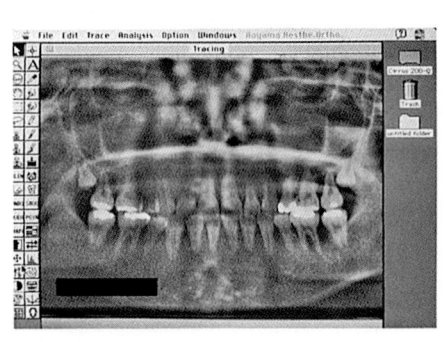

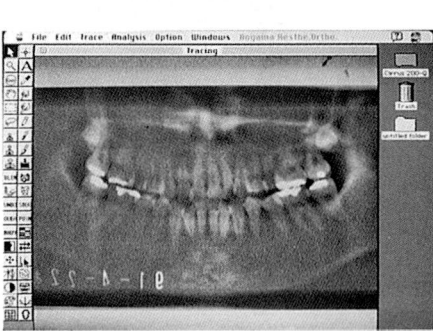

図16-73 完了時,顔貌正面観.
図16-74 完了時,顔貌側面観.

図16-75 | 図16-76

図16-75 完了時,パノラマX線写真.
図16-76 治療前のパノラマX線写真.

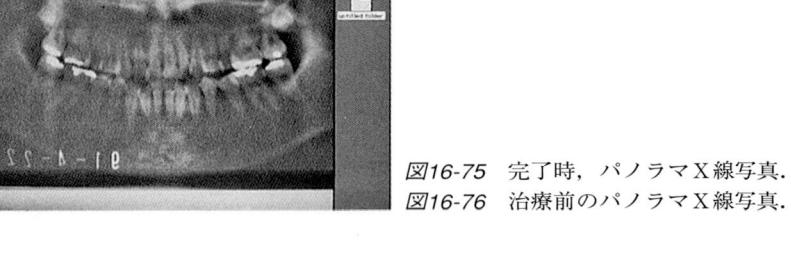

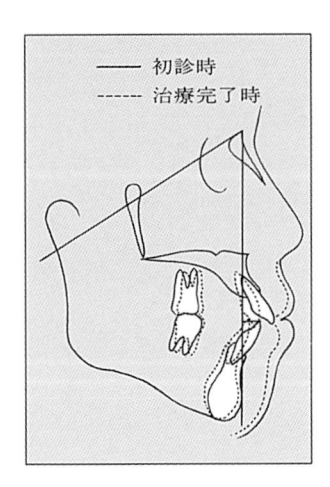

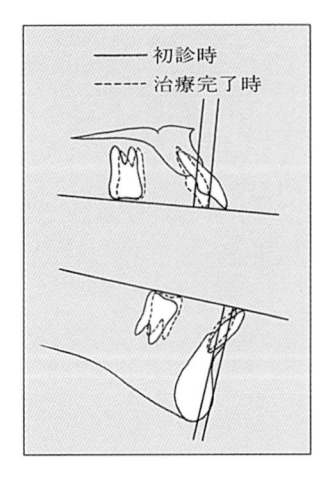

図16-77 | 図16-78

図16-77 治療前後のセファロの重ね合わせ.
図16-78 セファロの重ね合わせ.

142

症例2

図16-79 動的治療完了後，咬合調整（Reshaping）前のシロナソグラフの記録．咬合中心性（CO）の不安定などが認められる．
図16-80 １度目の咬合調整（Reshaping）後のシロナソグラフの記録．

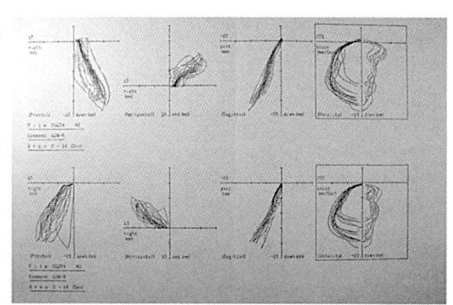

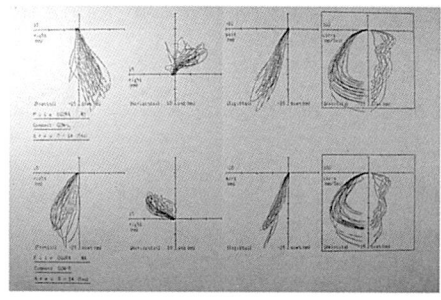

Chapter 17

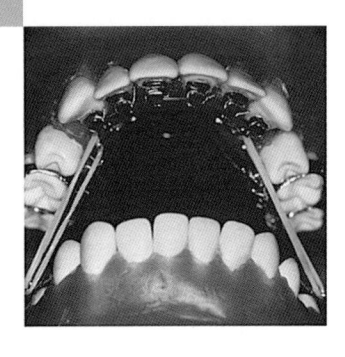

アングルⅡ級症例

1) 1類症例

症例3 (図17-1〜46)

患者：24歳0か月，女性
主訴：上顎前突症例
治療方針：上顎第一小臼歯抜歯 4|4
使用器具：上下顎・Kurzタイプ舌側装置

▶図17-1　初診時，24歳0か月の女性，上顎前歯の前突および叢生を主訴として来院．

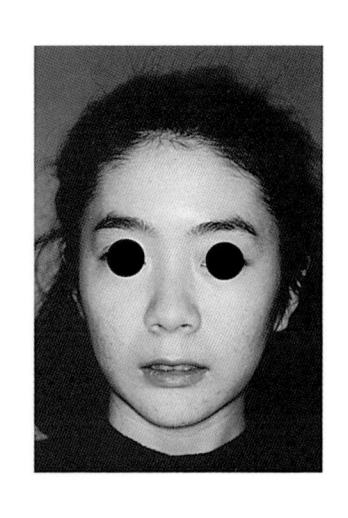

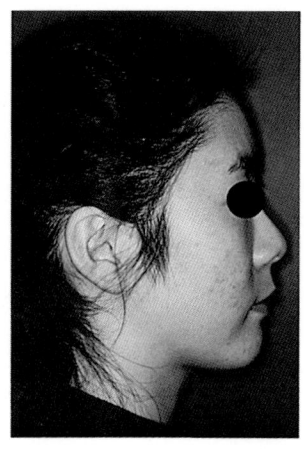

図17-2　初診時顔面側面観．

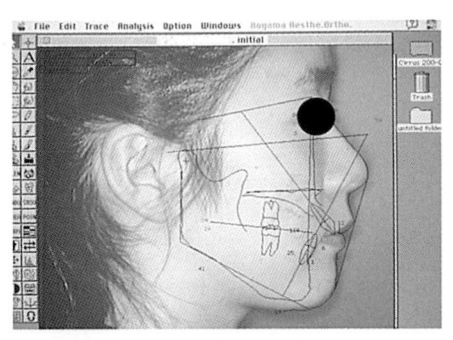

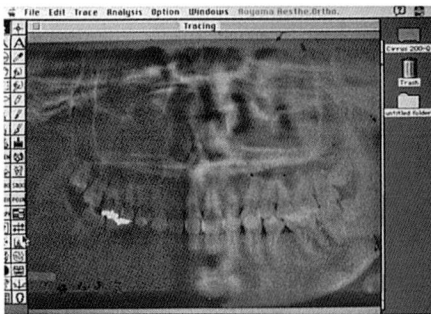

図17-3 | 図17-4

図17-3　セファロ分析およびプロフィール．中等度のDocico-facialタイプ上下顎はやや後退位（Retrognathia）をとる．下唇の後退が認められる．
図17-4　パノラマX線写真所見．下顎第二小臼歯（両側）の先天欠如が認められる．

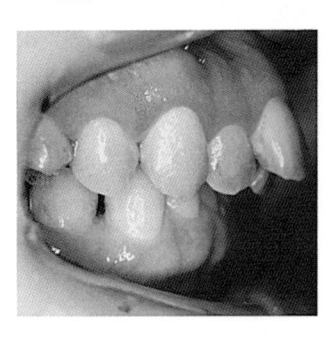

図17-5　口腔内側面観．上顎前歯部の強い前突が認められる．オーバージェットは10.5mm，オーバーバイトは4.0mm（右側）．

1 類症例（症例3）

	図17-6	
図17-7	図17-8	図17-9
	図17-10	

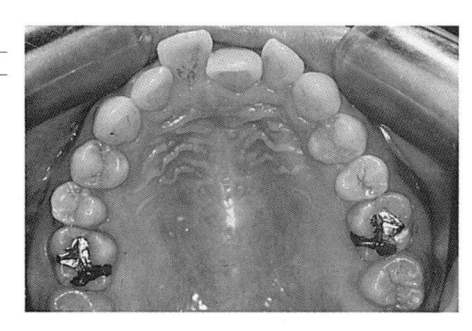

図17-6〜10　初診時口腔内所見．

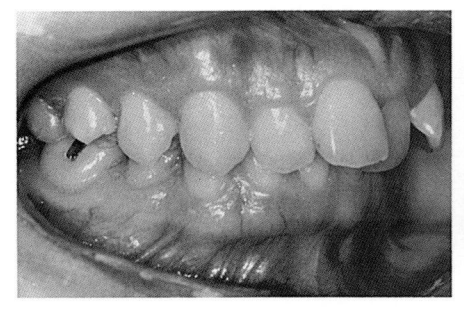

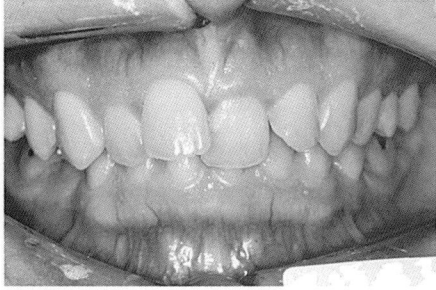

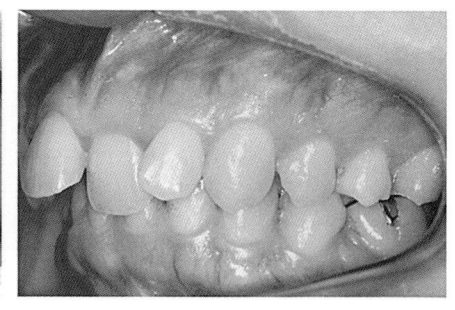

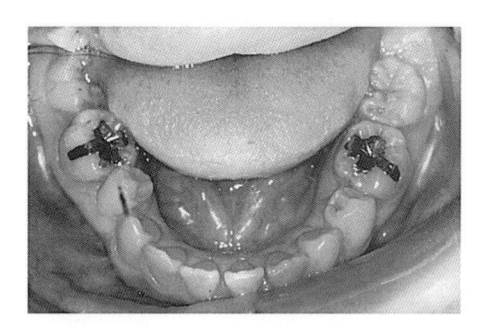

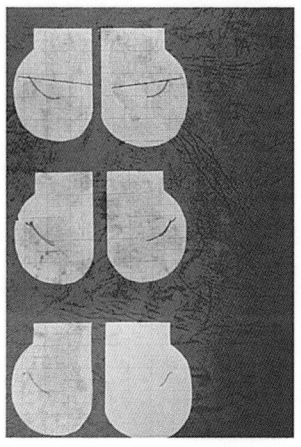

図17-11　Axi-path Protractor による顆頭運動の記録．

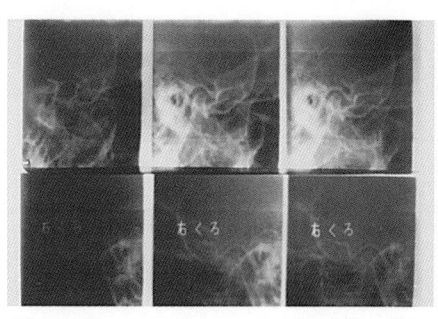

図17-12　モンジーニによる顎関節X線写真．

145

Chapter 17　アングルⅡ級症例

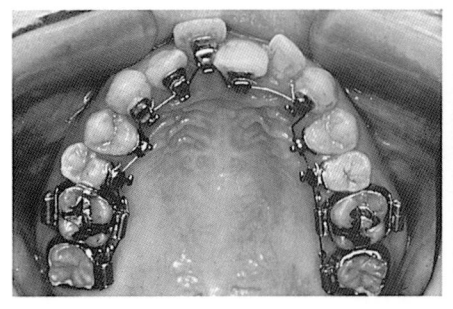

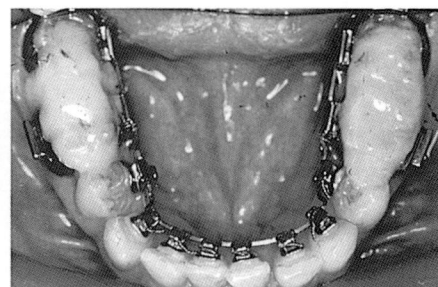

図17-13 ｜ 図17-14

図17-13　レベリング．使用ワイヤーは.012"〜.016"NI-TI.
図17-14　下顎レベリング完了後．.0175"×.0175"TMA装着，その後咀嚼運動を確保するため，初期の段階で臼歯部に光重合レジンを装着．

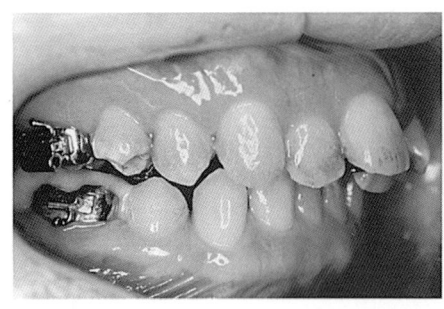

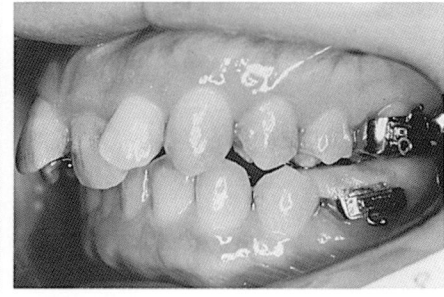

図17-15 ｜ 図17-16

図17-15　口腔内右側面観．
図17-16　口腔内左側面観．

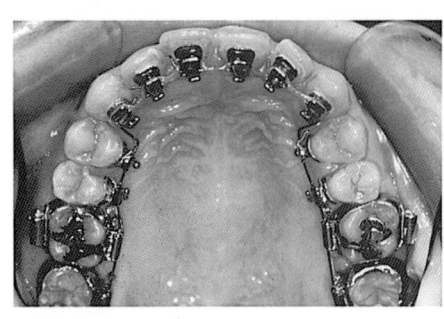

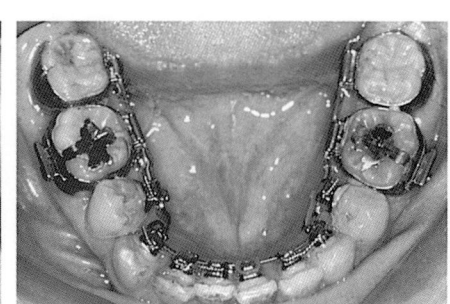

図17-17 ｜ 図17-18

図17-17　上顎レベリング完了．使用ワイヤーは.016"S.S.
図17-18　下顎歯牙の整直．使用ワイヤーは.016"×.022"TMA.

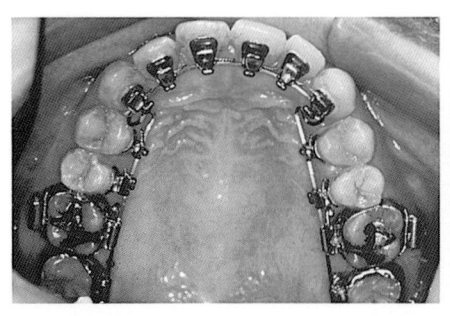

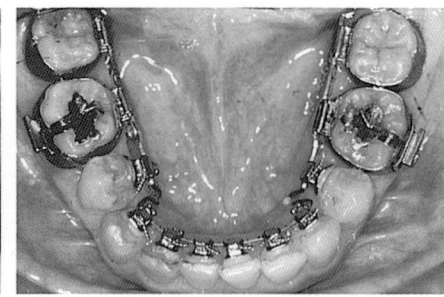

図17-19 ｜ 図17-20

図17-19　上顎前歯部舌側移動前の前歯部トルク確立．前歯部トルク確立後，はじめて小臼歯を抜歯する．使用ワイヤーは.0175"×.0175"TMA，.016"×.022"S.S.
図17-20　下顎歯牙の整直．使用ワイヤーは.016"×.022"S.S.

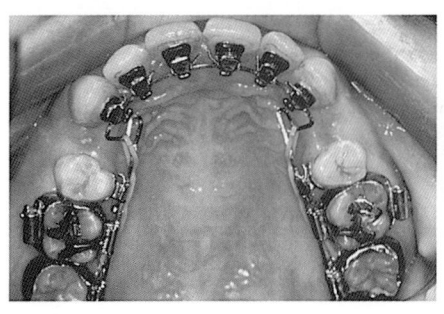

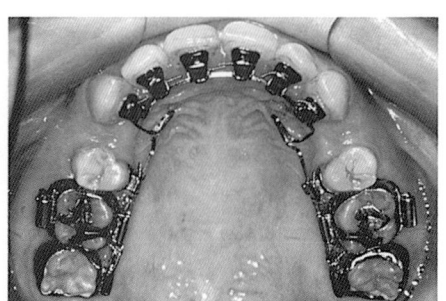

図17-21 ｜ 図17-22

図16-21　スライディングメカニックスを用いた上顎前歯（3＋3）．一体した舌側移動（エン・マス）．使用ワイヤーは.016"×.022"S.S.
図16-22　L字ループを用いた上顎前歯（3＋3）の圧下と舌側移動．使用ワイヤーは.016"×.022"S.S.

1 類症例（症例3）

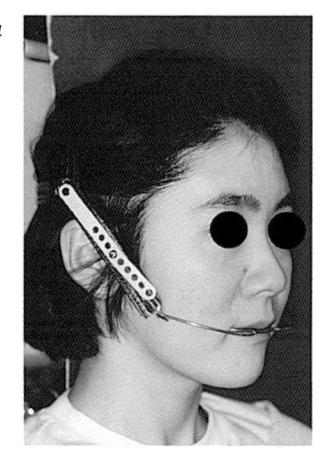

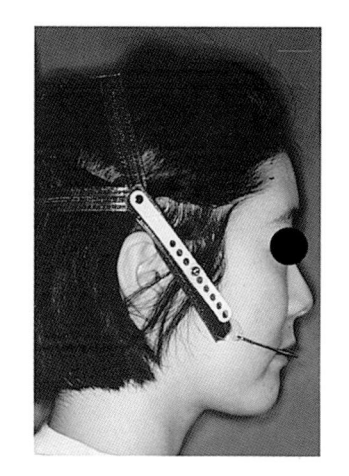

図17-23｜図17-24

図17-23　加強固定として使用されたヘッドギアー（H.G.）．
図17-24　ハイプルヘッドギアーによる上顎大臼歯の遠心への歯体移動．

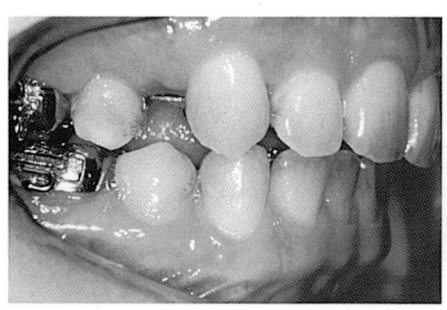

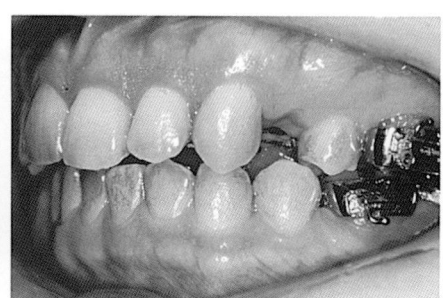

図17-25｜図17-26

図17-25　前歯舌側移動中．口腔内右側面観．
図17-26　口腔内左側面観．

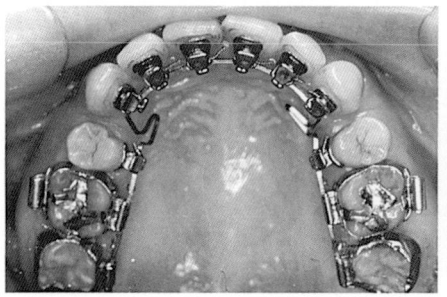

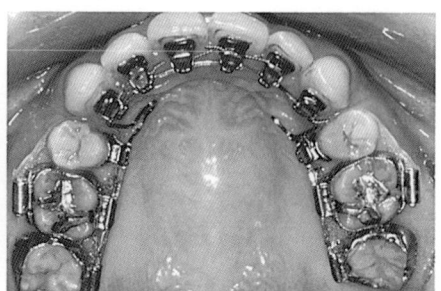

図17-27｜図17-28

図17-27　L字ループを用いた上顎前歯の舌側移動およびトルクコントロール．使用ワイヤーは.017"×.025"TMA．
図17-28　上顎前歯部舌側移動の完了時点．

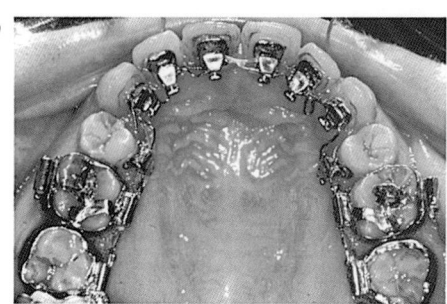

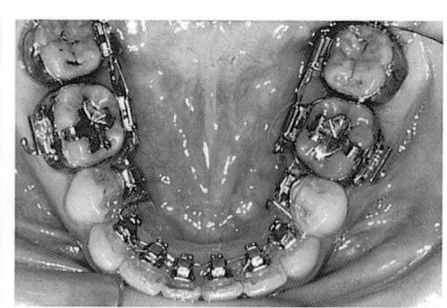

図17-29｜図17-30

図17-29　上顎ディテーリング（Detailing）．使用ワイヤーは.014"S.S.，.016"TMA．
図17-30　下顎ディテーリング（Detailing）．使用ワイヤーは.016"TMA．

147

Chapter 17 アングルⅡ級症例

図17-31 | 図17-32
図17-33 | 図17-34 | 図17-35
図17-36

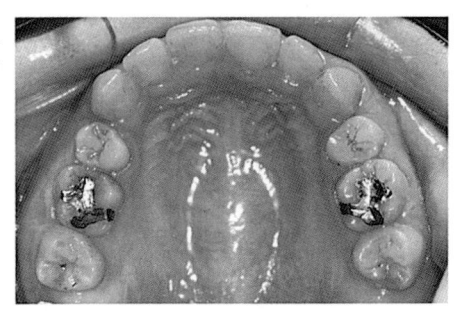

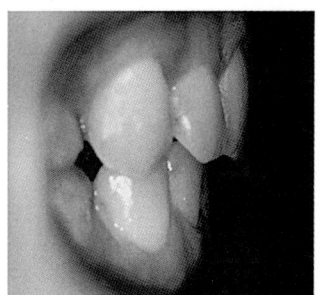

図17-31〜36 完了時．口腔内所見．

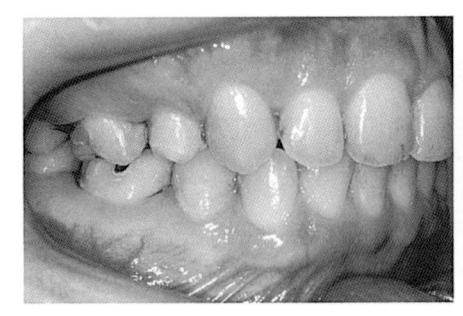

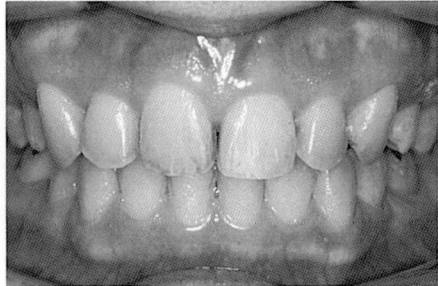

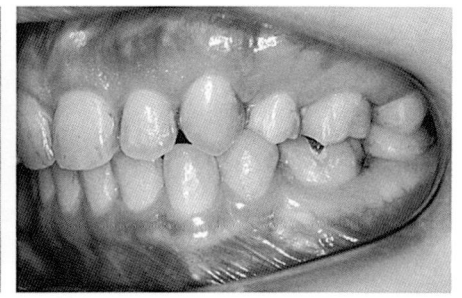

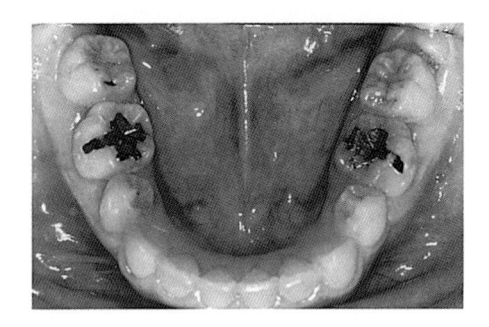

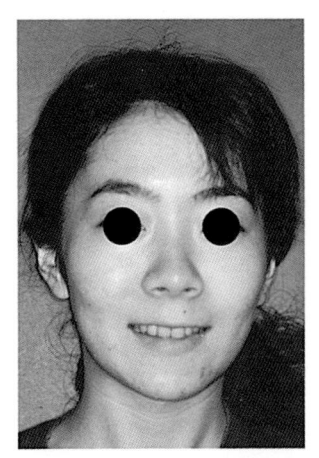

図17-37 完了時，顔面正面観．

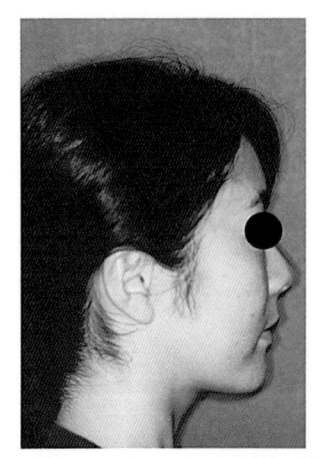

図17-38 完了時，顔面側面観．

148

1類症例（症例3）

図17-39　図17-40

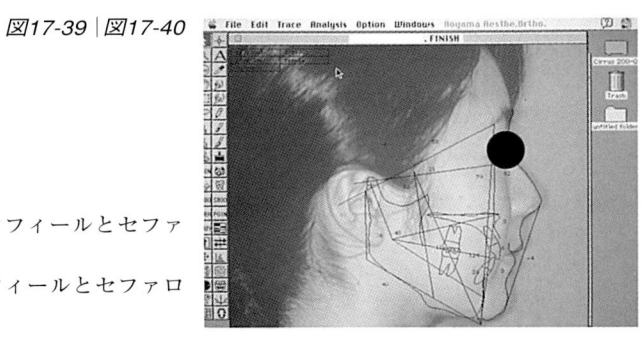

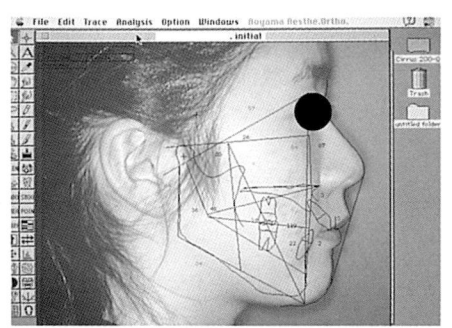

図17-39　完了時．プロフィールとセファロ分析．
図17-40　治療前プロフィールとセファロ分析．

図17-41　図17-42

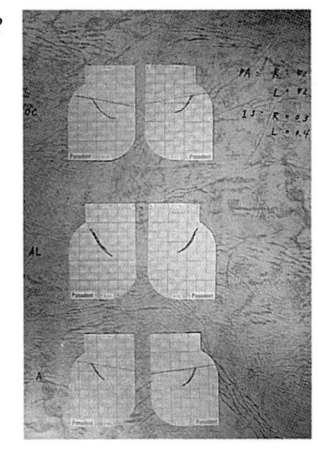

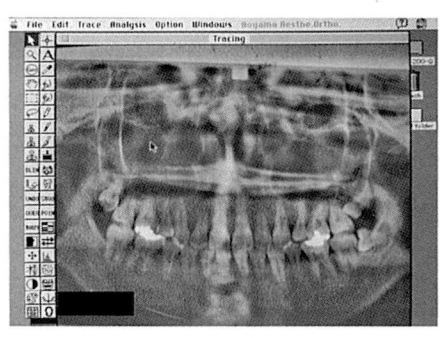

図17-41　完了時．Axi-path Protractor（パナデント社）による顆頭運動の記録．
図17-42　完了時．パノラマX線写真．

図17-43　図17-44

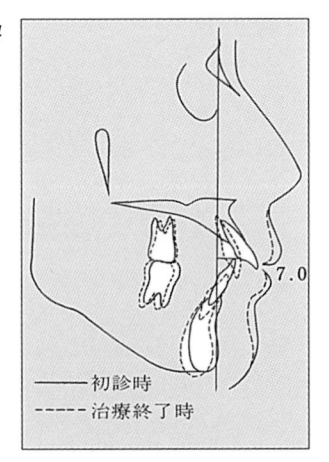

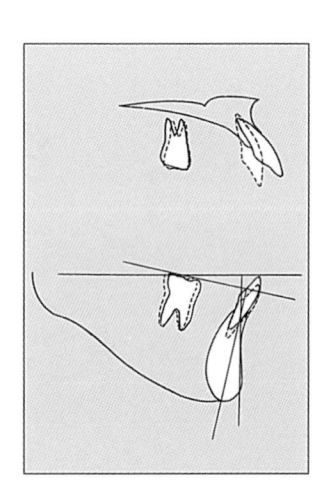

図17-43　治療前後のセファロの重ね合わせ．
図17-44　治療前後のセファロの重ね合わせ．

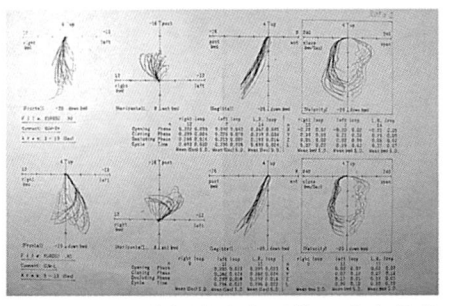

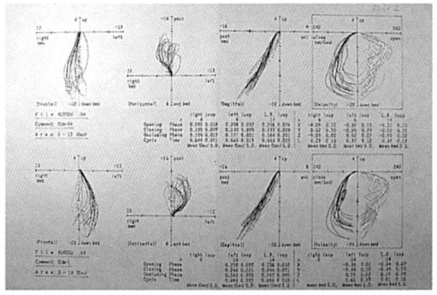

図17-45　動的治療完了後の咬合調整（Reshaping）前のシロナソグラフの記録．
図17-46　咬合調整（1回目）後のシロナソグラフの記録．

149

Chapter 17 アングルⅡ級症例

症例4（図17-47〜104）

患者：27歳11か月，男性
主訴：前歯前突，叢生
治療方針：上顎第一小臼歯，下顎第二小臼歯
$\frac{4|4}{5|5}$ 抜歯
使用器具：上下顎・Kurzタイプ舌側装置

▶図17-47 初診時，27歳11か月の男性，主訴は上顎前歯部の前突感と叢生．

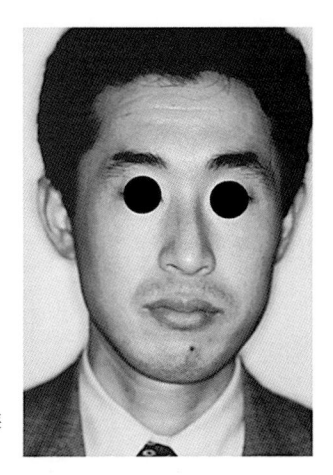

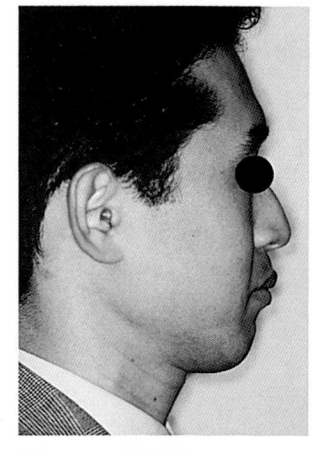

図17-48 側面観．

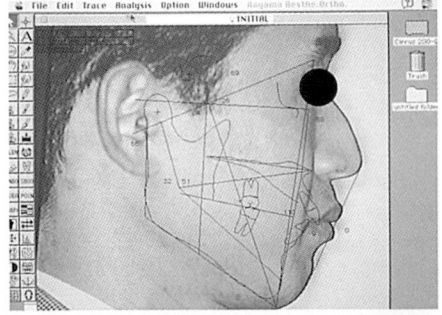

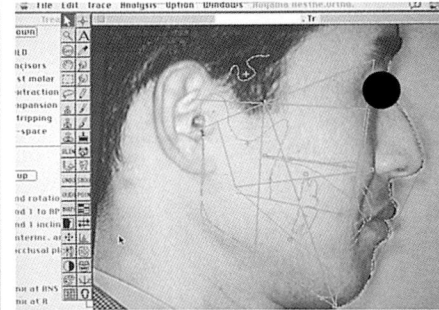

図17-49｜図17-50

図17-49 セファロ分析とプロフィール．Dolico-facialタイプ骨格性Ⅱ級症例．やや下顎が後退位（Retrognathia）をとる．
図17-50 コンピュータによる完了時におけるプロフィールの予想．

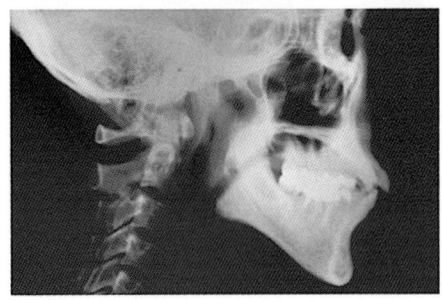

図17-51 初診時の頭部X線規格写真（セファロ）．

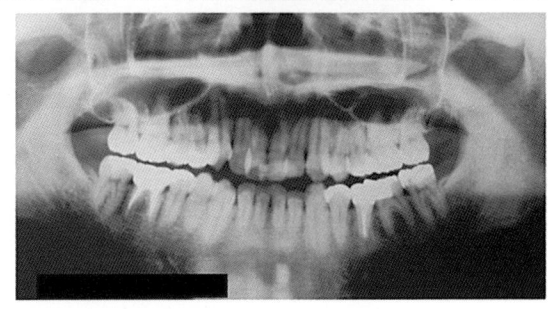

図17-52 初診時のパノラマX線写真．

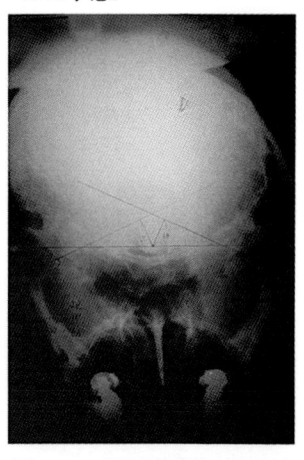

図17-53 顎関節断層撮影法（Axial Tomography）におけるSMV(Submentovertex)の分析．

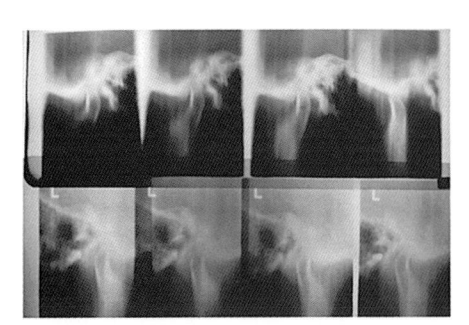

図17-54 SMVを基準として撮影された顎関節断層撮影法によるX線写真．

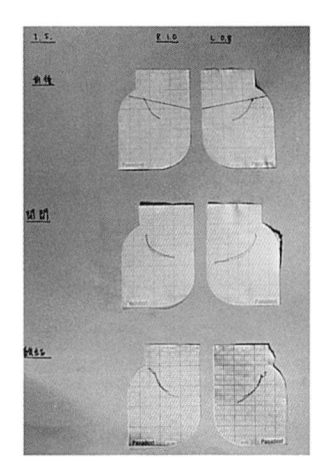

図17-55 Axi-path Protractor（パナデント社）による顆頭運動の記録．

1 類症例（症例4）

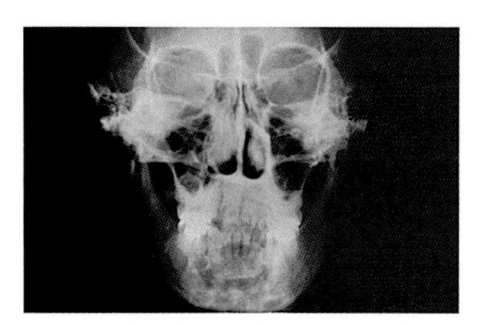

図17-56 前後（P-A）頭部X線規格写真.

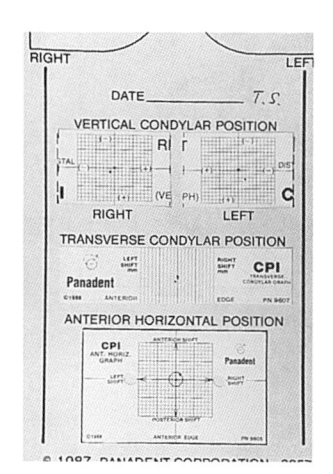

図17-57 C.P.I.（パナデント社）によるCO-CRポジションの記録.

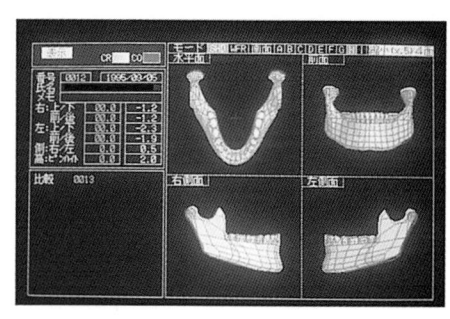

図17-58 ナソグラフ（東京歯材社）による下顎偏位の表示.

	図17-59	図17-60
図17-61	図17-62	図17-63
	図17-64	

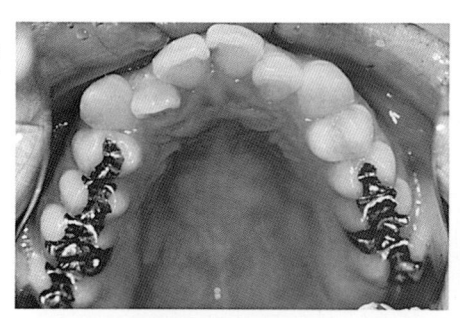

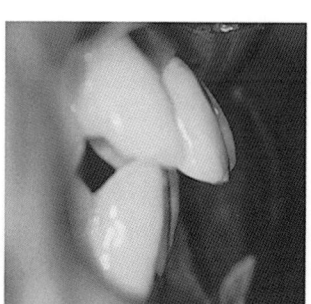

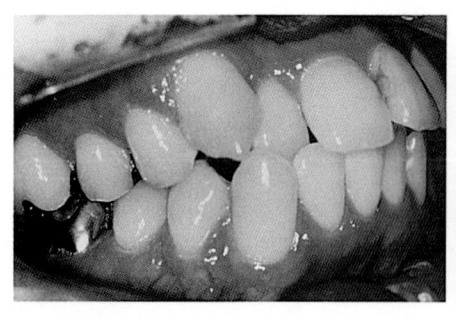

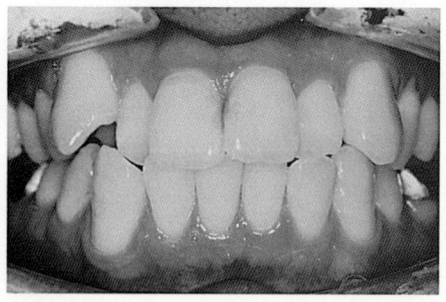

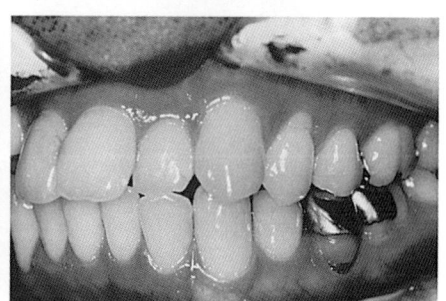

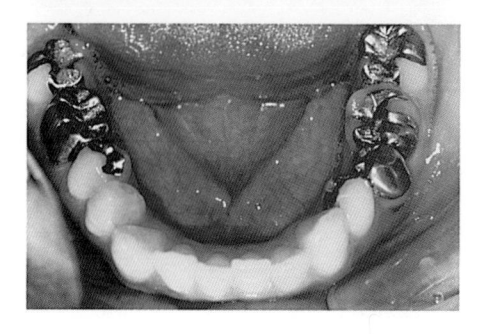

図17-59 口腔内咬合面観（上顎）.
図17-60 口腔内側面観．上下顎前歯は前突している．オーバージェットは6.5mm，オーバーバイトは2.0mm.
図17-61 口腔内右側面観.
図17-62 初診時口腔内正面観．臼歯関係はアングルⅠ級1類.
図17-63 口腔内左側面観.
図17-64 口腔内咬合面観（下顎）.

Chapter 17 アングルII級症例

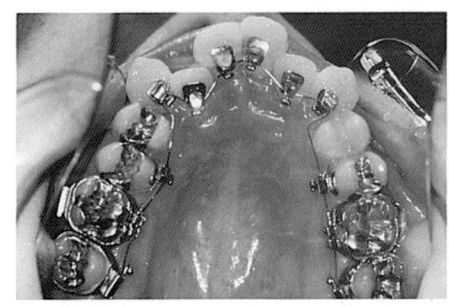

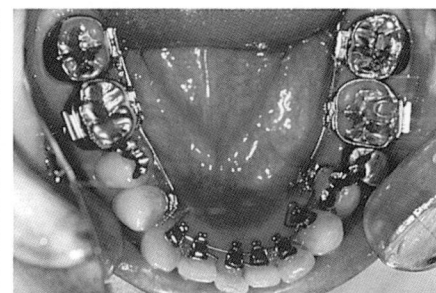

図17-65 | 図17-66

図17-65 レベリング（上顎）．使用ワイヤーは.012"～.016"NI-TI，.016"TMA，.016"S.S.
図17-66 レベリング（下顎）．

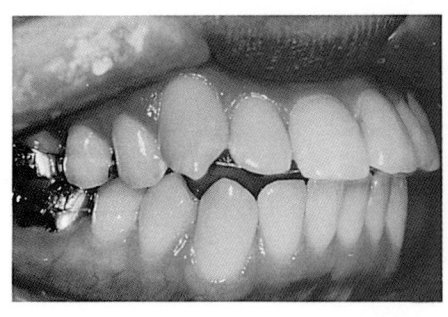

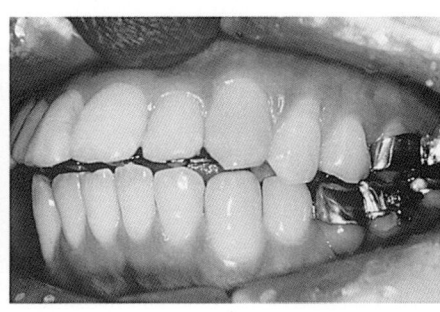

図17-67 | 図17-68

図17-67 レベリング完了時の口腔内右側面観．
図17-68 レベリング完了時の口腔内左側面観．

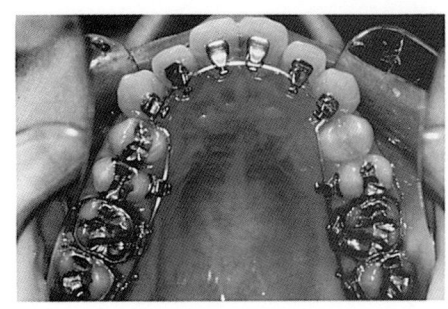

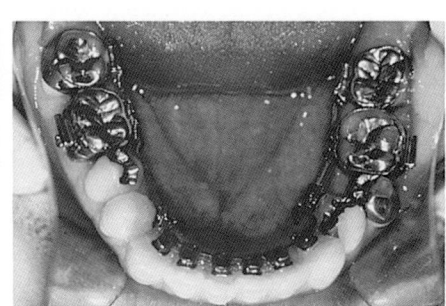

図17-69 | 図17-70

図17-69 前歯舌側移動前の上顎前歯トルクの確立．使用ワイヤーは.0175"×.0175"TMA，.017"×.025"TMA．
図17-70 下顎前歯トルクの確立．使用ワイヤーは.0175"×.0175"TMA．

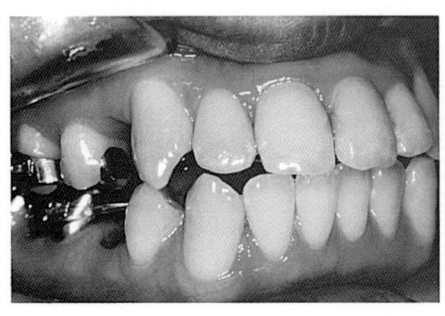

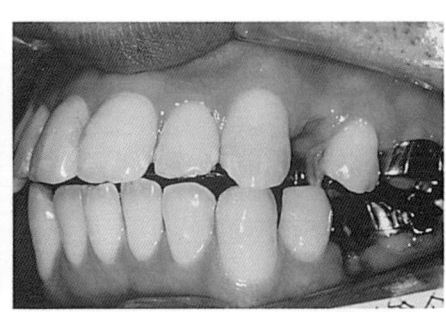

図17-71 | 図17-72

図17-71 上顎第一小臼歯，下顎第二小臼歯抜歯後の口腔内右側面観．
図17-72 抜歯後の口腔内左側面観．

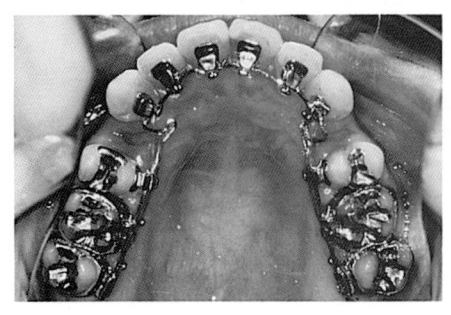

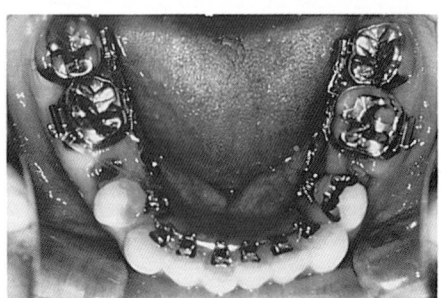

図17-73 | 図17-74

図17-73 上顎前歯（3＋3）一体（エン・マス）舌側移動スライディングメカニックス．使用ワイヤーは.016"×.022"S.S.
図17-74 下顎抜歯スペース部にバーティカルスペースクロージングループを挿入．ゆっくり空隙閉鎖を行う．使用ワイヤーは.016"×.022"S.S.

1類症例（症例4）

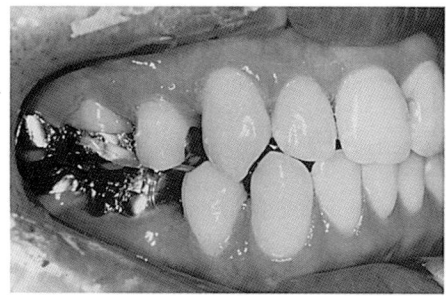

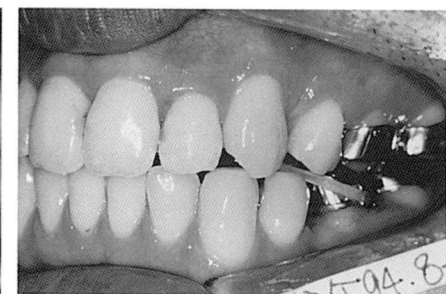

図17-75 上顎前歯舌側移動中の口腔内右側面観．
図17-76 口腔内左側面観．II級エラスティック使用．

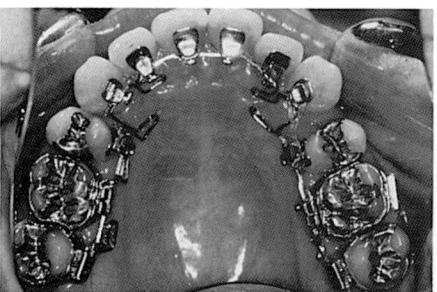

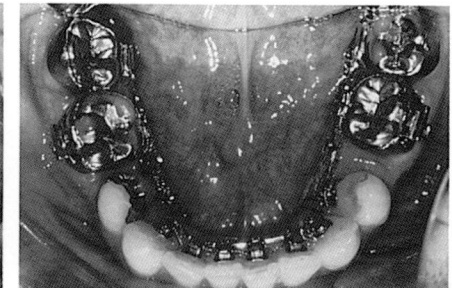

図17-77 上顎咬合面観．L字ループを用いたアーチワイヤーによる前歯部トルクコントロールおよび舌側移動．使用ワイヤーは.016″×.022″S.S.
図17-78 下顎咬合面観．

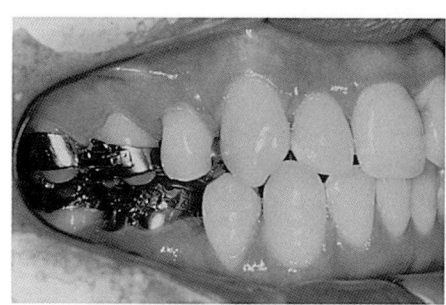

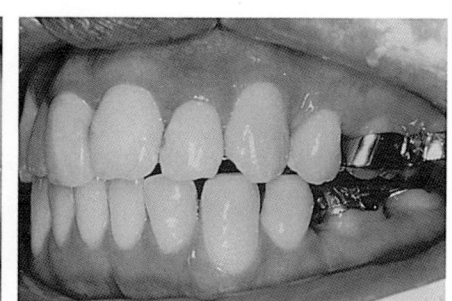

図17-79 口腔内右側面観．
図17-80 口腔内左側面観．

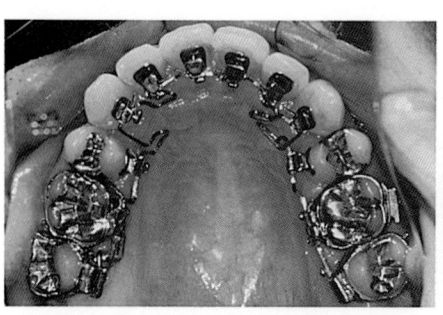

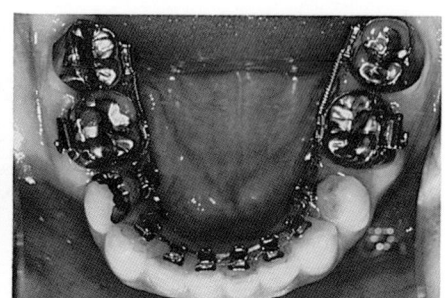

図17-81 上顎咬合面観．スペース閉鎖およびトルクコントロール．
図17-82 下顎咬合面観．下顎スペースの閉鎖．

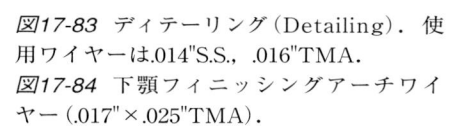

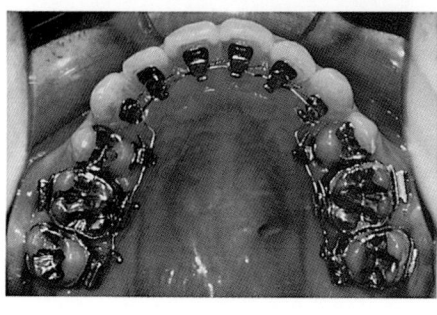

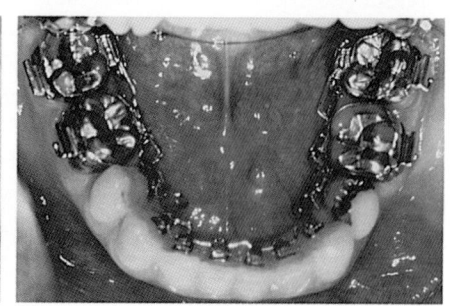

図17-83 ディテーリング（Detailing）．使用ワイヤーは.014″S.S.，.016″TMA．
図17-84 下顎フィニッシングアーチワイヤー（.017″×.025″TMA）．

153

Chapter 17 アングルⅡ級症例

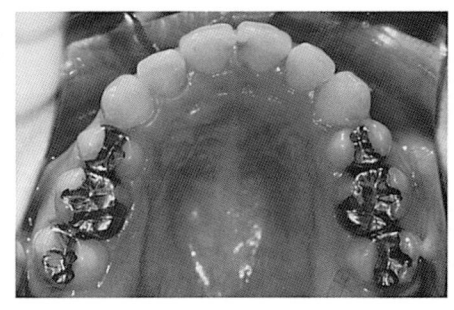

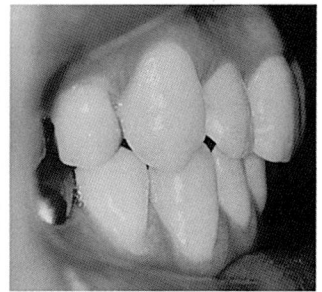

図17-85〜90 完了時．口腔内所見．

図17-85 | 図17-86
図17-87 | 図17-88 | 図17-89
図17-90

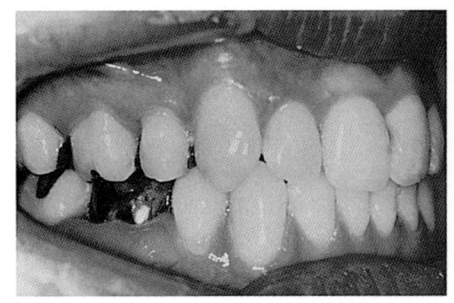

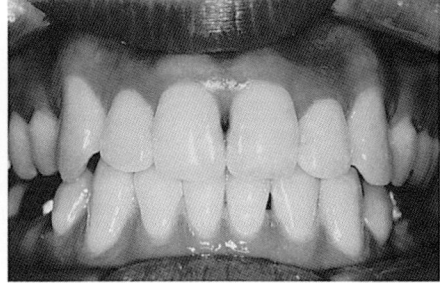

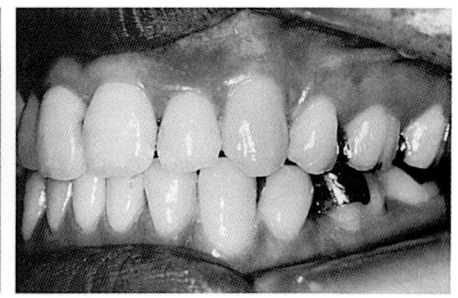

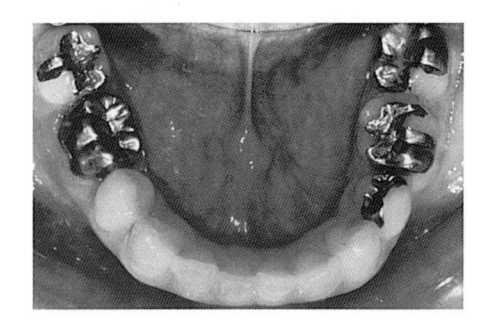

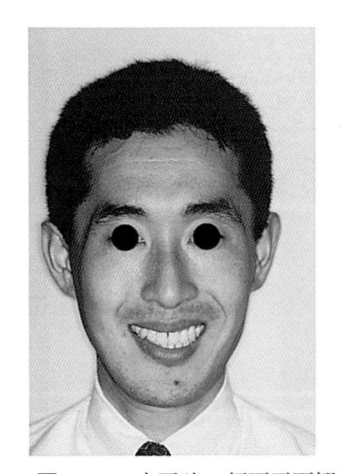

図17-91 完了時．顔面正面観．

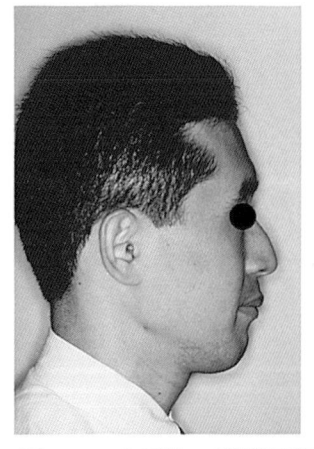

図17-92 完了時．顔面側面観．

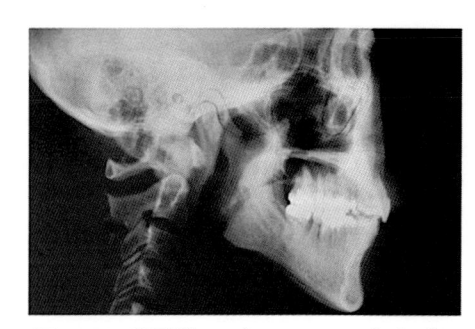

図17-93 完了時．プロフィールおよびセファロ分析．

154

1 類症例（症例4）

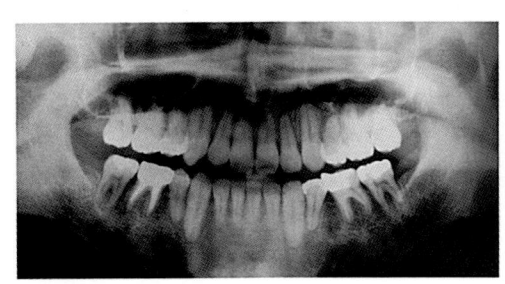

図17-94 完了時のパントモX線写真．

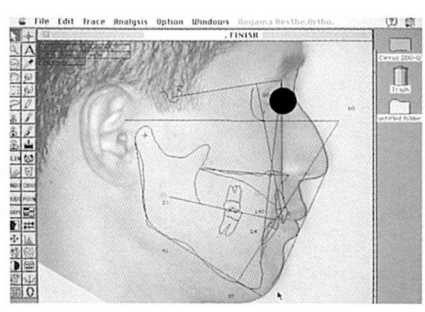

図17-95 完了時．プロフィールおよびセファロ分析．

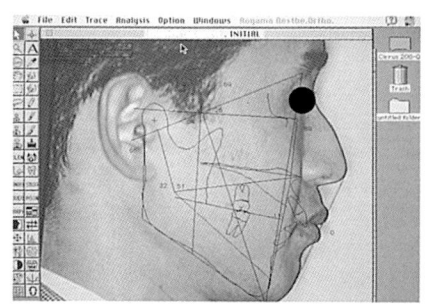

図17-96 治療前．プロフィールおよびセファロ分析．

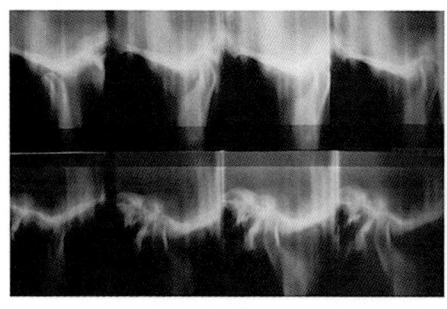

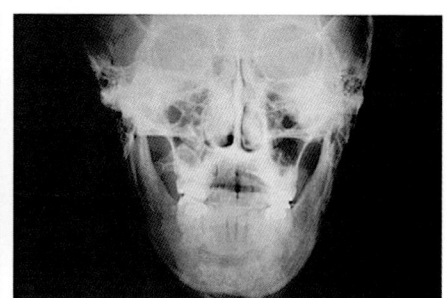

図17-97｜図17-98

図17-97 顎関節断層撮影X線写真．（Axial Tomography）．
図17-98 前後（P-A）頭部X線写真．

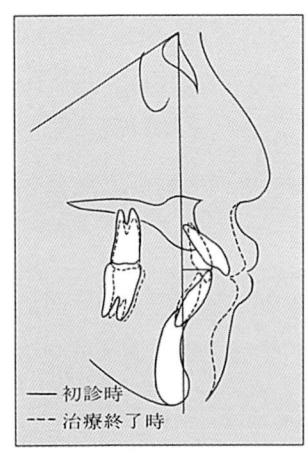

図17-99 治療前後のセファロの重ね合わせ．

図17-100 セファロの重ね合わせ．

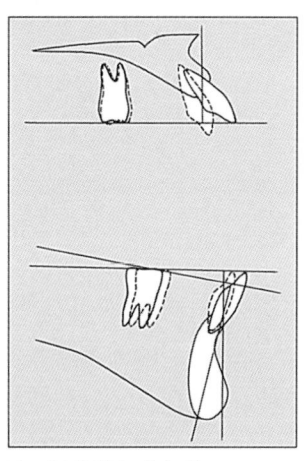

図17-101 治療完了後．Axi-path Protractor（パナデント社）による顆頭運動の記録．

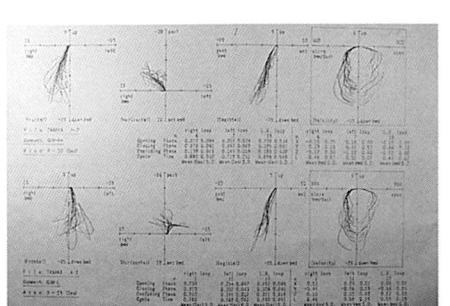

図17-102 動的治療完了後の咬合調整（Reshaping）．調整前のシロナソグラフの記録．

図17-103 第1回咬合調整完了後のシロナソグラフの記録．

図17-104 第2回咬合調整完了後のシロナソグラフの記録．

155

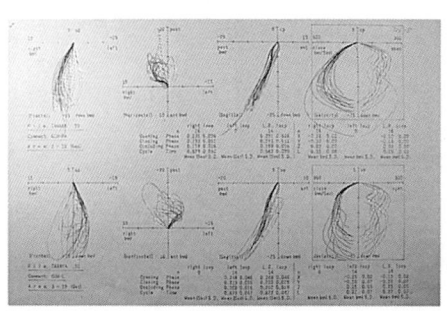

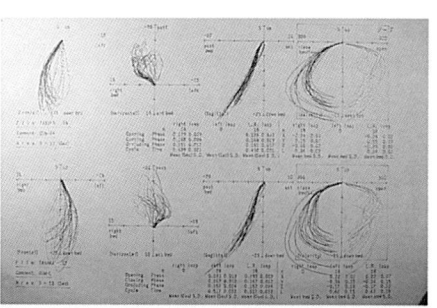

2) 2類症例

症例5（図17-105〜146）

患者：21歳10か月，女性
主訴：上顎前歯前突症例
治療方針：上顎第一小臼歯 4|4 抜歯
使用器具：上下顎・Kurzタイプ舌側装置

▶図17-105　初診時，21歳10か月の女性．アングルⅡ級2類．顔面正面観．

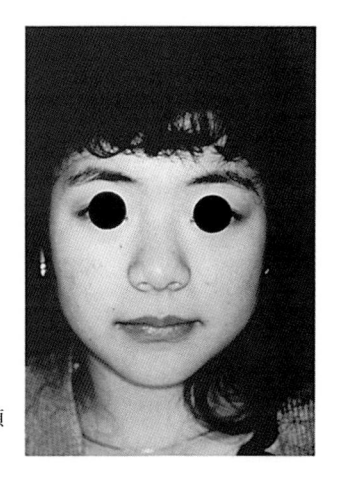

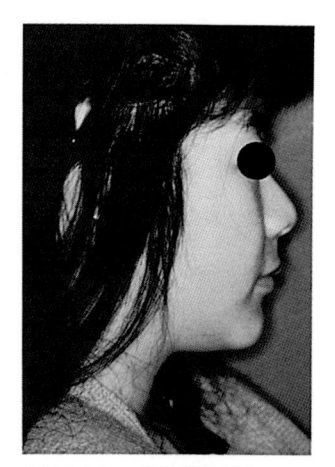

図17-106　顔面側面観．

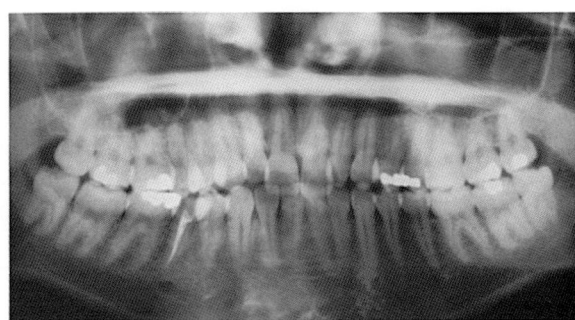

図17-107｜図17-108

図17-107　セファロ分析．SNA＝83.0°，SNB＝77.5°．上顎中切歯は舌側傾斜（NA to U1＝－0.5mm，5.0°）．骨格性の問題はとくに認められない．
図17-108　パントモX線写真．基本的治療方針は上顎第一小臼歯および上下第三大臼歯の抜歯．

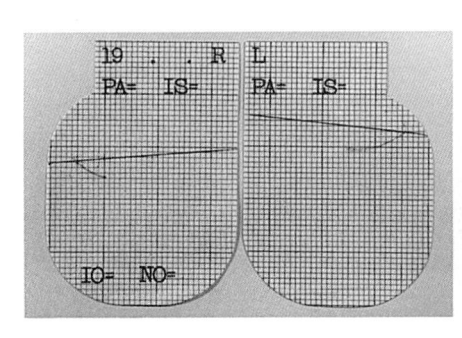

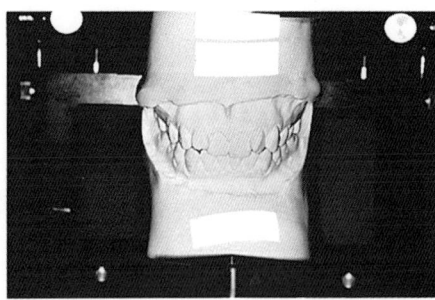

図17-109｜図17-110

図17-109　Axi-path Protractorによる下顎運動のレコーディング．右側顆頭運動の運動制限が認められる．
図17-110　咬合器にマウントされた模型．

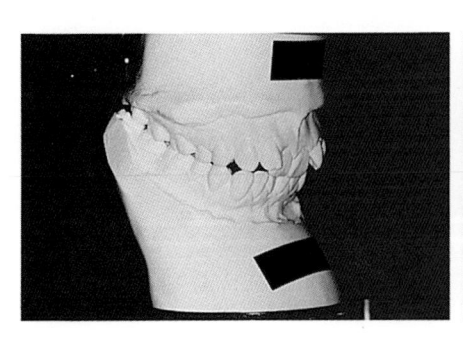

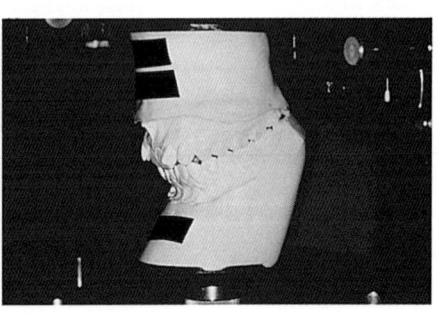

図17-111｜図17-112

図17-111　中心位（C.R.）でマウントされた歯列模型（右側）．
図17-112　歯列模型（左側）．

1 類症例（症例5）

図17-113 図17-114
図17-115 図17-116 図17-117
図17-118

図17-113〜118　口腔内所見.

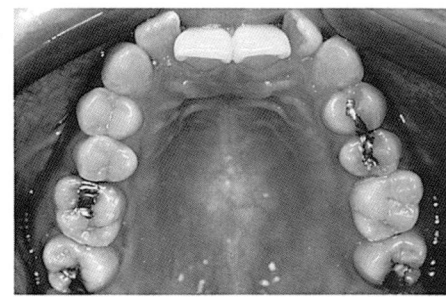

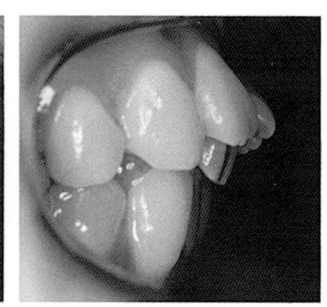

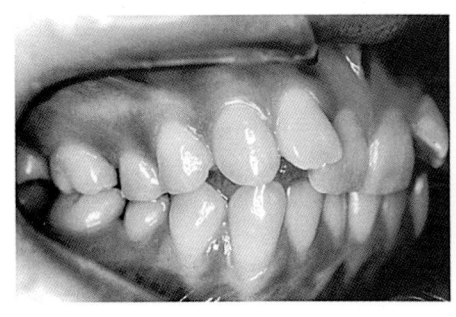

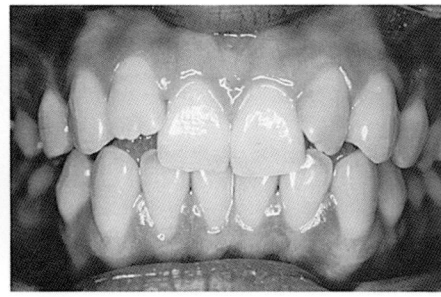

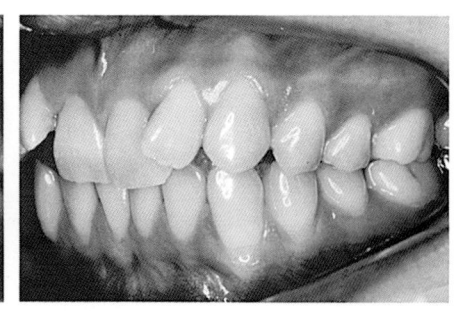

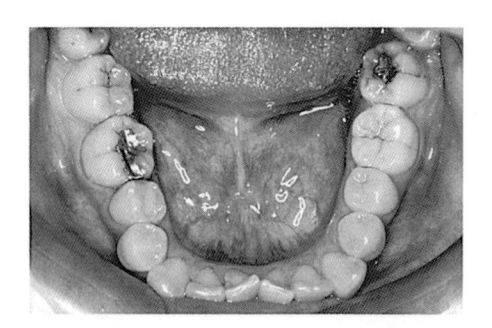

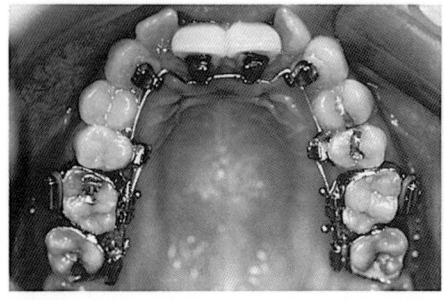

図17-119　レベリング（.014"NI-TI，.016"TMA，.016"S.S.の各ワイヤーを用いる）. 期間は4か月. 上顎にレベリングワイヤーを入れた状態.

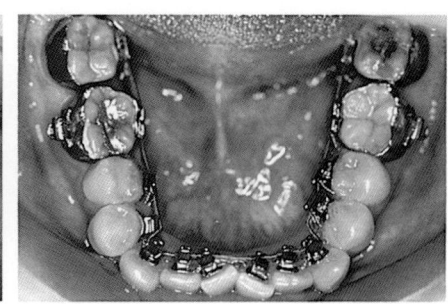

図17-120　レベリング.014"NI-TI，.016"NI-TIを用いる. 下顎にレベリングワイヤーを入れた状態.

157

Chapter 17 アングルⅡ級症例

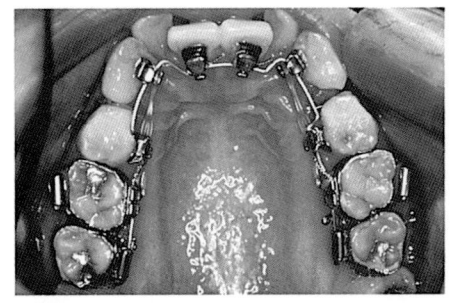

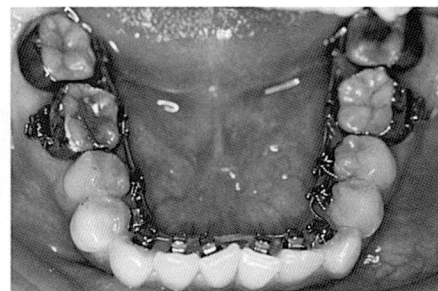

図17-121｜図17-122

図17-121　犬歯の部分的遠心移動．レベリングが完了した段階で上顎第一小臼歯を抜歯．.016"×.016"S.S.ワイヤーを挿入．エラスティックを用いて犬歯遠心移動．
図17-122　下顎前歯のアライメント．.016"TMA, .016"S.S.を用いる．

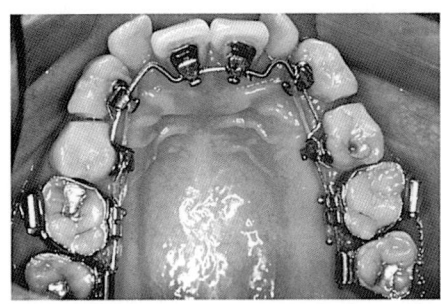

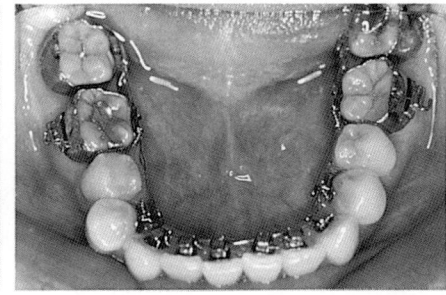

図17-123｜図17-124

図17-123　オープンコイルとエラスティックを併用した犬歯の部分的遠心移動．抜歯部位をカモフラージュするために犬歯前後の歯牙にレジン装着．期間は約6か月．
図17-124　下顎のトルクコントロール（.0175"×.0175"TMA）．

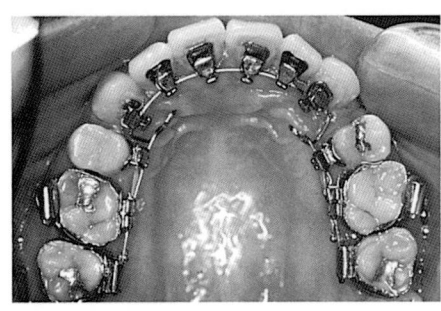

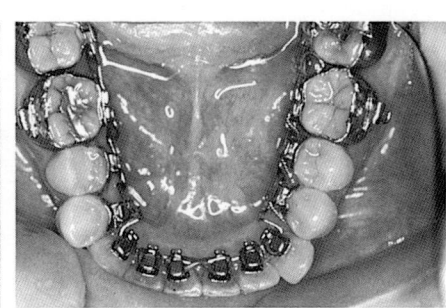

図17-125｜図17-126

図17-125　前歯部の再レベリングの後前歯部（ 3＋3 ）の舌側移動を行う．使用ワイヤーは.016"×.022"S.S. 空隙閉鎖はL字ループを用いる．
図17-126　下顎，使用ワイヤーは.016"×.022"TMA．

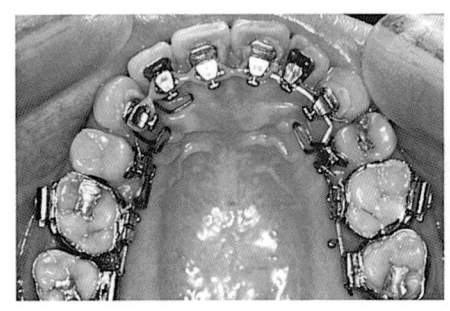

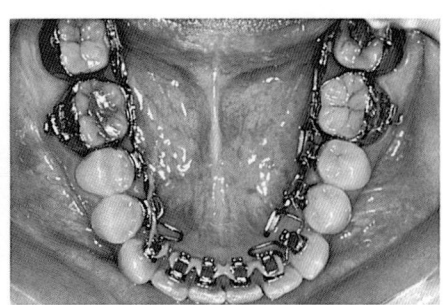

図17-127｜図17-128

図17-127　前歯部のトルクコントロール．L字ループを挿入．使用ワイヤーは.016"×.022"S.S., .017"×.025"TMA．
図17-128　下顎臼歯および前突の整直．臼歯整直に効果の大きいマルチループアーチワイヤーを用いる．使用ワイヤーは.016"×.022"S.S.

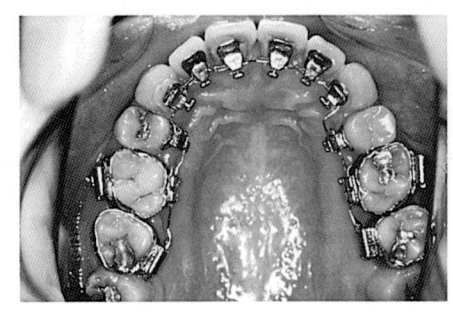

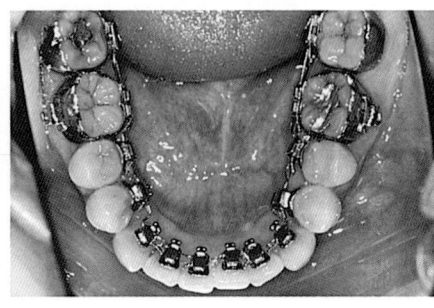

図17-129｜図17-130

図17-129　ディテーリング核歯牙の位置の微調整を行う．使用ワイヤーは，.014"S.S.または.016"TMA．
図17-130　ディテーリング．使用ワイヤーは.014"S.S.または.016"TMA．

158

1 類症例（症例5）

図17-131｜図17-132

図17-131 最終ワイヤー（Finishing Wire）．付加的なトルクコントロールなどを行う．.0175"×.0175"TMA，.017"×.025"TMA．
図17-132 最終ワイヤー．

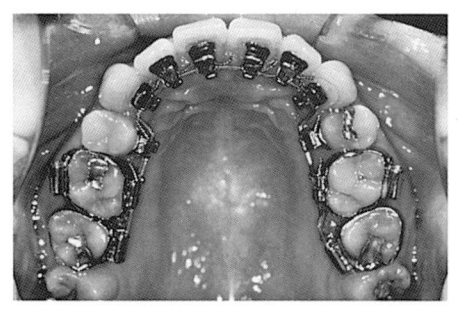

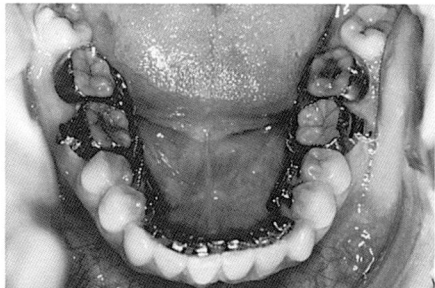

図17-133｜図17-134
図17-135｜図17-136｜図17-137
図17-138

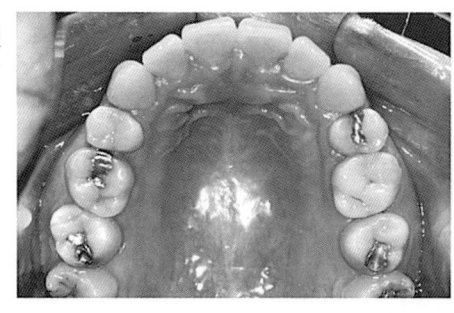

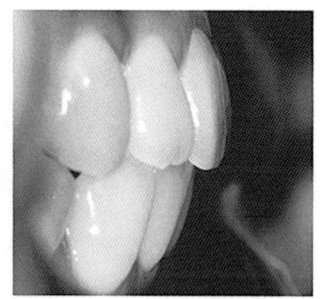

図17-133～138 完了時の口腔内所見．

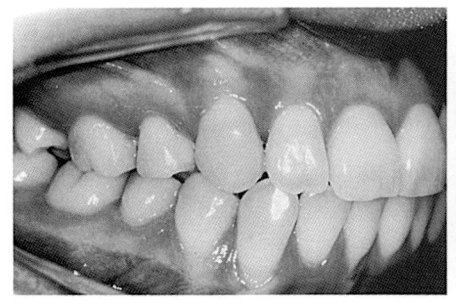

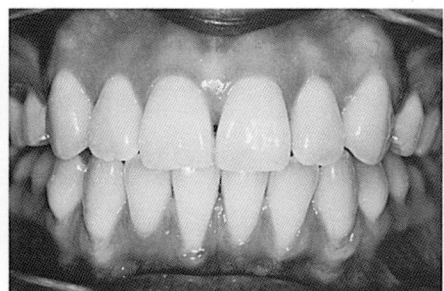

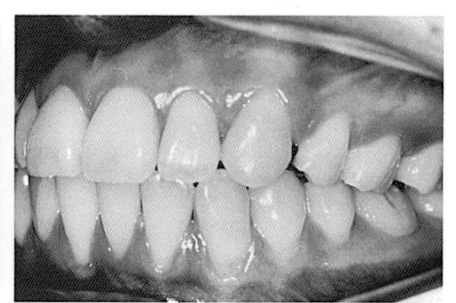

図17-139｜図17-140

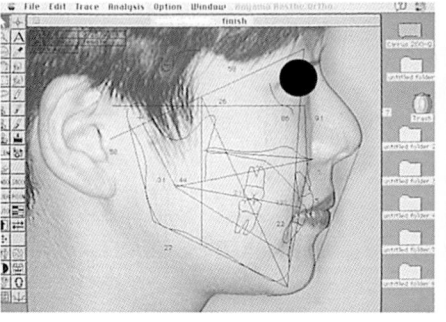

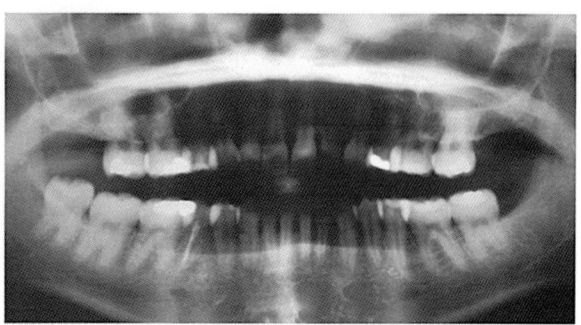

図17-139 完了時の側方顔貌とセファロ分析．
図17-140 パノラマX線写真．

159

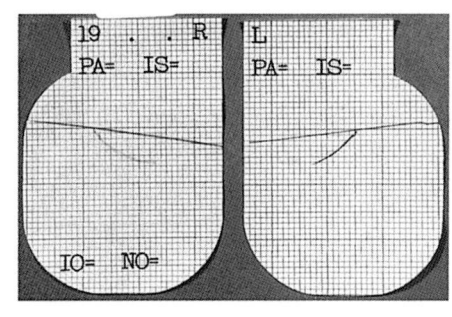

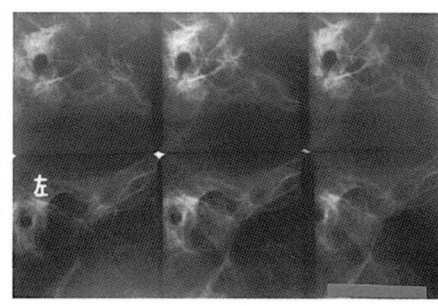

Chapter 17　アングルⅡ級症例

図17-141　完了時のレコーディング．
図17-142　顎関節写真（モンジーニ）．

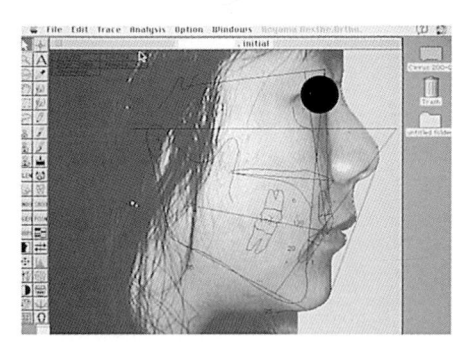

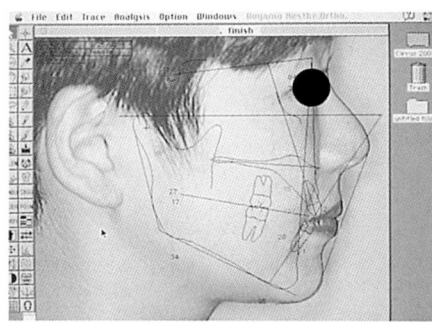

図17-143　治療前セファロ分析．
図17-144　治療後セファロ分析．

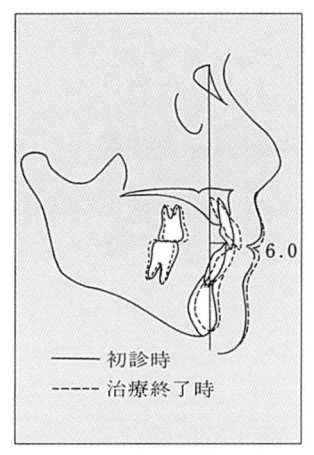

図17-145　治療前後のセファロ重ね合わせ．臼歯部はⅡ級関係で完了している．
図17-146　上下顎セファロ重ね合わせ．舌側傾斜していた中切歯の歯軸は改善された．下顎臼歯は整直されているが叢生の分だけ前歯は唇側に拡大されている． 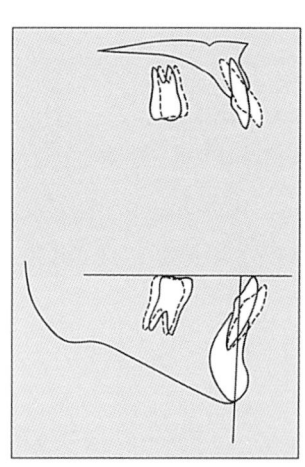

160

3）開咬を伴うアングルⅢ級症例

症例6（図17-147〜193）

患者：25歳11か月，女性
主訴：上顎前歯前突，開咬
治療方針：上顎第一小臼歯 4|4 抜歯
使用器具：上下顎・Kurzタイプ舌側装置

▶ 図17-147 初診時25歳11か月の女性.

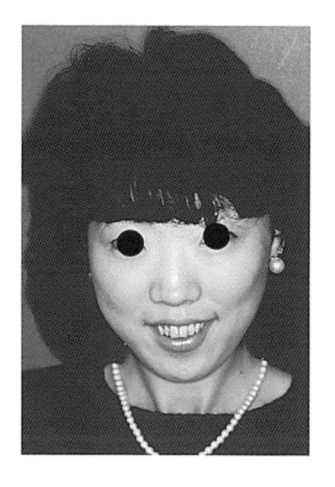

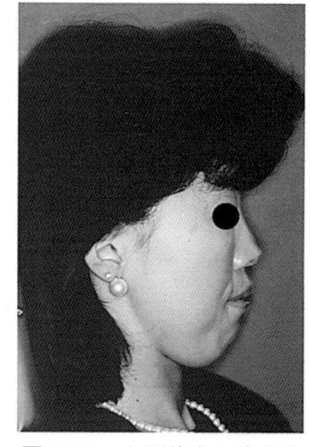

図17-148 上顎前歯の前突感と前歯部開咬を主訴として来院.

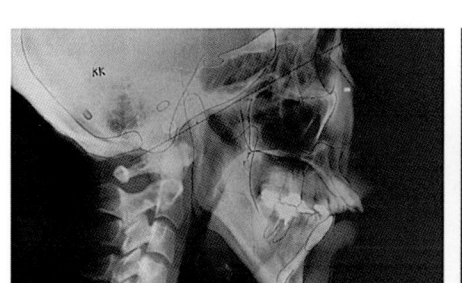

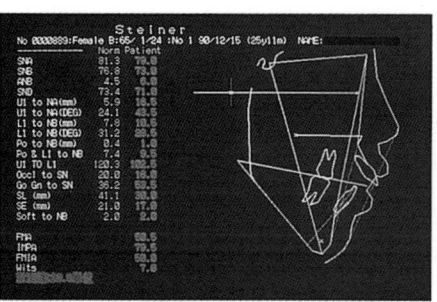

図17-149,150 高度のDolico-facialタイプ．上下顎ともに後退位（Retrognathia）を示すがとくに下顎にこの傾向が顕著．骨格系はアングルⅡ級．

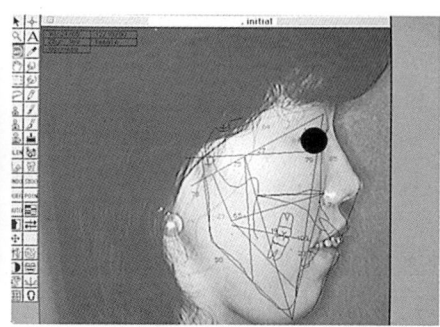

図17-151 プロフィールはとくに頭部が後退しているために上下唇の前突感が認められる．下唇とEラインとの距離は4.8mm．

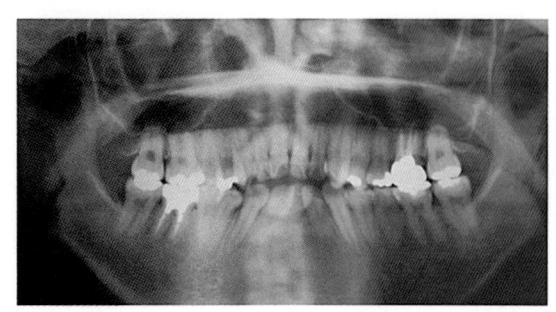

図17-152 パノラマX線写真．下顎中切歯1本が先天欠如でいわゆる3 incisorsの症例.

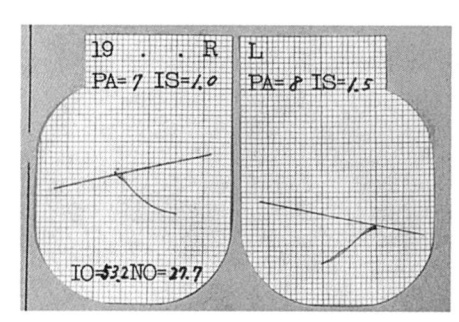

図17-153 治療前のAxi-path Protractor（パナデント社）による顆頭運動の記録．左側顆頭の運動経路がとくに直線的動きを示す．

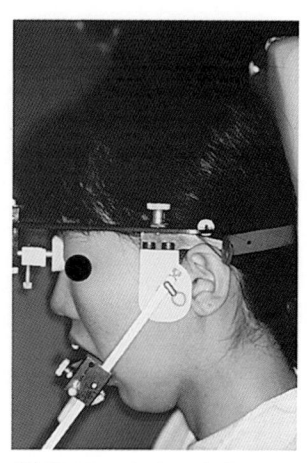

図17-154 Axi-path Protractorによるレコーディング．

Chapter 17　アングルII級症例

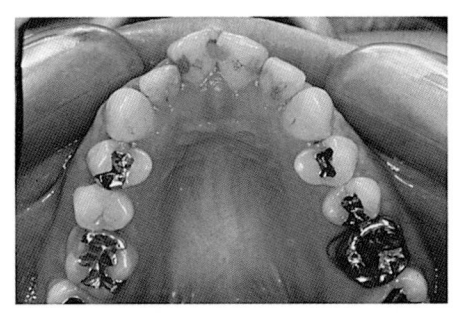

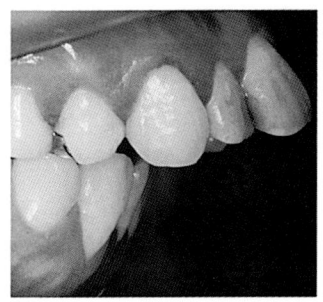

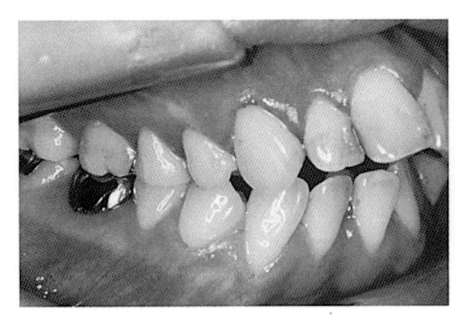

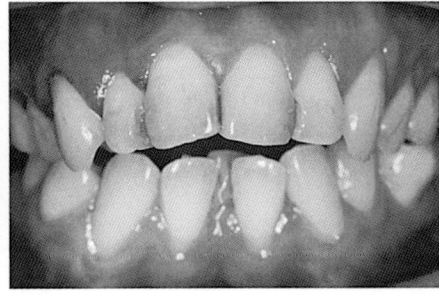

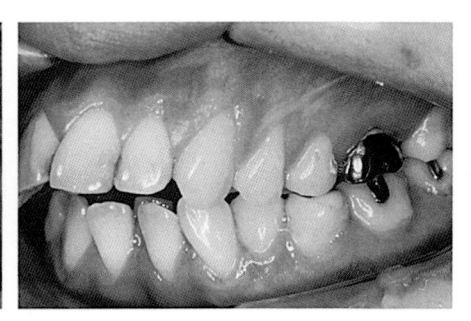

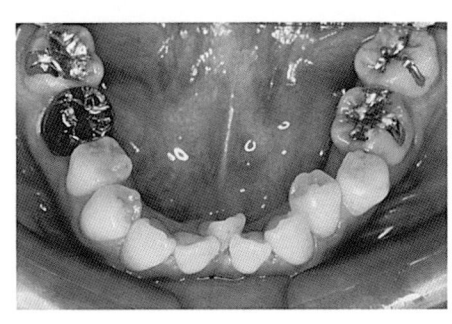

図17-155　口腔内咬合面観（上顎）．
図17-156　口腔内側面観．オーバージェットは＋16.0mm，オーバーバイトは－5.0mm．
図17-157　口腔内右側面観．
図17-158　口腔内正面観．治療方針は上顎第一小臼歯（4|4）抜歯．
図17-159　口腔内左側面観．
図17-160　校区内咬合面観（下顎）．

図17-161　顎関節断層撮影X線写真（Axial Tomography）．左側顆頭関節面の偏平化が認められる．

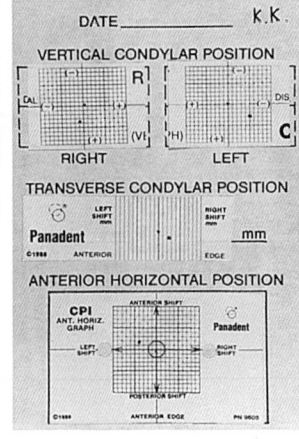

図17-162　C.P.I.（パナデント社）によるCOおよびCRの偏位記録．

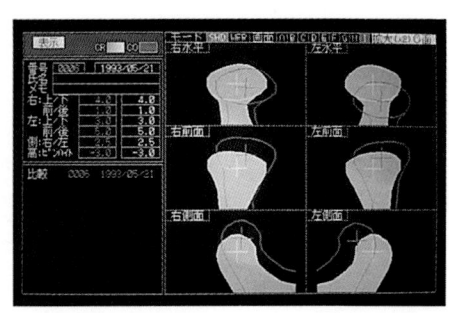

図17-163　ナソグラフによる下顎偏位のコンピュータ表示．

162

開咬を伴うアングルIII級症例（症例6）

図17-164　レベリング（上顎）．使用ワイヤーは.012"～.016"NI-TI，.016"TMA，.016"S.S.
図17-165　レベリング（下顎）．使用ワイヤーは.014"NI-TI，.014"～.016"S.S.

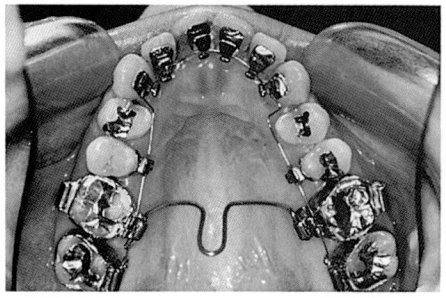

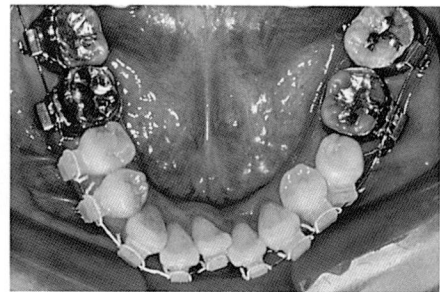

図17-166　レベリング中の口腔内右側面観．
図17-167　レベリング中の口腔内左側面観．

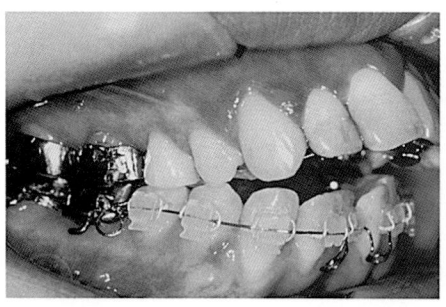

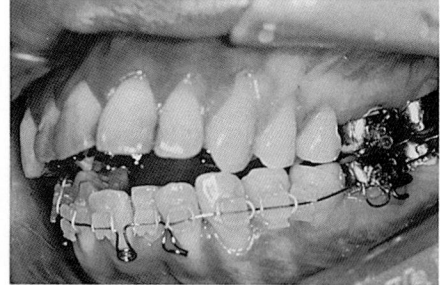

図17-168　前歯部舌側移動前のトルクの確立．（使用ワイヤー.0175"×.0175"TMA）の後，L字ループによる前歯部（ $\frac{3+3}{}$ ）舌側一体移動（エン・マス）．使用ワイヤーは.016"×.022"S.S.
図17-169　下顎臼歯の整直．

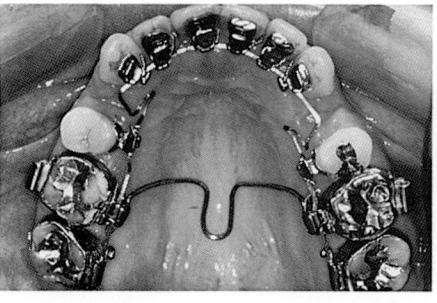

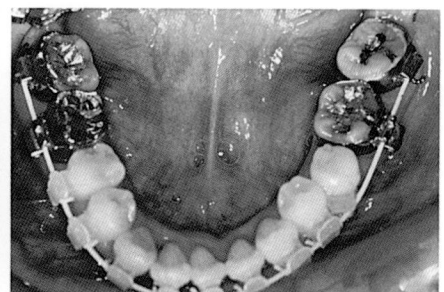

図17-170　前歯部舌側移動．
図17-171　下顎歯列弓の確立．使用ワイヤーは.016"×.022"S.S.

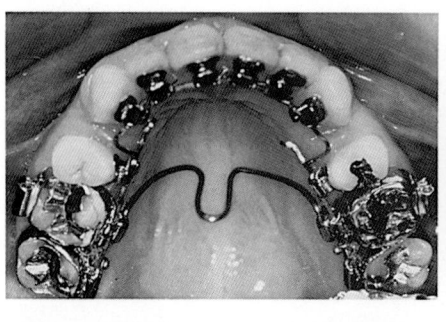

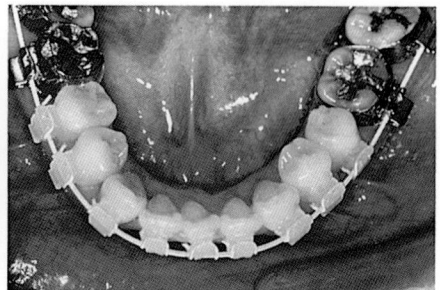

図17-172　ディテーリング（Detailing）．使用ワイヤーは.014"S.S.，.016"TMA.
図17-173　下顎フィニッシングアーチワイヤーの挿入．使用ワイヤーは.017"×.025"S.S.

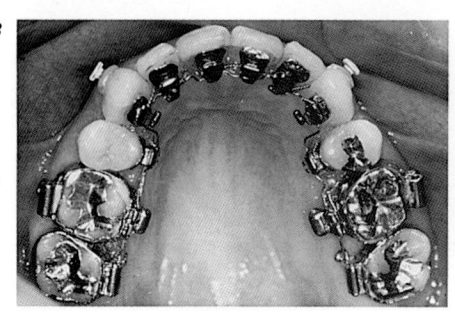

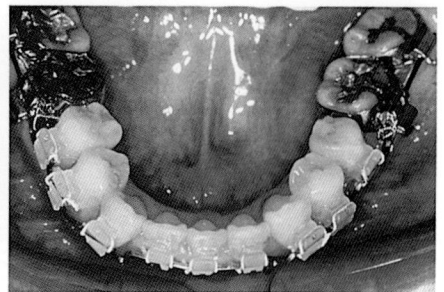

Chapter 17 アングルⅡ級症例

図17-174 図17-175
図17-176 図17-177 図17-178
図17-179

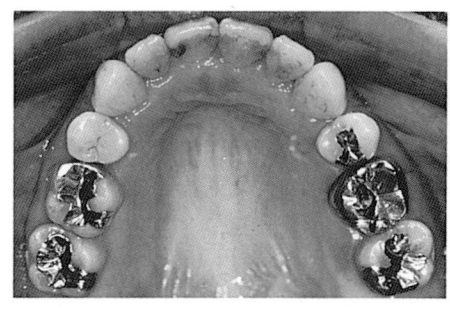

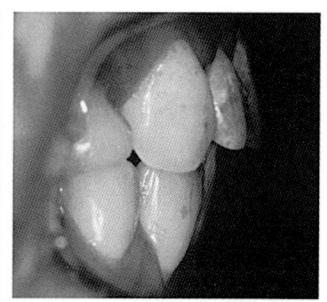

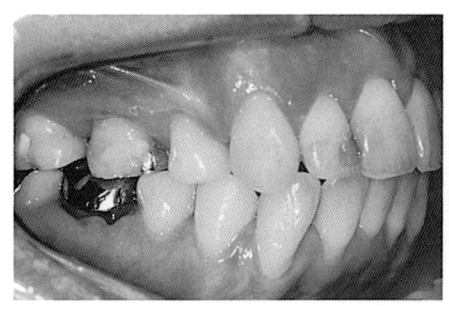

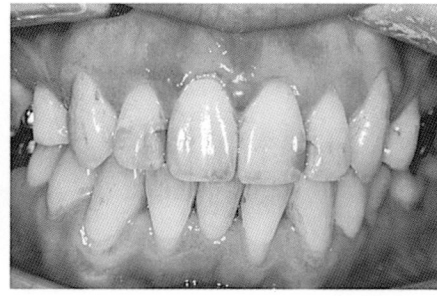

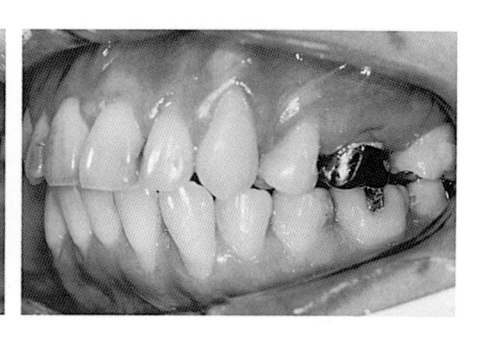

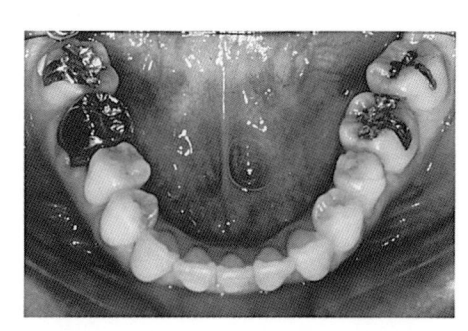

図17-174 咬合面（上顎）．咬合面観．
図17-175 完了時．口腔内側面観．
図17-176 完了時．口腔内右側面観．
図17-177 口腔内前面観．下顎の切歯（incisors）が3本のため上下顎前歯の正中線は一致していない．
図17-178 完了時．口腔内左側面観．下顎3切歯のためにガイダンスに問題が残った．
図17-179 咬合面（下顎）．咬合面観．

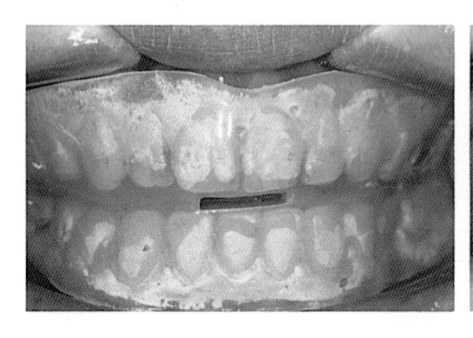

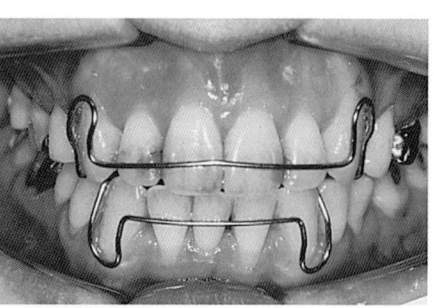

図17-180 図17-181

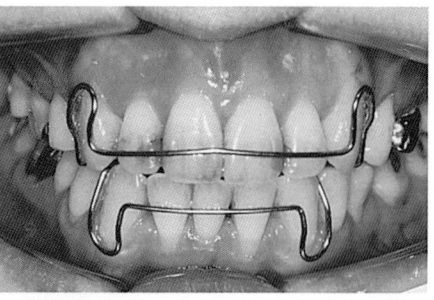

図17-180 保定に使用された，ナソロジカルポジショナー．
図17-181 保定に使用された，ホーレータイプリティナー．

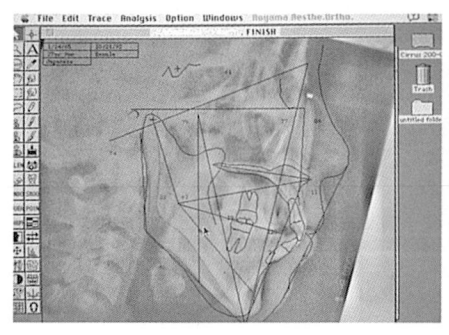

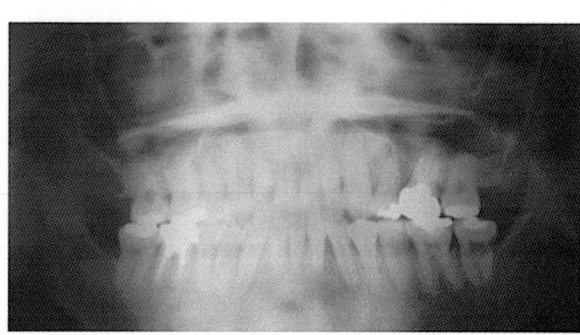

図17-182 図17-183

図17-182 完了時のセファログラム．
図17-183 完了時．パノラマX線写真．

164

開咬を伴うアングルIII級症例（症例6）

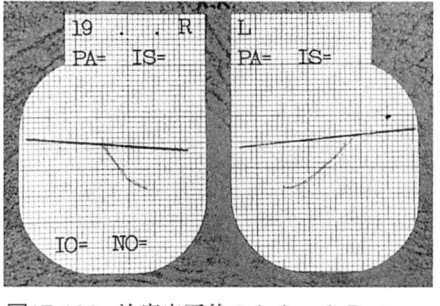

図17-186 治療完了後のAxi-path Protractor（パナデント社）による顆頭運動の記録.

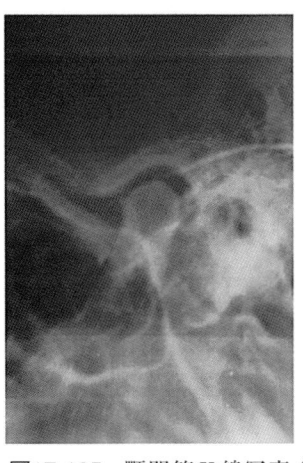

図17-184 動的治療完了時の顎関節X線写真（右側）（モンジーニ）.

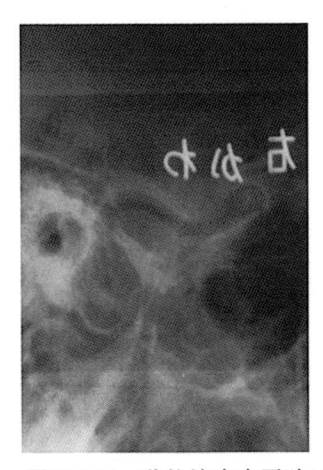

図17-185 顎関節X線写真（左側）（モンジーニ）.

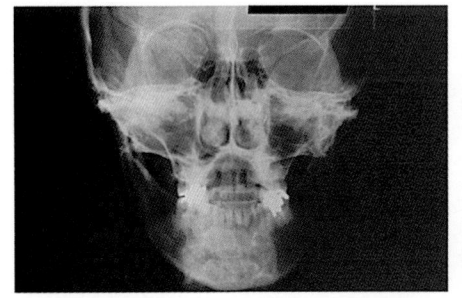

図17-187 前後（P-A）頭部X線規格写真.

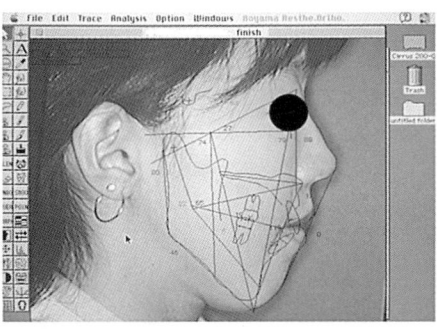

図17-188 治療後のプロフィールとセファロ分析.

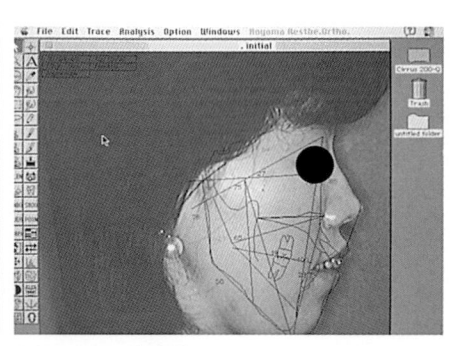

図17-189 治療前のプロフィールとセファロ分析.

図17-190 ｜ 図17-191

図17-190 治療後のセファロ分析.
図17-191 治療前のセファロ分析.

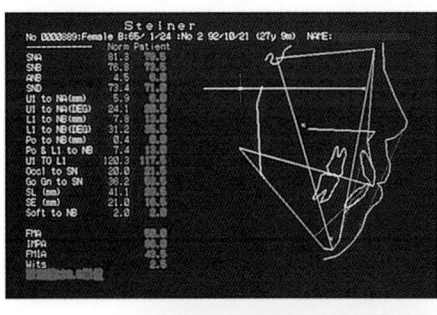

図17-192 ｜ 図17-193

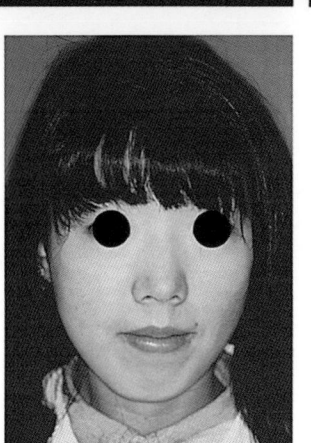

図17-192 治療後の顔面表面観.
図17-193 治療前の顔面表面観.

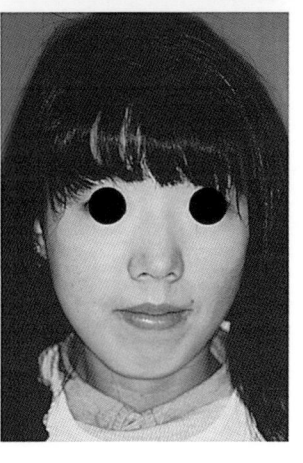

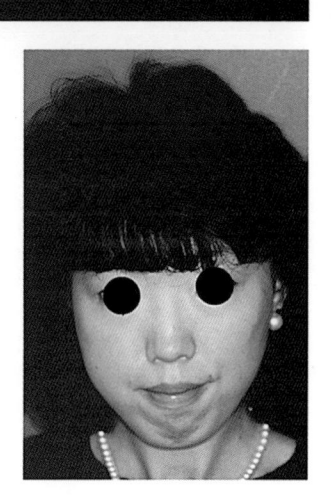

165

Chapter 18

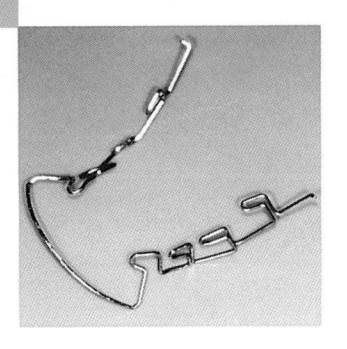

アングルⅢ級症例(前歯部反対咬合)

症例7（図18-1〜46）

患者：19歳5か月，女性
主訴：前歯部反対咬合
治療方針：非抜歯
使用器具：上下顎・Kellyタイプ舌側装置

▶図18-1　初診時，19歳5か月の女性

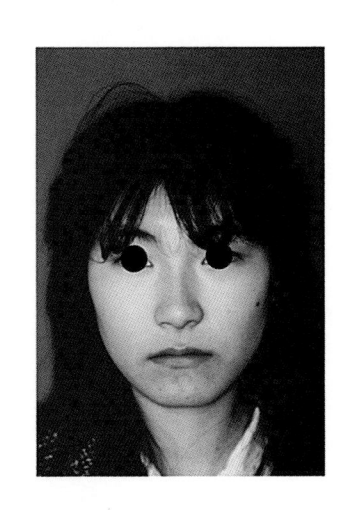

図18-2　顔面側面観はやや下顎の前突感の強い，ストレートプロフィールである．

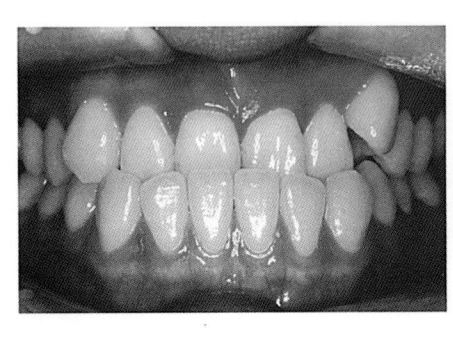

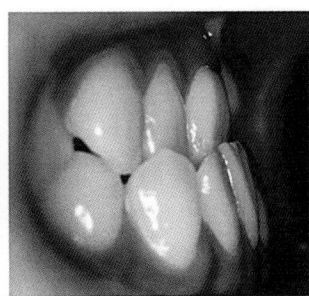

図18-3｜図18-4

図18-3　主訴は前歯部反対咬合および上顎左犬歯の唇側転位．
図18-4　治療方針は上顎の前歯部拡大による前歯部反対咬合の改善．使用装置はkellyタイプ下側装置（UNITEK社）．オーバージェットは-1.0mm，オーバーバイトは+2.0mm

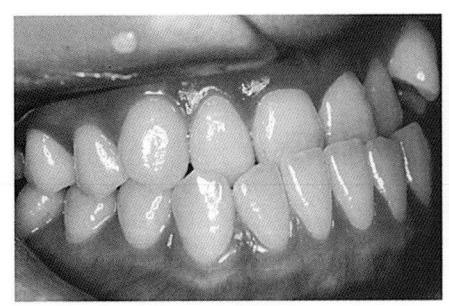

図18-5　口腔内右側面観　　図18-6　口腔内左側面観

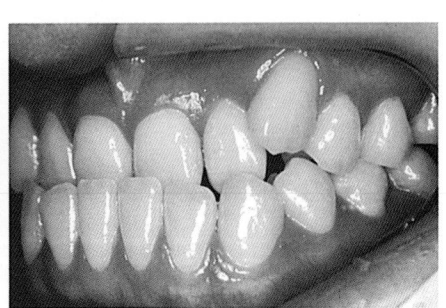

症例7

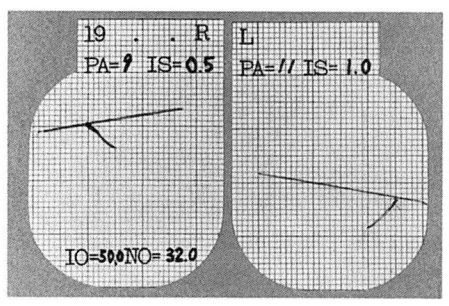

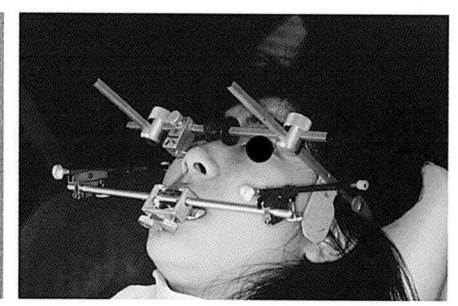

図18-7　Quick Analizer（パナデント社）による顆頭運動の記録．前歯部ガイダンスが不良のため運動軌路は直線的で短い．
図18-8　Quick Analizer（パナデント社）

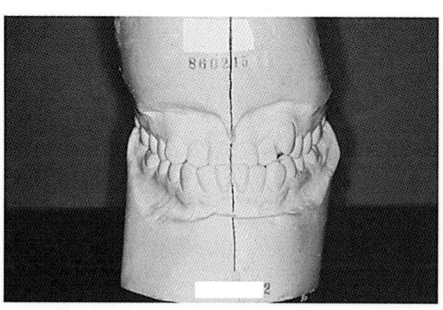

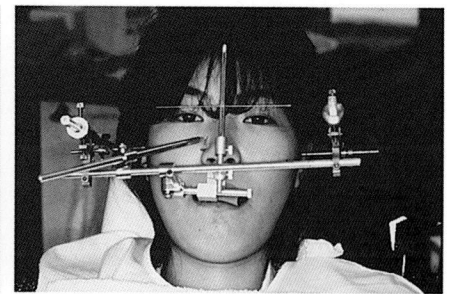

図18-9　正中伝達装置を用いた咬合器模型上への正中線のトランスファー．
図18-10　正中伝達装置およびTMJフェイスボー．

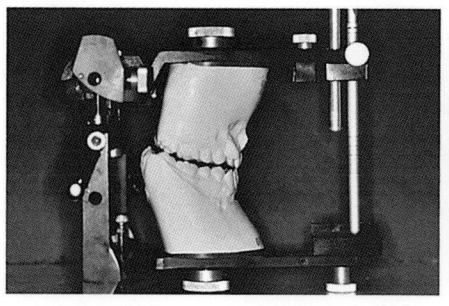

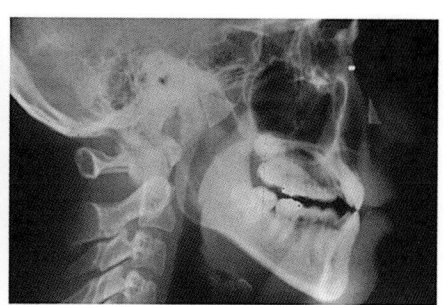

図18-11　中心位（CR）で咬合器上にマウントされた模型．
図18-12　下顎がCR（中心位）をとった状態での頭部X線規格写真．

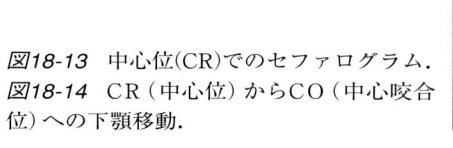

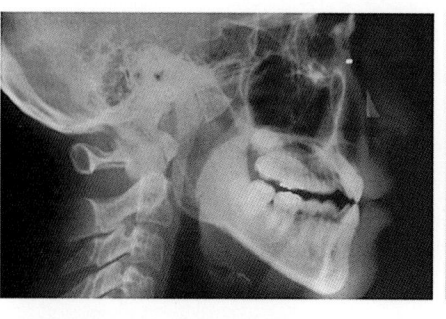

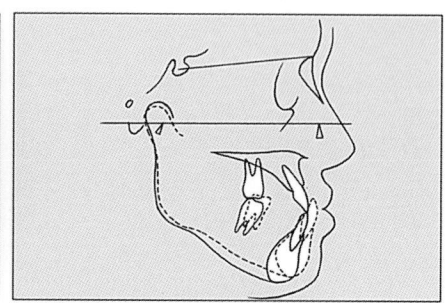

図18-13　中心位（CR）でのセファログラム．
図18-14　CR（中心位）からCO（中心咬合位）への下顎移動．

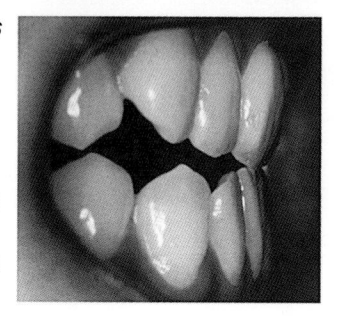

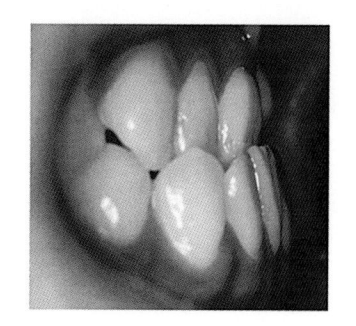

図18-15　中心位（CR）での前歯部口腔内所見．
図18-16　中心咬合位（CO）での前歯部口腔内所見．

167

Chapter 18　アングルIII級症例（前歯部反対咬合）

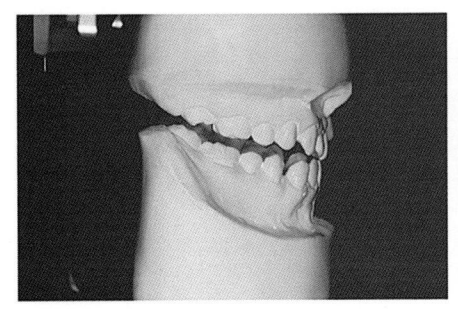

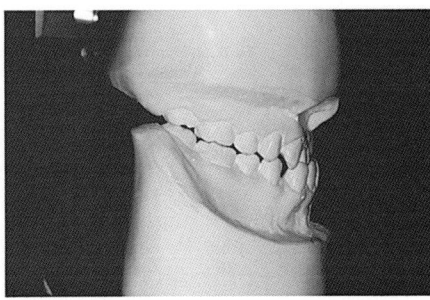

図18-17｜図18-18

図18-17　中心位（CR）での模型所見．
図18-18　中心咬合位（CO）での模型所見．

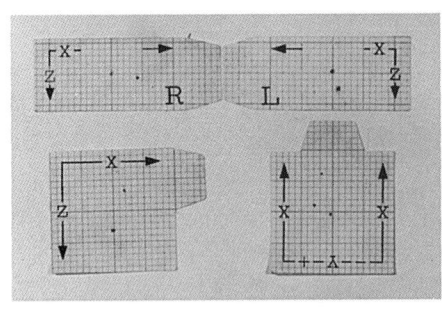

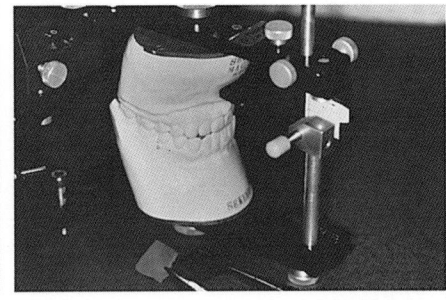

図18-19｜図18-20

図18-19　パナデント咬合器を用いたCR（中心位）からCO（中心咬合位）への偏位量の計測
図18-20　CRおよびCOの位置記録．

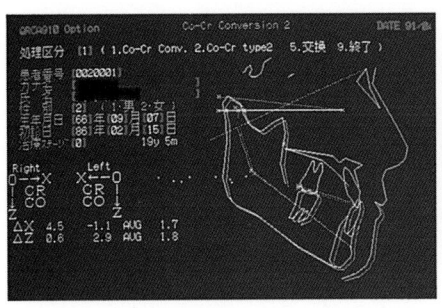

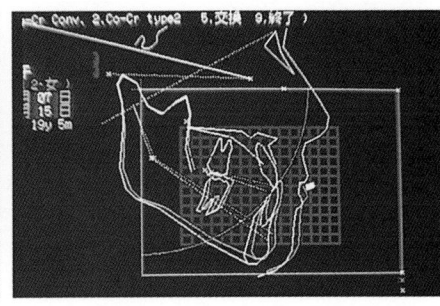

図18-21｜図18-22

図18-21　コンピュータによるCO-CR Conversion．平均値を用いて，ヒンジポイントを設定する方式．
図18-22　CO-CR Conversion レコーディングで実測して求められたヒンジアキシスを中心に下顎の変位量を求める．この方式では3次元的下顎偏位を2次元（平面的）にしか見ることができない．

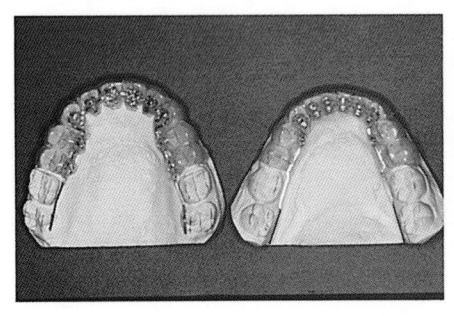

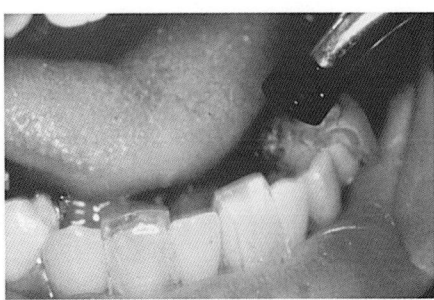

図18-23｜図18-24

図18-23　舌側矯正の比較的初期の段階で用いていた各歯コアーシステム．
図18-24　各歯トレー（コアー）を用いたブラケットの装着．

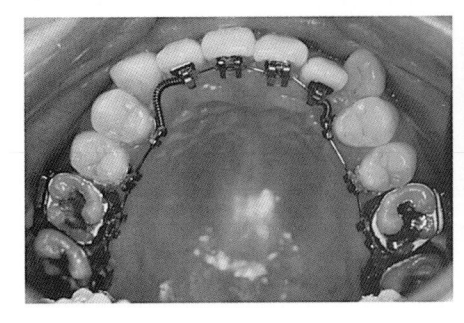

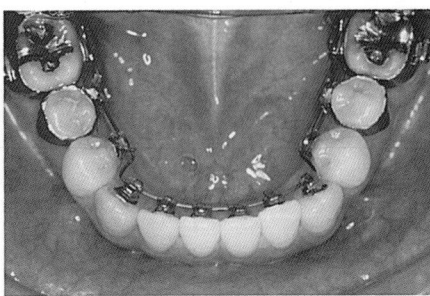

図18-25｜図18-26

図18-25　上顎のレベリングおよびオープンコイルを用いた前歯部の拡大，使用ワイヤーは.012"～.016" S.S.
図18-26　下顎レベリング．使用ワイヤーは.012"～.016" S.S.

168

症例7

図18-27│図18-28

図18-27 アイデアル完了アーチワイヤーの挿入．使用ワイヤーは.016″～.022″S.S.
図18-28 アイデアル完了アーチワイヤーの挿入．使用ワイヤーは.016″～.022″S.S.，アイデアル完了アーチワイヤーの挿入．.017″～.025″TMA.

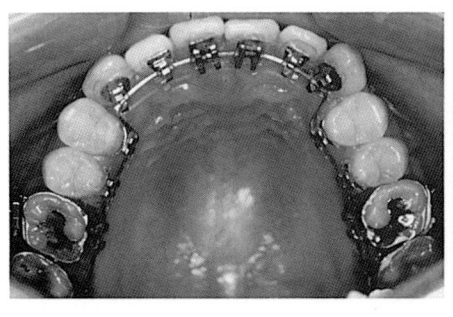

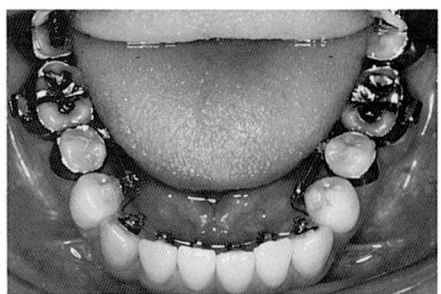

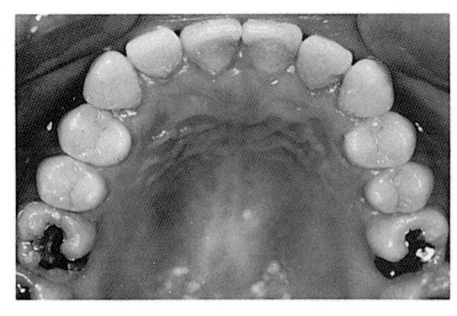

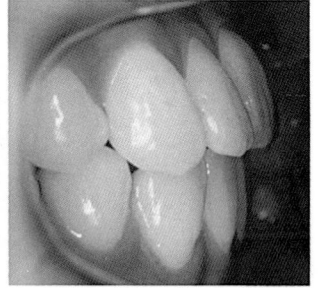

|図18-29│図18-30|
|図18-31│図18-32│図18-33|
|図18-34|

図18-29～34 完了時口腔内所見．

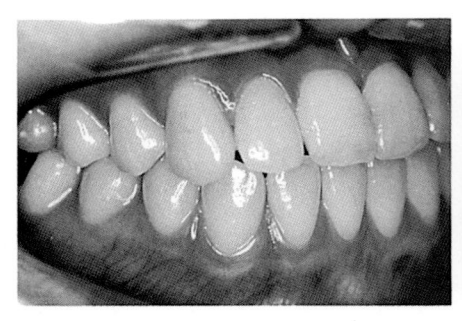

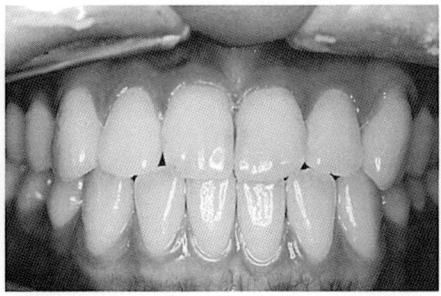

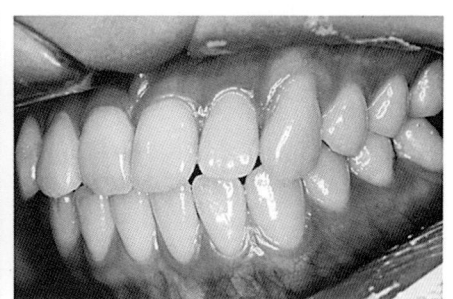

図18-35│図18-36

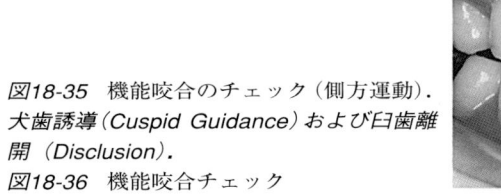

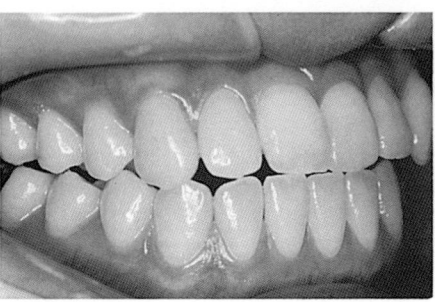

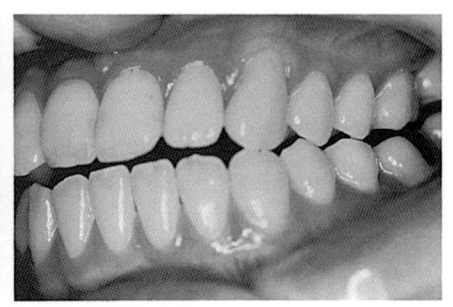

図18-35 機能咬合のチェック（側方運動）．犬歯誘導（Cuspid Guidance）および臼歯離開（Disclusion）．
図18-36 機能咬合チェック

169

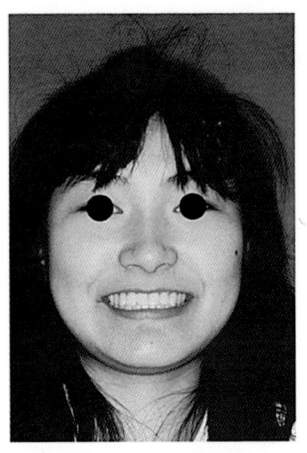

Chapter 18 アングルIII級症例(前歯部反対咬合)

図18-37 治療後の顔面 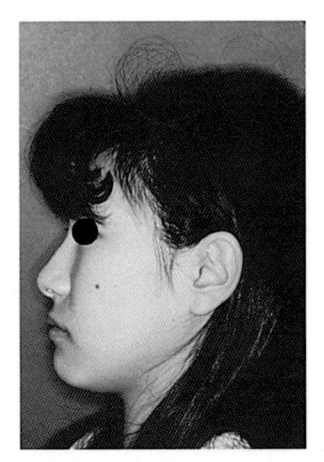
図18-38 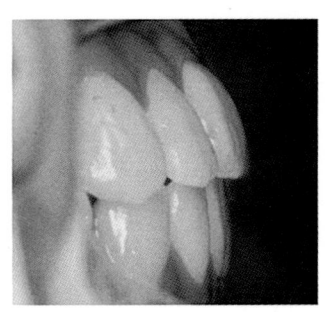
図18-39 治療後の口腔内写真.

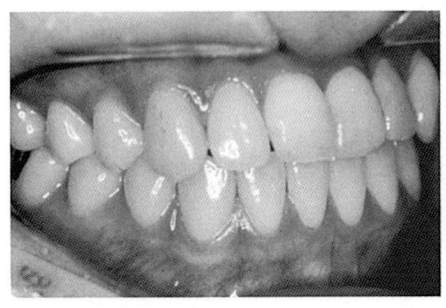

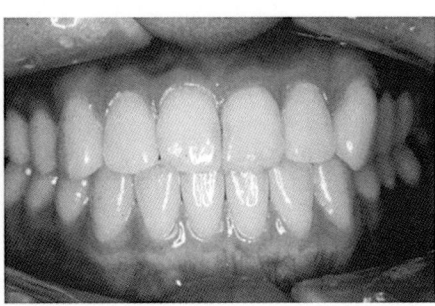

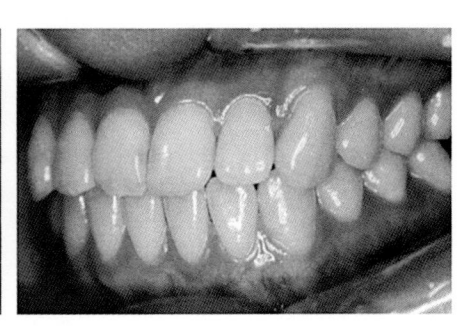

図18-40～42 治療後の口腔内.

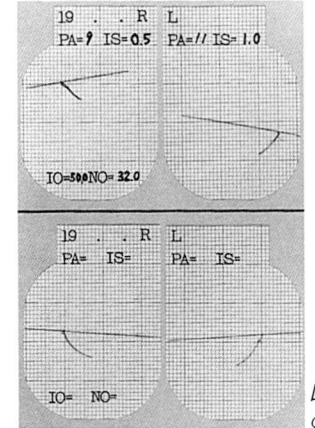

図18-43 治療前後のAxi-path Protractorによる顆頭運動の記録.

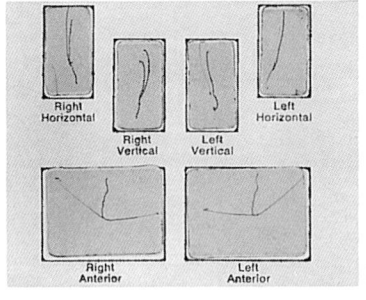

図18-44 治療後のパントグラフによる顆頭運動の記録.

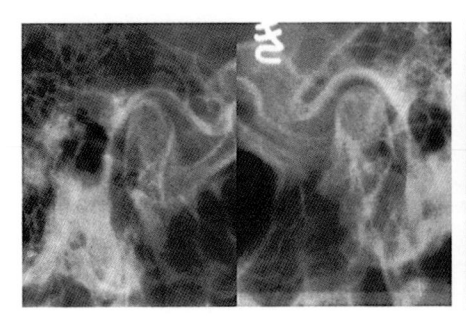

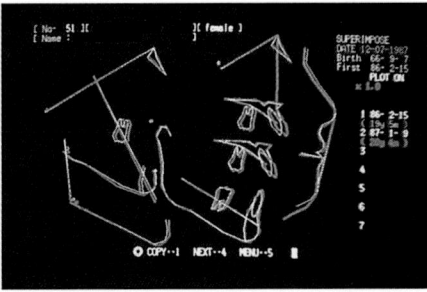

図18-45｜図18-46

図18-45 治療後の顎関節X線写真.右側顆頭がやや後方位をとっているので,今後の経過観察が必要である.
図18-46 治療前後のセファロの重ね合わせ.

170

症例8（図18-47〜86）

患者：24歳5か月，女性
主訴：前歯部反対咬合
治療方針：下顎右側第2小臼歯、下顎左側第1大臼歯　抜歯（基本的には両側第2小臼歯抜歯）

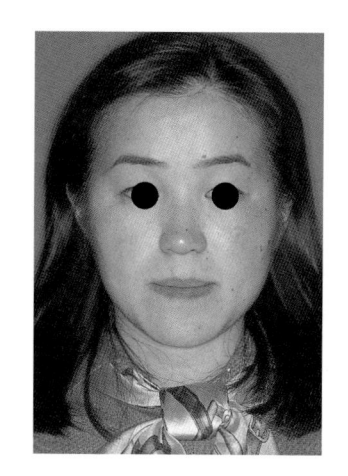

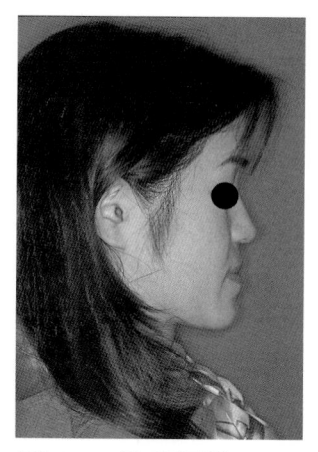

▶図18-47　初診時，顔面正面観．24歳5か月の女性

図18-48　顔面側面観

図18-49	図18-50
図18-51	図18-52	図18-53
図18-54

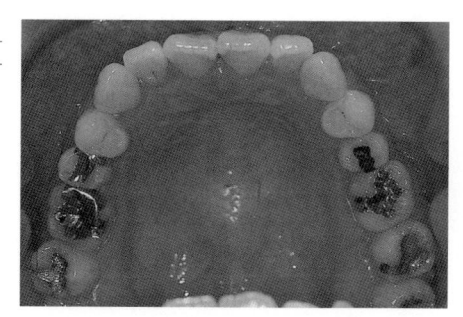

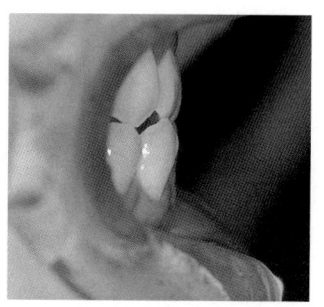

図18-49〜54　アングル臼歯Ⅰ級関係．前歯反対咬合．

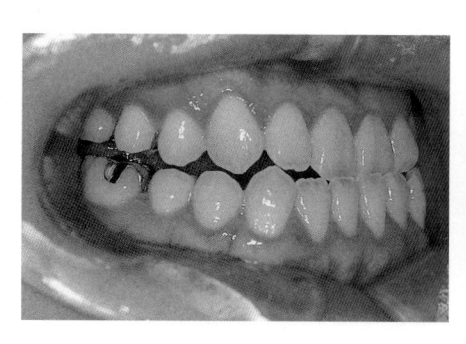

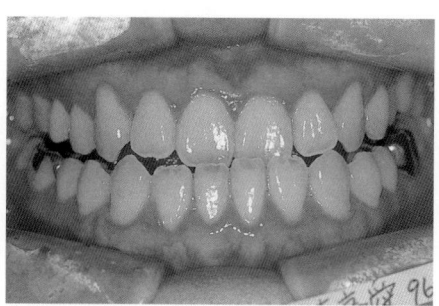

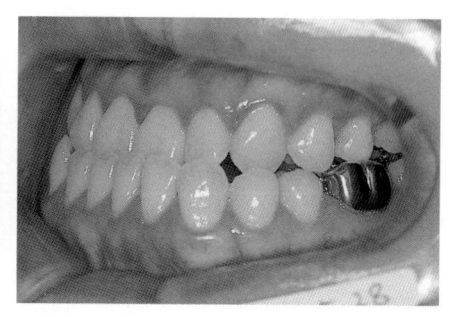

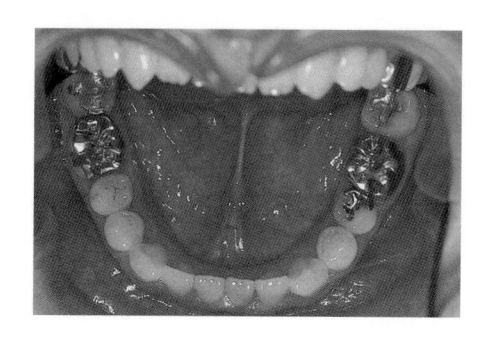

171

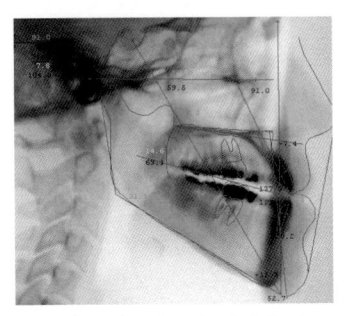

Chapter 18 アングルⅢ級症例（前歯部反対咬合）

図18-55 顔面タイプはドリコフェイシャルタイプ．(O.D.I.＝60.4)

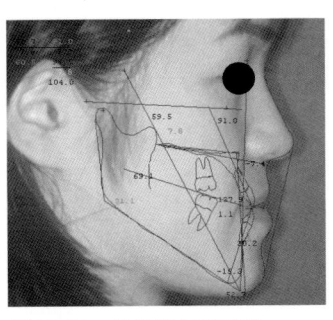

図18-56 骨格性反対咬合．(A.P.D.I＝97.1)

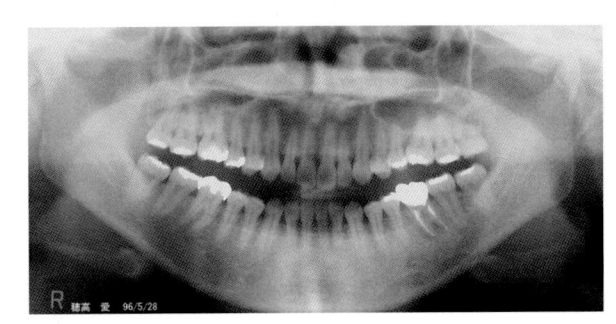

図18-57 口腔内X線写真（パントモ）．左側第1大臼歯に根尖病巣が認められる．

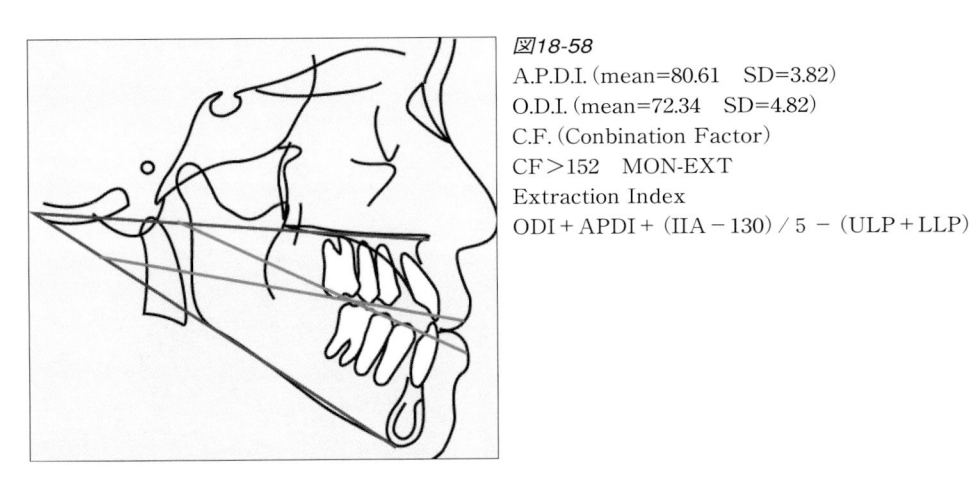

図18-58
A.P.D.I.（mean=80.61　SD=3.82）　　　　97.1
O.D.I.（mean=72.34　SD=4.82）　　　　　60.4
C.F.（Conbination Factor）　　　　　　157.5
CF＞152　MON-EXT
Extraction Index
ODI＋APDI＋(IIA－130)／5－(ULP＋LLP)

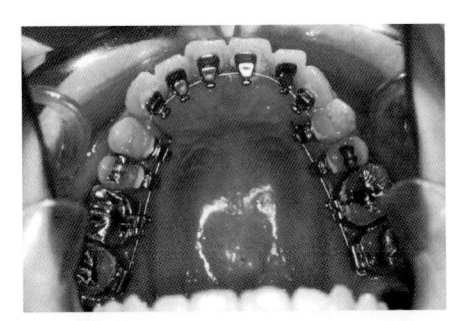

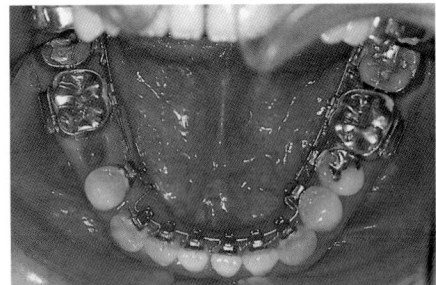

図18-59｜図18-60
図18-61｜図18-62

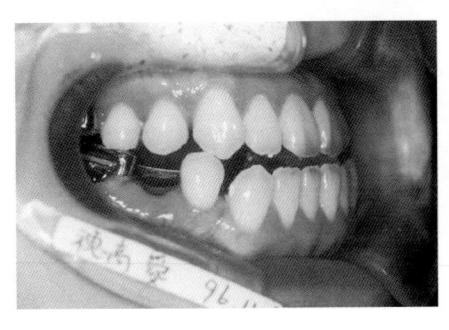

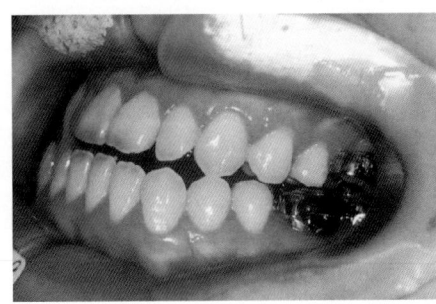

図18-59〜62　レベリング．
.016″TMA〜.017″×.025″Coppre NI-TI．
右側第2小臼歯抜歯．

図18-63 | 図18-64
図18-65 | 図18-66

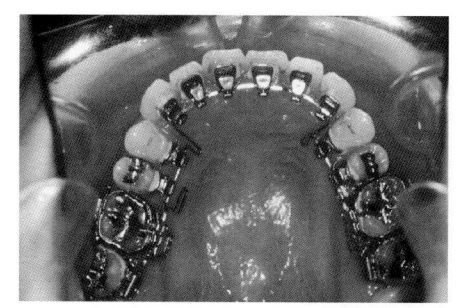

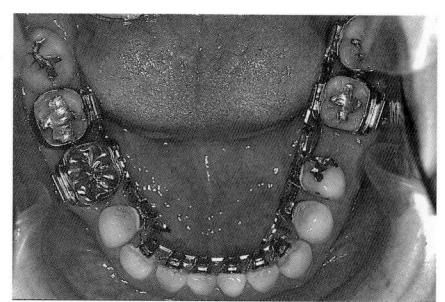

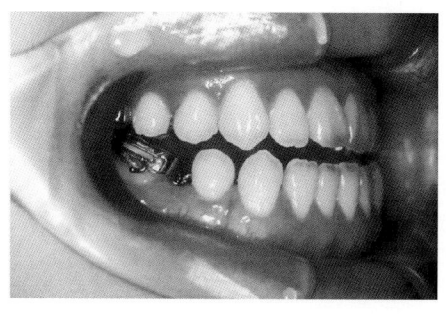

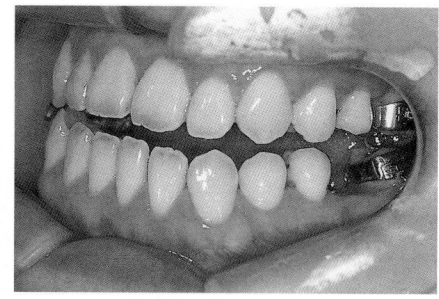

図18-63～66　レベリング（臼歯整直）後．
下顎左側第1大臼歯（|6）抜歯．
下顎右側第1小臼歯および左側第2小臼歯遠心移動．
上下　.017″ × .025″ TMA．

図18-67 | 図18-68
図18-69 | 図18-70

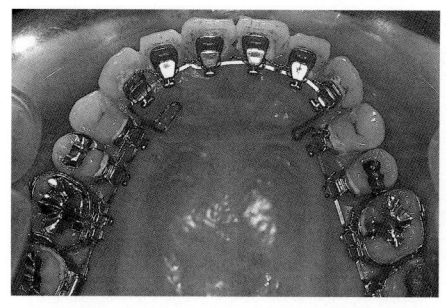

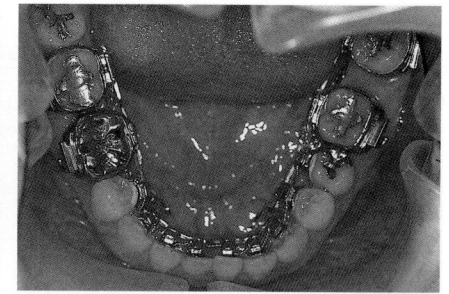

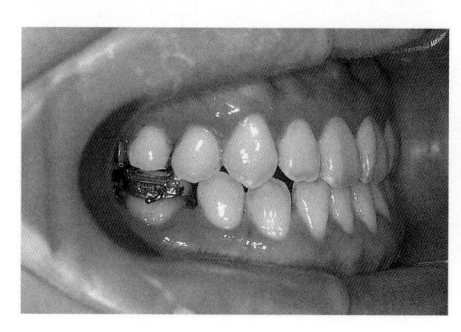

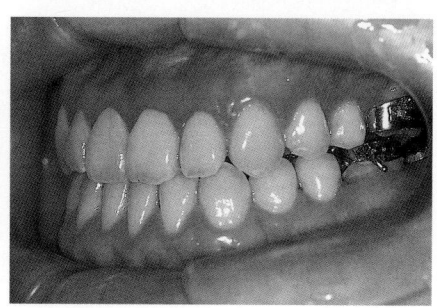

図18-67～70　下顎空隙閉鎖．
.017″ × .025″ TMA．

Chapter 18 アングルIII級症例（前歯部反対咬合）

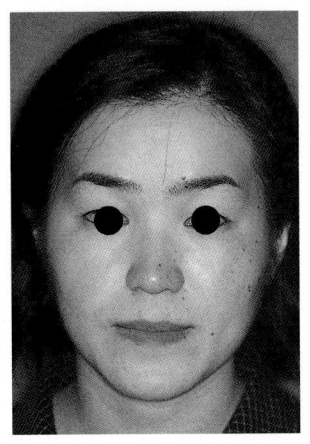

図18-71,72 完了時,顔面正面観.

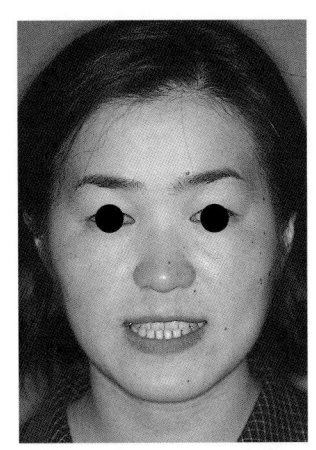

図18-72

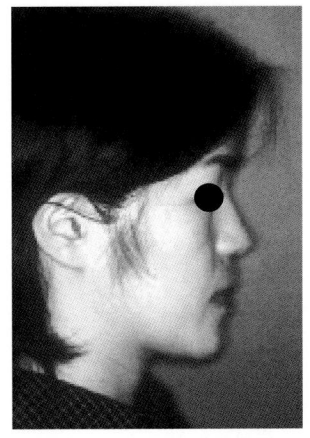

図18-73 完了時,顔面側面観.

	図18-74	図18-75
図18-76	図18-77	図18-78
	図18-79	

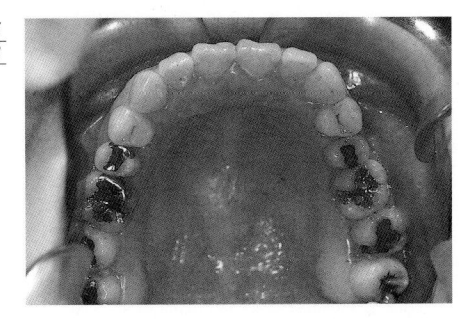

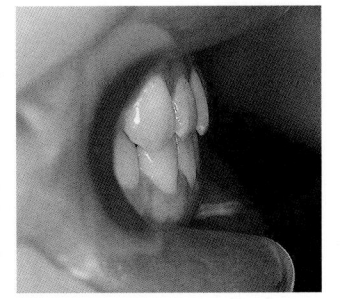

図18-74〜79 完了時口腔内状態.

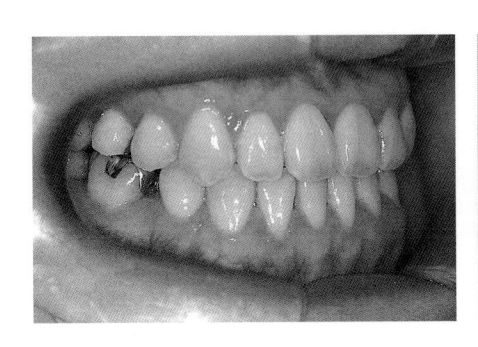

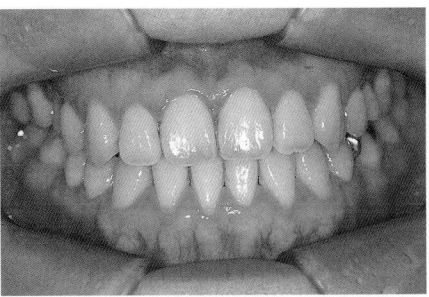

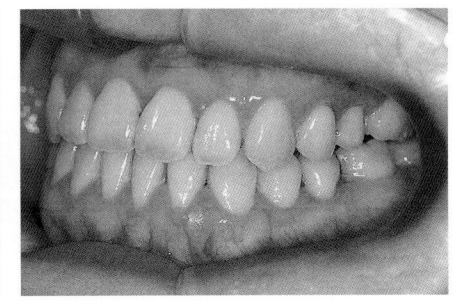

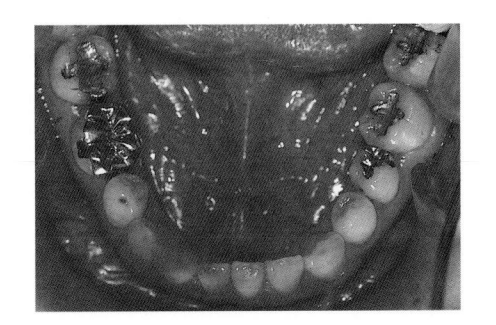

174

症例8

図18-80 | 図18-81
図18-82 | 図18-83

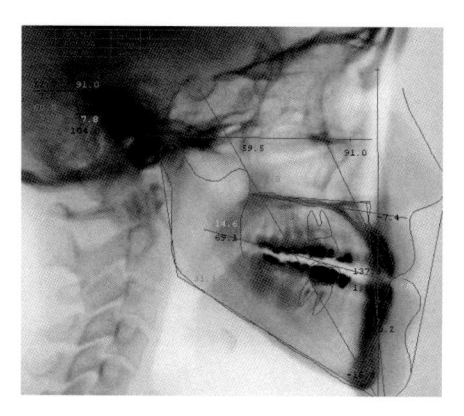

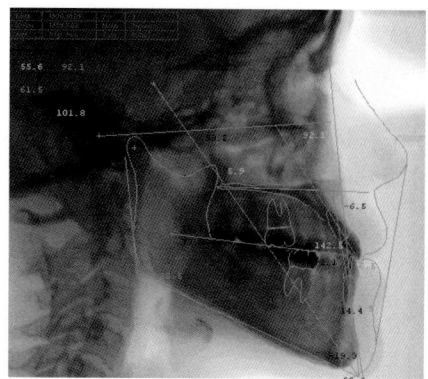

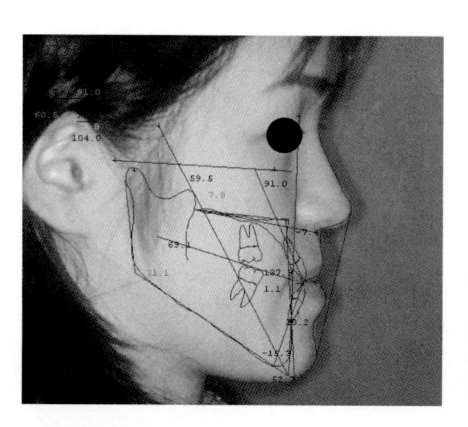

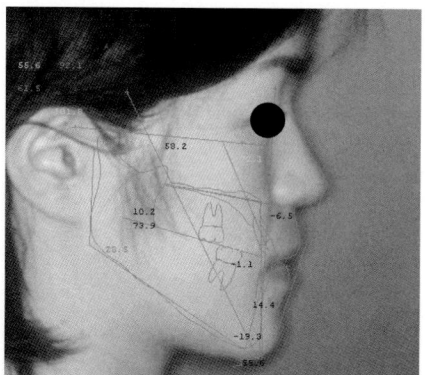

図18-80〜83 治療前後の頭部X線規格写真の比較.

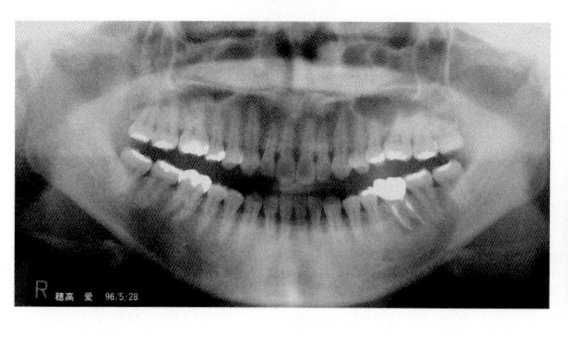

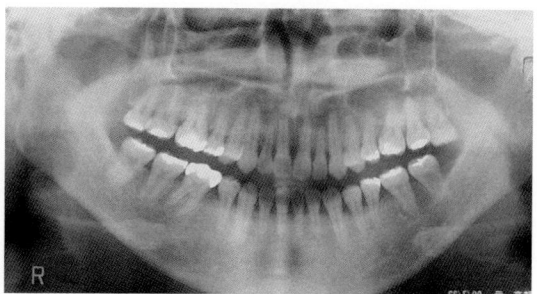

図18-84 | 図18-85

図18-84,85 治療前後のパントモレントゲン写真の比較.

175

Chapter 19

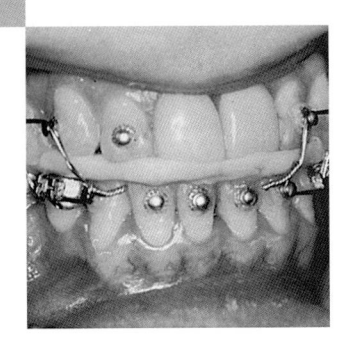

外科症例

症例9（図19-1〜51）

患者：23歳2か月，女性
主訴：前歯部反対咬合，開咬
治療方針：非抜歯，外科処置併用
使用器具：上下顎・Kellyタイプ舌側装置

▶図19-1　初診時．23歳2か月の女性．

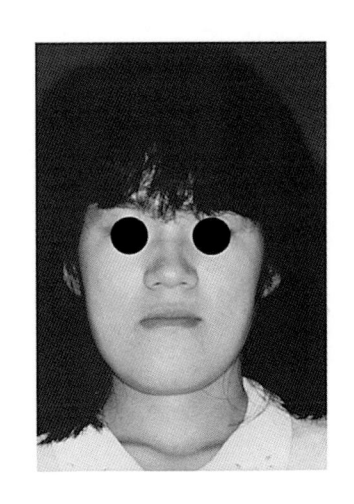

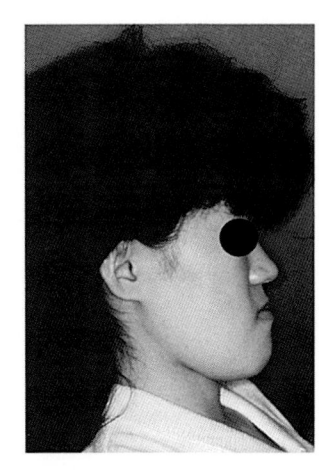

図19-2　主訴は前歯部反対咬合，開咬および下顎の前突感．

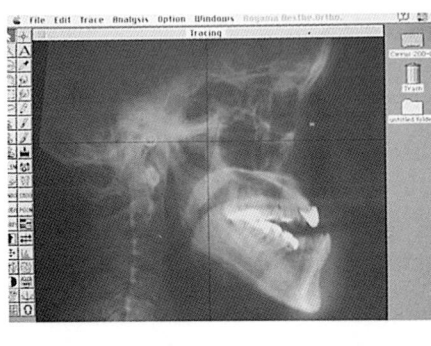

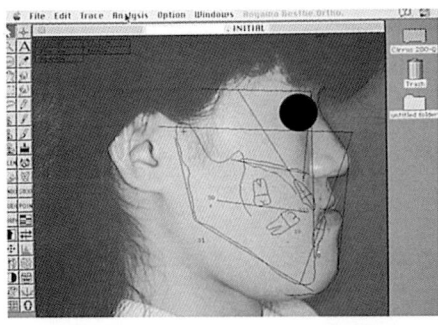

図19-3 | 図19-4

図19-3　初診時．頭部X線規格写真（セファログラム）．Dolico-facial顔面タイプ骨格性Ⅲ級症例．
図19-4　初診時，プロフィールおよびセファロ分析．下顎骨前突および下顎前歯の唇側突出が認められる．

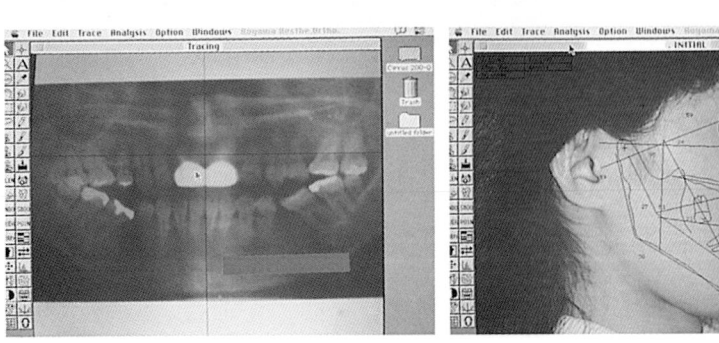

図19-5 | 図19-6

図19-5　初診時．パントグラフX線写真．上下顎第二小臼歯先天欠如のためとくに第一大臼歯が近心に傾斜している．
図19-6　治療方針は非抜歯および矢状分割下顎枝骨切り術による下顎の外科的後退．

症例9

|図19-7|図19-8|
|図19-9|図19-10|図19-11|
|図19-12|

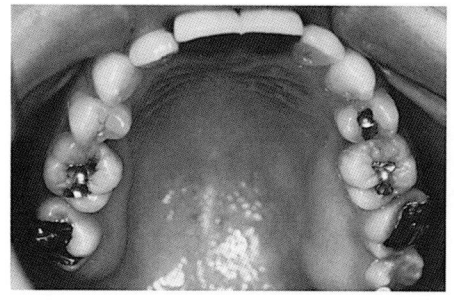

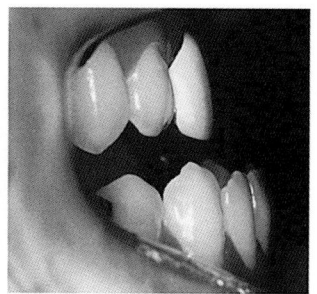

図19-7〜12 初診時．口腔内所見．オーバージェット−6.5mm，オーバーバイト−3.5mm．

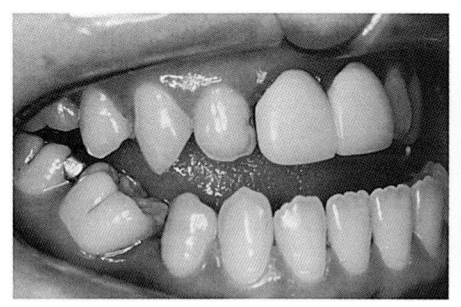

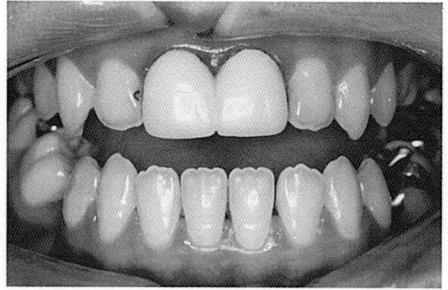

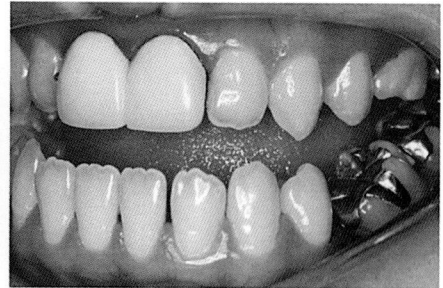

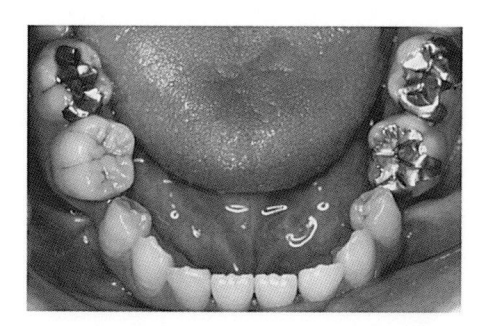

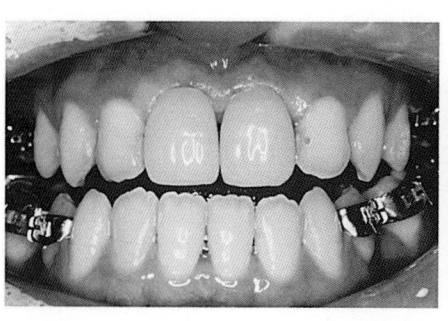

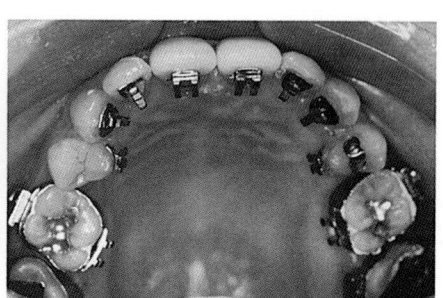

|図19-13|図19-14|

図19-13 装置装着後の口腔内所見．
図19-14 使用ブラケットはKellyタイプ（UNITEK社）．

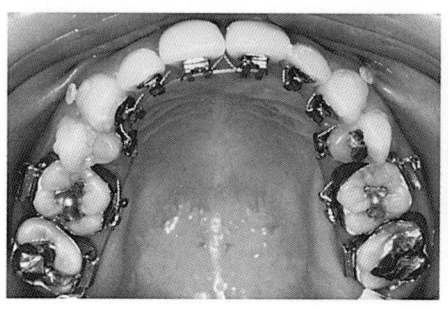

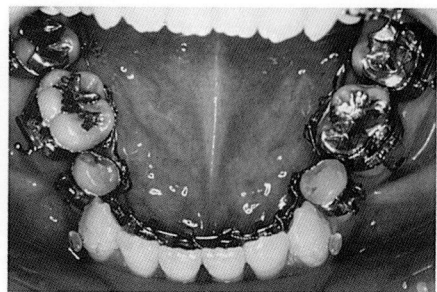

|図19-15|図19-16|

図19-15 レベリングの後，外科手術前のアーチファームの確立を行う．使用ワイヤーは.016"×.022" S.S.
図19-16 下顎アーチフォームの確立．

177

Chapter 19 外科症例

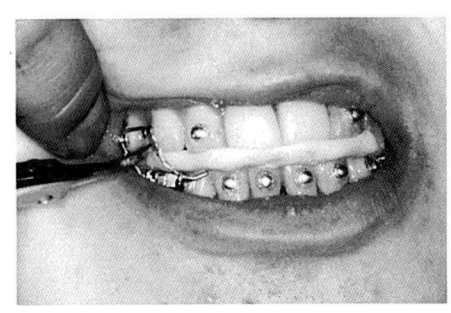

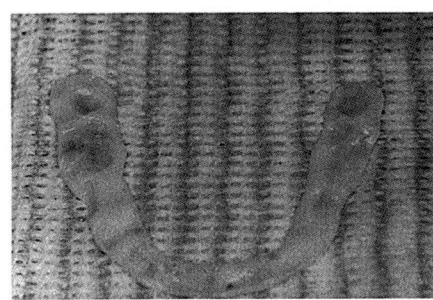

図19-17｜図19-18

図19-17 外科手術後の下顎固定用プレートの装着.
図19-18 固定用プレート.

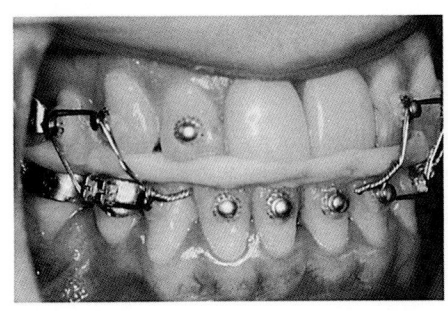

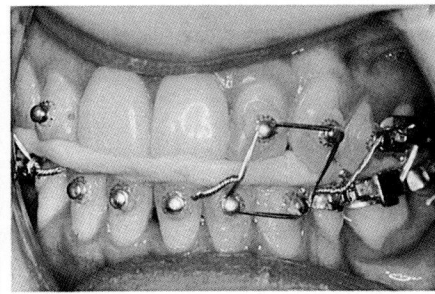

図19-19｜図19-20

図19-19 ワイヤーとプレートによる下顎骨の固定. 口腔内右側観.
図19-20 口腔内左側観.

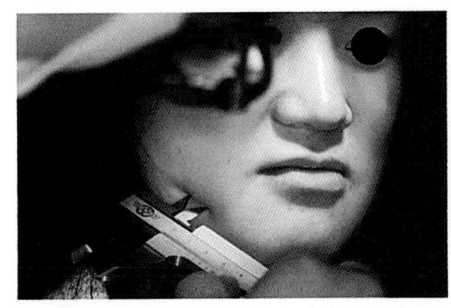

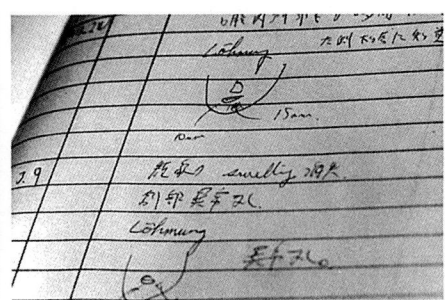

図19-21｜図19-22

図19-21 外科手術後の知覚障害の検査.
図19-22 知覚障害検査の記録.

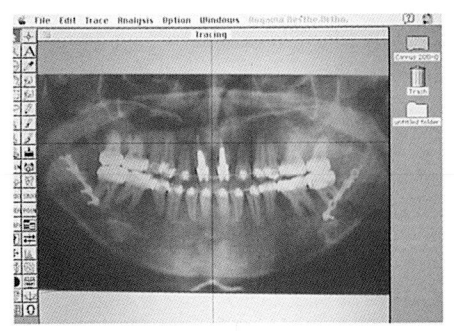

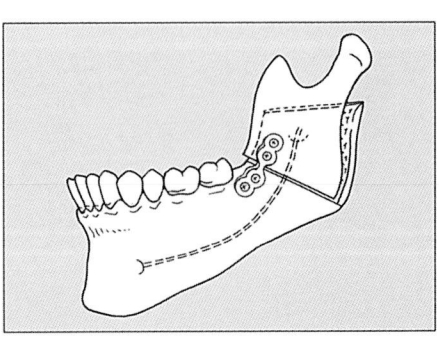

図19-23｜図19-24

図19-23 パノラマX線写真. 4 Hole Bone Plateが用いられている.
図19-24 ミニプレートによる骨接合（Obwegeser法施行時）（山口秀晴ほか, 顎顔面変形症の外科的矯正治療, 三樹企画, 東京, 1994, p209. より）.

178

症例9

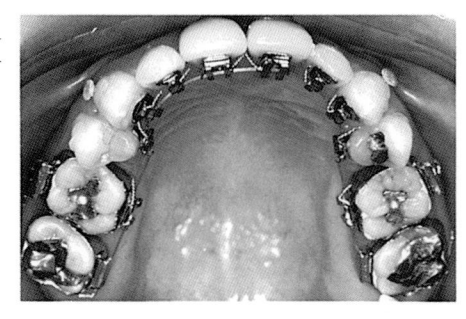

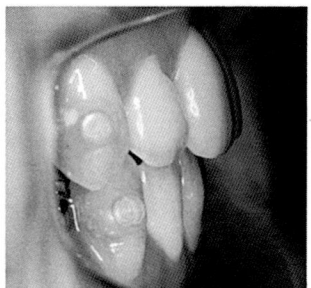

図19-25～30 外科手術後の口腔内所見.

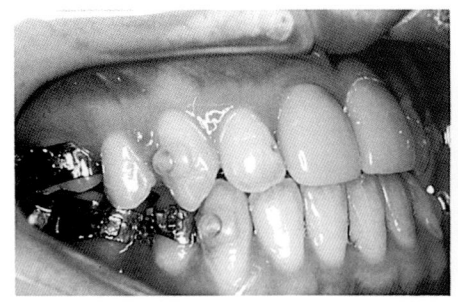

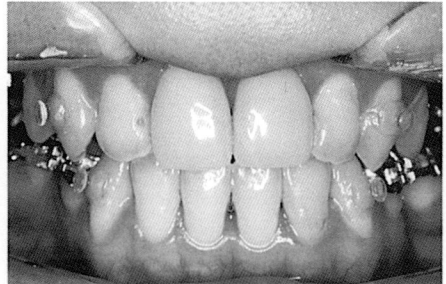

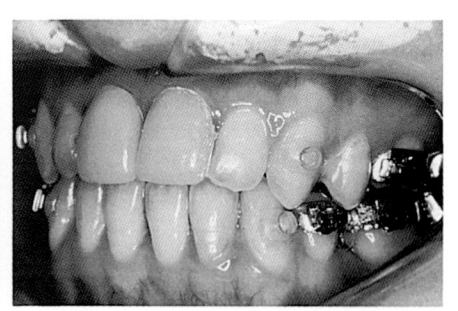

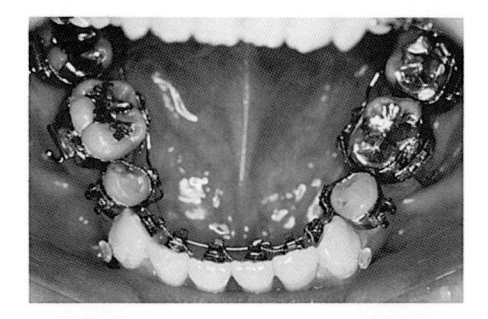

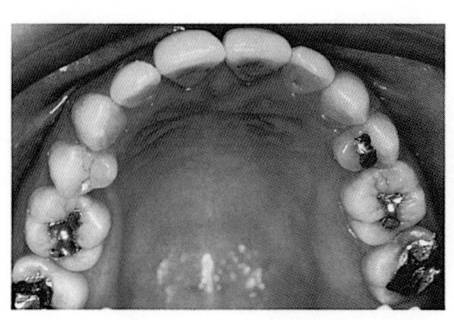

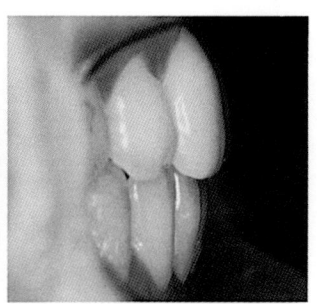

図19-31～35 治療後の口腔内所見.

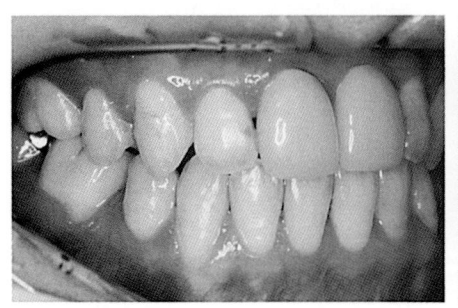

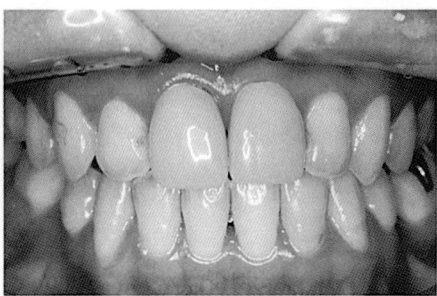

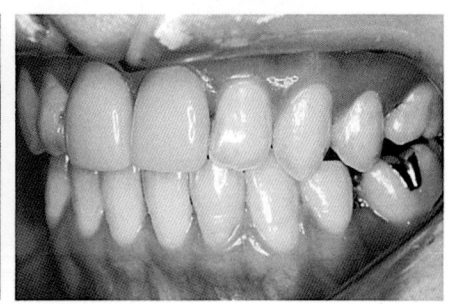

179

Chapter 19　外科症例

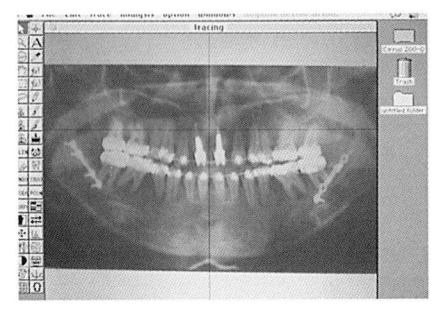

図19-36　パントモX線写真.

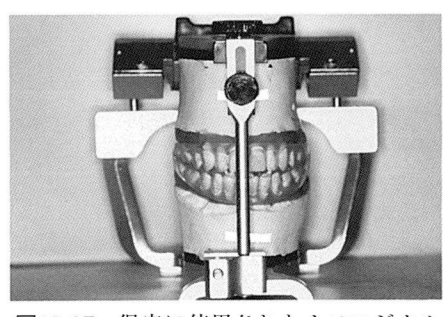

図19-37　保定に使用されたナソロジカルポジショナー.

図19-38　ナソロジカルポジショナーの口腔内所見.

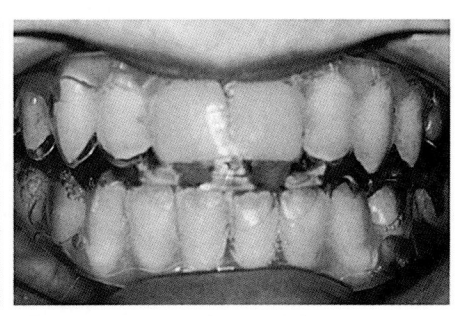

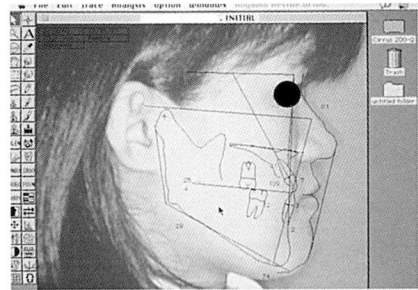

図19-39｜*図19-40*

図19-39　治療後のプロフィールおよびセファロ分析.
図19-40　治療前のプロフィールおよびセファロ分析.

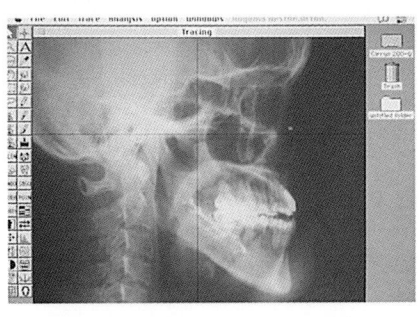

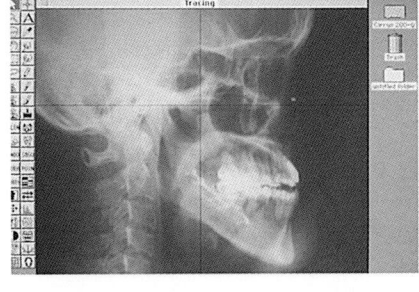

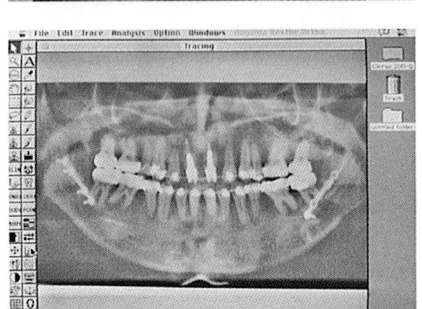

図19-41｜*図19-42*

図19-41　治療後の頭部X線規格写真.
図19-42　治療前の頭部X線規格写真.

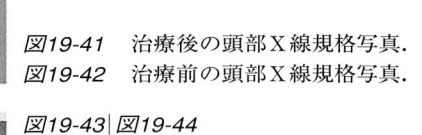

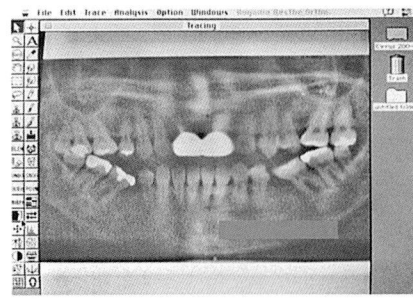

図19-43｜*図19-44*

図19-43　De-banding直後のパントモX線写真.
図19-44　治療前のパントモX線写真.

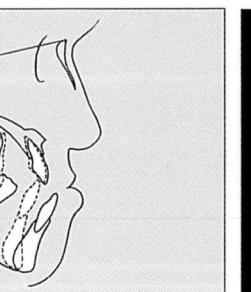

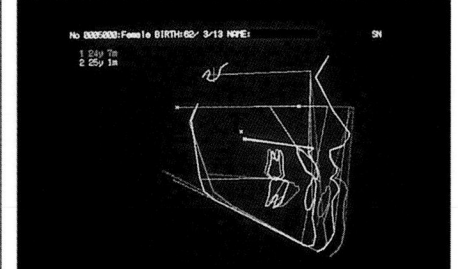

図19-45　治療前後のセファロの重ね合わせ.

図19-46　治療前後のセファロの重ね合わせ.

図19-47　治療前後のセファロの重ね合わせ.

180

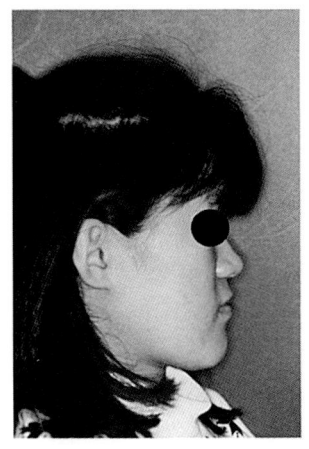

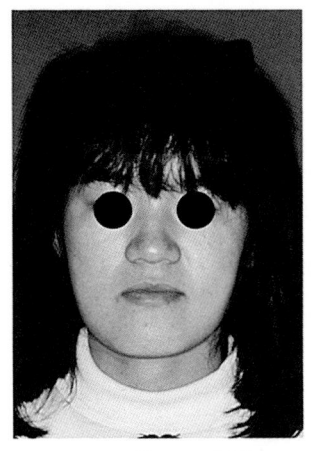

図19-48, 49　完了時の顔面観．　　　図19-48｜図19-49 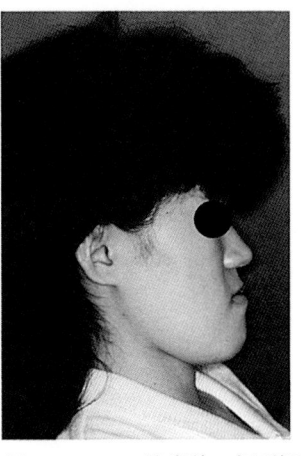 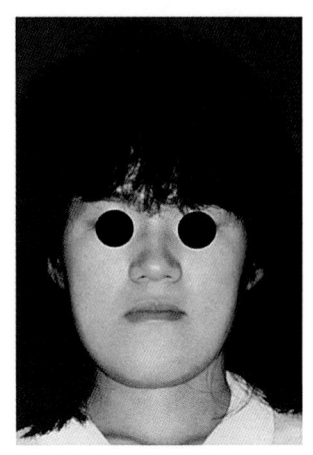　　　図19-50, 51　治療前の顔面観．　　　図19-50｜図19-51

参考文献

1) 小谷田仁，成人における舌側矯正の術式について，矯正臨床ジャーナル，9(11)，P43-72，1993.
2) 小谷田仁，促進矯正法を行った治験例，日本成人矯正歯科学会雑誌，12，P95-102，1994.
3) 小谷田仁，カラーアトラス 審美歯科 臨床基本テクニック PARTⅠ，第7章-第12章，クインテッセンス，東京，1994.
4) 小谷田仁，いわゆるマルチリンガルアプライアンスの適応症と装置の選択，第42回日本矯正歯科学会学術大会抄録，1983.
5) 小谷田仁，いわゆるマルチリンガルアプライアンスの適応症と装置の選択（その2），第43回日本矯正歯科学会学術大会抄録，1984.
6) 小谷田仁，いわゆるマルチリンガルアプライアンスのシステム化へのアプローチ，第44回日本矯正歯科学会学術大会抄録，1985.
7) 小谷田仁，いわゆるマルチリンガルアプライアンスの限界とシステム化へのアプローチ（第2報），第45回日本矯正歯科学会学術大会抄録，1986.
8) 小谷田仁，舌側矯正におけるブラケットの位置づけ，日本舌側矯正学術会会誌 No.2，P5-6，1991.
9) 小谷田仁，リンガルアプライアンスによる開咬の治療-High angle を伴ったOpen bite case-，日本舌側正学術会会誌 No.5，P19-21，1994.
10) 井手吉信／中沢勝宏，顎関節機能解剖図譜，クインテッセンス，東京，P111，1990.
11) 山口秀晴ほか，顎顔面変形症の外科的矯正治療，三樹企画，東京，P209，1994.
12) 藤田欣也，Development of Lingual-Bracket Technique (1)，歯科理工学雑誌，19(46)，P81-86，1978.
13) 藤田欣也，リンガルブラケット法の開発(2)，歯科理工学雑誌，19(46)，P87-94，1978.
14) 藤田欣也，リンガルブラケット法の開発(3)，日矯雑誌，37(4)，P381-384，1978.
15) 藤田欣也，Lingual-bracket Mushroom arch wire装置（上），歯界展望，57(4)，P729-740，1981.
16) 藤田欣也，人目につかない新矯正治療法，カラーアトラス歯科臨床講座，(6)，1983.
17) 藤田欣也，フジタメソッドについて，歯界展望，63(3)，P527-540，1984.
18) 藤田欣也，Multi-lingual bracket装置でのfinishing，歯科ジャーナル，21(2)，P201-210，1985.
19) 藤田欣也，The Fujita Methodの実際1，The Dental，5(1) P7-13，1985.
20) 藤田欣也，The Fujita Methodの実際2，The Dental，5(2) P127-136，1985.
21) 松井美恵子ほか，Lingual-bracket法のための刷掃法について(3)，日矯雑誌，37(3)，P399-403，1978.
22) 鶴田正彦ほか，最近のリンガルブラケット装置，歯科ジャーナル，31(5)，P538-553，1990.
23) 寿谷一，Corticotomy orthodontics, Presentation at American Academy of Restrative Dentistry, Chicago,

February, 20, 1983.

24) 寿谷一，Personal communication

25) 丸山剛郎，臨床生理咬合，医歯薬出版，東京，1988.

26) 石岡靖／小林義典／長谷川成男／河野正司／林豊彦編，顎口腔機能分析の基礎とその応用──ME機器をいかに活かすか──，デンタルダイヤモンド社，P66-77，1991.

27) 吉田　義明，et al.: 圧下時における上顎中切歯の抵抗中心に関する研究，Ortho. Waves, 59(5), 312-316, 2000.

28) 丹根一夫，他：矯正治療にいける種々の力系に対する歯根膜の生力学的反応-moment/force比と歯根膜での応力分布の関係−．日矯歯誌，47：526〜535，1988.

29) 丹根一夫：デンタルテクニックス(15)　歯の移動の生体力学　−どうすれば歯は動くか−　財団法人口腔保険協会：1〜49，1979.

30) 広俊明，竹本京人：レジンコアーインダイレクトボンディングシステム　〜舌側からの矯正治療法の改良〜，日矯歯誌，57(2)，83-91，1998.

31) 岩田健男，伊東公一，小谷田　仁：カラーアトラス　審美歯科，臨床基本テクニック　PARTⅠ，クインテッセンス(株)，1994.

32) 義澤祐二，田中勝治，三根　治：舌側装置による矯正治療　力学的考察について，JOP，51〜66，1996-10.

33) 白須賀直樹，他：インダイレクト法の実際−誰でもできるブラケットポジショニング−．ザ・クインテッセンス，クインテッセンス出版，東京，21(1)，187-198，2001.

34) 小坂　肇：プレーンアーチ法−新ストレートワイヤー法の理論と臨床，医学情報社，2000.

35) 五十嵐康男，正しい英語の発音マスター90分，昇龍堂出版，東京，P33，1989.

36) H. Koyata, Systematic Approach for Multiple Attachment Lingual Appliance, 2nd International Congress of Japan Orthodontic Society, 1988.

37) HITOSHI KOYATA, Systematic Approach for Multiple Attachment Lingual Appliance, American Lingu Orthodontic Association, Annual Congress, 1989.

38) FUJITA K., New Orthodontic treatment with lingual bracket mushroom arch wire appliance, Amer J Orthodont, 76(60), P657-675, 1979.

39) FUJITA K., Multi lingual-bracket and mushroom arch wire technique, Amer J Orthodont, 82(2), P120-140, 1982.

40) Fujita, K., Orthodontic appliance (Multiple lingual orthodontic appliance). Japan Patent 55-48814, 1976.

41) Kole, H., Surgical operation on the alveolar ridge to correct occlusal abnormalities., Oral Surg., 12(5), P515, 1959.

42) J: Milfold Anholm et al., Corticotomy-facilitated orthodontics, CDA Journal, December, 1986.

43) Kurz, C. and Gorman, J.C., Lingual orthodontics : A status report. Part 7A: Case reports−Nonextraction, consolidation. J. Clin. Orthod., 17：P310-321, 1983.

44) Kurz, C., Swarz, M.L. and Andreiko, C., Lingual orthodontics: A status report. Part 2: Research and development. J. Clin. Orthod. 16：P735-740, 1982.

45) Alexander, C.M., Alexander, R.G., Gorman, J.C., Hilgers, J.J.k Kurz, C., Scholz, R.P. and Smith, J.R., Lingual orthodontics; A status report. J. Clin. Orthod., 16, P255-262, 1982.

46) Alexander, C.M., Alexander, R.G., Gorman, J.C., Hilgers, JJ., Kurz, C., Scholz, R.P. and Smith, J.R., Lingual

orthodontics: A status report. Part 5: Lingual mechanotherapy. J. Clin. Orthod, 17, P99-115, 1983.
47) Alexander, C.M., Alexander, R.G., and Sinclair, P.M. Lingual orthodontics: A status report. Part 6: Patient an practice management. J. Clin. Orthod, 17, P240-246, 1983.
48) Gorman, J.C., Hilgers, J.J. and Smith, J.R., Lingual orthodontics: A status report. Part 4: Diagnosis and treatment planning. J. Clin. Orthod., 17, P26-35, 1983.
49) Fillion, D.A la recherche de la préision en technique à attaches linguales. Rev. Orthop. Dento-Faciale, 20, P401-403, 1986.
50) Paige, S.F., A lingual light-wire technique. J. Clin. Orthod., 19, P534-544, 1982.
51) Maijer, R. L'orthodontie à attaches linguales. L'Orthod. Fr., 57, P515-529, 1986.
52) Chateau, M. and Fontenell, A., Application des arcs "multitetes" en technique lingual. Actual Odontostomatol., 150, P321-330, 1985.
53) Aquirre, M.J., Indirect bonding for lingual cases. J. Clin. Orthod., 18, P565-569, 1984.
54) Daimon, M., Critical aspects of lingual bracket placement. J. Clin. Orthod., 17, P688-691, 1983.
55) Altounian, G., La therapeutique à attaches linguales: Une autre approche de l'orthodontie. Ref. Orthop Dento-Faciale, 20, P319-362, 1986.
56) Artun, J., Aposttreatment evaluation of multibonded lingual appliaances in orthdontics. Eur. J. Orthod., 9, P204-210, 1987.
57) Moran, K.I., Effective steel ligation for lingual appliances. J. Clin. Orthod. 18, P733, 1984.
58) Sinclair, P.M., Cannito, M.F., Goates, L.J., Solomos, L.F. and Alexander, C.M., Patient responses to lingual appliances. J. Clin. Orthod. 20, P396-404, 1986.
59) Bery, A. and Barcelone, H. Ergonomie et technique à attaches lingules. Rev. Orthop. Dento-Faciale, 20, P363-367, 1986.
60) Gorman, J.C., Treatment with lingual appliances: The alternative for adult patients. J. Adult Orthod. Orthognath. Surg. 3, P131-149, 1987.
61) Gorman, J.C., Treatment of adults with lingual orthodontic appliances. Dent. Clin. North Am. 32, P589-620, 1988.
62) Zachrisson, B.U. and Brobakken, B.O., Clinical comparison of direct versus indirect bonding with different bracket types and adhesives. Am. J. Orthod. 74, P62-78, 1978.
63) Scholz, R.P. and Swarz, M.L., Lingual orthodontics: A status report. Part 3: Indirect bonding-laboratory and clinical procedures. J. Clin. Orthod. 16, P812-820, 1982.
64) Fontenelle, A., Orthodontie à attaches linguales: Une autre approche. Orthod. Fr. 57, P541-557, 1986.
65) Moran, K.I., Relative wire stiffness due to lingual versus labial interbracket distance. Am. J. Orthod. Dentofacial Orthop. 92, P24-32, 1987.
66) Burstone, C.J., Variable modulus orthodontics. Am. J. Orthod. 80, P1-16, 1981.
67) Burstone, C.J. and Koenig, H.A., Force systems from an ideal arch. AMm. J. Orthod. 65, P270-289, 1974.
68) Drenker, E., Calculating continuous archwire forces. Angle Orthod. 58, P59-70, 1988.
69) Smith, R.J. and Burstone, C.J., Mechanics of tooth movement. A.m. J. Orthod. 85, P294-307, 1984.
70) Baker R Jr., The Lingual Appliance: Molar Eruption versus Incisor Depression: A Cephalometric Study, Research Project, EDC, Roshester, NY, 1987.

71) Bennett R.K., A Study of Deep Overbite Correction with Lingual Orthodonticx, Master's Thesis, Loma Linda University, 1988.
72) Creekmore T., Lingual Orthodontics-Its Renaissance, Amer J Orthod, 96(2), P120-137, 1989.
73) Davidian E.J., Using a Computer Model to Study the Force Distribution on the Root of the Maxillary Central Incisor, Master's Thesis, Loma Linda University, 1967.
74) Fulmer D.T., Kuftinec M.M., Cephalometric Appraisal of Patients Treated with Fixed Lingual Orthodontic Appliances: Historic Review and Analysis of Cases, Amer J Orthod, 95(6), P514-520, 1989.
75) Gorman J.C., Smith R.C., Comparison of Treatment Effects with Labial and Lingual Fixed Appliance, Amer J Orthod, 99(3), P202-209, 1991.
76) Kelly V.M., JCO Interviews On Lingual Orthodontics, J Clin Orthod, 16(7), P461-476, 1982.
77) Parisi B.M., A Three-Dimensional View of the Lingual Appliance, Research Project, EDC. Rochester, NY, 1989.
78) Sanin C. and Savara B.S., Factors that Affect the Alignment of the Mandibular Incisors: A Longitudinal Study Amer J Orthod, 64(3), P248-257, 1973.
79) Smith J.R., Gorman J.C., Kurz C., Dunn R.M., Keys to Success in Lingual Therapy, Part 1, J Clin Orthod, 20(4), P252-262, 1986.
80) Smith J.R., Gorman J.C., Kurz C., Dunn R.M., Keys to Success in Lingual Therapy, Part 2: J Clin Orthod, 20(5), P330-340, 1986.
81) J.C. Bennett, R.P. McLaughlin, Orthodontic Treatment Mechanics and the Preadjusted Appliance, Mosby－Year Book Europe Ltd., P80-106, P183-196.
82) Boyd, R.L.et al.: The Invisalign System in Adult Orthodontics: Mild Crowding and Space Closure Cases, J. Clin. Orthod. 34:
83) Taeweon Kim, et al,: New Indirect Bonding Method for Lingual Orthodontics. J.C.O., Vol.34.: 348-350., 2000.
84) Kim, Young H..: Anterior Openbite and its Treatment with Multiloop Edgewise Archwire, The Angle Ortho. October, 1987, 290-321.
85) Romano,R. LINGUAL ORTHODONTICS . B.C.Decker Inc.1998. Chap.16, 175-184.
86) Tanne, K., Koenig, H.A. and Burstone, C. J.: Moment to force ratios and the center of rotation.Am. J. Orthod. Dentofac. Orthop., :94：426〜431. 1988.
87) Tanne, K., et al.: Frictional forces and surface topography of a new ceramic bracket.Am. J. Orthod. Dentofac. Orthop., 106：273〜278., 1994.
88) Tanne, K., et al.: Wire friction from ceramic brackets during simulated canine retraction. Angel Orthod., 61：285〜290, 1991.
89) Mulligan, T. F.：Common Sence Mehanics, Phoenix, 1982, CMS.
90) Mulligan, T. F., 翻訳・監修；出口敏雄, 花田晃治：《明解》歯科矯正メカニスク, 東京, 1994, 東京臨床出版株式会社.

改訂新版
審美的歯科矯正法──舌側矯正臨床基本テクニック

1996年4月30日　第1版第1刷発行
2003年7月10日　第2版第1刷発行

web page address　http://www.quint-j.co.jp/
e-mail address : info@quint-j.co.jp

著　　者　　小谷田　仁
　　　　　　こやた　ひとし

発行人　　佐々木一高

発行所　　クインテッセンス出版株式会社
　　　　　　東京都文京区本郷3丁目2番6号　〒113-0033
　　　　　　クイントハウスビル　電話 (03) 5842-2270 (代表)
　　　　　　　　　　　　　　　　　　 (03) 5842-2272 (営業部)
　　　　　　　　　　　　　　　　　　 (03) 5842-2279 (書籍編集部)

印刷・製本　サン美術印刷株式会社

©2003　クインテッセンス出版株式会社　　禁無断転載・複写
Printed in Japan　　落丁本・乱丁本はお取り替えします
　　　　　　　　　　　　　　　ISBN4-87417-773-5　C3047
定価はカバーに表示してあります